ALS LIEFDE BLIND IS

Olivia Goldsmith

Als liefde blind is

the house of books

Oorspronkelijke titel
Wish upon a star
Uitgave
HarperCollins*Publishers*, Londen

Vertaling
Mariëtte van Gelder
Omslagontwerp
marliesvisser.nl
Omslagdia
Getty Images
Opmaak binnenwerk
ZetSpiegel, Best

ISBN 90 443 1567 6
D/2006/8899/41
NUR 302

Voor Millie Mohammad
en haar lieve vriendin
Rose W. Ravid

[...] laat alle beslissingen aan ons over, ook die óf we wel iets willen beslissen. Aan ons de keus of we een sprookje op ons eigen leven willen betrekken, of alleen willen genieten van de fantastische gebeurtenissen die het vertelt. Dat we ervan genieten, zet ons er op het moment dat we er zelf rijp voor zijn toe aan te reageren op verborgen betekenissen die verband houden met onze eigen ervaringen en onze mate van persoonlijke ontwikkeling op dat moment.

Bruno Bettelheim
The uses of enchantment:
The meaning and importance of fairy tales

1

Er was eens een betoverd meisje dat op een eiland in de sprookjesachtige stad New York woonde.

Het was Staten Island, en Claire Amelia Bilsop moest elke dag twee uur heen- en twee uur terugreizen naar haar werk in Manhattan. Ze stapte in Tottenville op de trein naar de veerboot en van de veerboot liep ze naar haar werk. Dat deed ze altijd samen met haar vriendin Tina, en deze dag was geen uitzondering.

'O, kom op,' zei Tina. 'Ga met ons mee. Je gaat nooit ergens heen en je doet nooit wat.'

Claire keek met gefronst voorhoofd naar haar breiwerk. Ze had een steek laten vallen toen de veerboot tegen de kade stootte. 'Dat is niet waar,' zei ze, hoewel het eigenlijk wel zo was. Ze dacht aan haar uitstapjes naar de bibliotheek, de videotheek en de wolafdeling van Kelsey's, allemaal in de hoofdstraat van Tottenville. 'Ik reis in mijn hoofd,' repliceerde ze, 'en ik kom elke dag in Manhattan. Vorige zomer ben ik naar Long Beach geweest.'

'Long Beach, nou vraag ik je! In Jersey! En je was met je moeder en die strontzak van een vriend van haar.'

Claire kromp in elkaar. Tina had een goed hart, maar moest ze het zo op haar tong dragen? 'Ik zie hem liever als een windbuil,' zei ze.

'Stront, wind, maakt niet uit.' Tina propte haar tijdschrift in haar tas en stond op. 'Berg die wol op, opoe,' zei ze met een blik op haar horloge. Claire zuchtte. Ze waren er, en zoals altijd hadden ze nog twintig minuten om naar Water Street te lopen, koffie en bagels bij hun vaste kraam te halen en naar de zevenendertigste verdieping van Crayden Smithers Alliance te gaan. Ze hadden tijd genoeg, maar Tina gedroeg zich altijd als een kind dat bang is de laatste stoel bij het stoelendansen te missen. Alsof iemand hun stoelen bij Crayden Smithers zou willen hebben. Claire haalde de gevallen steek op, stopte haar breiwerk in haar tas en schaarde zich met Tina in het gedrang naar de loopplank.

Tina baande zich een weg door de rij, met Claire in haar kielzog. Ze kregen boze blikken toegeworpen. Zelfs in Manhattan, een stad die beroemd is om zijn voordringers, sprong Tina eruit.

'Ik ben naar de Pocono Mountains geweest,' mompelde Claire.

'Dat is bijna nog érger dan Jersey,' zei Tina minachtend. Ze schudde haar hoofd en haar hoge kapsel deinde mee. 'Toen was je met die kneus. Je hebt het niet eens met hem gedaan.'

Claire bloosde. Ze keek om zich heen, maar iedereen had het te druk met het zoeken van een bus of ondergrondse op weg naar een nieuwe dag vol stress of verveling. 'Ik heb wél met hem geslapen,' stribbelde ze tegen, al wilde ze niet aan Tina toegeven dat het voornamelijk echt slapen was geweest. Bob was niet zo'n Italiaanse hengst geweest als Anthony, Tina's verloofde, als ze Tina mocht geloven.

'Nog erger,' zei Tina. 'Naar bed met Bob. Bah.' Ze liepen uit de aankomsthal de beukende wind van de baai in. 'God, wat is het koud,' zei Tina klaaglijk. 'Het is al maart, verdomme. Wanneer wordt het eens warm?' Claire, die wist dat Tina geen antwoord verwachtte, liet haar rustig doorgaan met haar monoloog en mogelijk goed bedoelde opdringerigheid. 'Het is warm in San Juan, Claire. Strand. Casino's. Disco's.'

Het probleem was dat Claire daar allemaal niets aan vond. Ze verbrandde in de zon, ze gokte nooit en ze verafschuwde disco's. Hoewel ze in dezelfde straat waren opgegroeid en al eeuwig bevriend waren, vond Claire bijna alles wat Tina deed saai, gênant of allebei. Tina was ordinair, en niet alleen omdat ze in Tottenville woonde. Claire verborg een glimlach.

Ze verbaasde zich er vaak over dat ze zo'n vreemd, slecht bij elkaar passend stel waren. Tina was klein en donker, met grote borsten die ze graag liet zien, en ze droeg schreeuwerige, strakke topjes. Ze had een olijfkleurige huid en maakte zich dik op. Claire was lang en hoewel ze iets te dik was, had ze bijna geen borsten; God moest een man zijn, want een vrouwelijke God had niet alle kilo's die ze aankwam op haar heupen geplakt. Ze had een lichte, tere huid en haar ogen waren grijsgroen (maar als ze eerlijk was, en dat was ze altijd, waren ze toch vooral grijs). Haar lichtbruine, steile haar droeg ze in een eenvoudige bob op kaaklengte. Afgezien van wat roze lipgloss en soms een vleugje (onhandig aangebrachte) bruine mascara gebruikte ze geen make-up. Nu de kou haar dwong langs haar lippen te likken, vond ze het jammer dat ze haar lipgloss niet bij zich had.

De kantoortorens aan weerszijden vormden een windtunnel, en Claire voelde zich als Dorothy vlak voor de tornado, al waren ze natuurlijk niet in Oz. 'Als het om het geld gaat, heb ik nog wel iets over,' bood Tina aan, en Claire bloosde. Ze had er spijt van dat ze Tina had verteld dat haar moeder tegenwoordig huur van haar vroeg. 'Alleen voor die kamer waar je al sinds je vierde slaapt?' had Tina verontwaardigd gezegd. Sinds Jerry bij hen was ingetrokken, leek Claires moeder nog krapper te zitten dan anders, hoewel ze ruimschoots genoeg zou moeten hebben aan Jerry's bijdrage en het geld van de levensverzekering van Claires vader.

'Weet je, het is schandalig zoals je moeder jou behandelt. Mijn oom zegt dat als je vader het huis aan jou heeft nagelaten, je nooit geen huur zou hoeven te betalen.' Claire wees haar noch op de dubbele ontkenning, noch op het feit dat Tina's oom zich met zijn eigen zaken moest bemoeien. Tina mocht dan een bazige, bevooroordeelde roddeltante zijn, ze had een groot hart. 'Nou, wil je geld lenen?' vroeg Tina.

'Nee, daar gaat het niet om,' zei Claire. Ze waren vlak bij hun kantoor, maar de kou was snijdend. Ze duwde haar kin diep in de das die ze zelf had gebreid. Toen ze de hoek omsloegen en Sy's kraam zagen, ging de wind eindelijk liggen.

'Dag dames,' riep Sy over de hoofden van de andere klanten die in de rij stonden voor hun ochtendkoffie en koolhydraten.

'Ha, Sy,' riep Tina terug. 'Zullen we samen naar Porto Rico gaan?'

'Nee,' zei Sy, 'ik sta hier liever in de kou mijn ballen af te vriezen en koffie uit te delen aan rijke, gierige klootzakken.'

De rijke, gierige klootzakken in de rij hadden het te druk met hun krant of hun mobieltje om het te horen, maar Claire glimlachte.

'Ja, jij hebt het mooi voor elkaar,' beaamde Tina. Toen ze aan de beurt waren, stopte Sy zonder een woord hun vaste bestellingen in twee papieren zakken die hij hun zwierig overhandigde.

'Weet je wat?' zei hij. 'Ik zal aan mijn vrouw vragen of het mag, maar laat Porto Rico maar zitten. Als ze ja zegt, gaan we naar Aruba.'

'Als zij ja zegt, kóóp ik Aruba,' zei Tina gevat. 'En dan verkoop ik jou de Brooklyn Bridge.'

'Heb ik al gekocht. Daarom sta ik hier nu met die kraam,' zei Sy. Hij keek naar Claire. 'Maar misschien kan zo'n snoepje als jij me de Eiffeltoren nog verkopen.' Hij knipoogde.

Tina wroette in haar enorme tas. Ze keek op. 'Goh, ik heb bijna geen geld meer. Claire, kun jij me twintig dollar lenen tot vrijdag?'

Sy, die nog naar Claire keek, schudde zijn hoofd. 'Altijd hetzelfde, hè?' zei hij met een glimlach.

Claire gaf Tina het geld, en Tina gaf het biljet aan Sy. 'Ik trakteer.'

Claire glimlachte. Net iets voor Tina. Ze hield altijd haar hand op, maar ze wilde ook alles delen. Ze zou je haar laatste stuiver geven, maar die had ze waarschijnlijk ook van jou geleend. Claire was zo iemand die altijd geld aan Tina kon lenen, en Tina was zo iemand die altijd zonder geld zat. Claire was nog niet oud of ervaren genoeg om te weten dat de hele wereld uit die twee soorten mensen bestond, en dat die twee soorten het nooit met elkaar konden vinden, maar terwijl ze van de kraam wegliepen, vroeg ze zich wel vaag af waarom ze liever geld uitleende dan zelf in het krijt te staan. Dat had ze beslist niet van haar moeder, die niet alleen Claire, maar heel Tottenville geld schuldig was. En Claire herinnerde zich evenmin dat haar overleden vader zo gul was geweest. Misschien leek ze op geen van beiden. Al waren ze familie, ze had niets van haar ouders of haar broer Fred.

'Anthony en mijn broers zijn gisteren wezen stappen,' vertelde Tina. 'God, wat hadden ze een kater vanochtend. Ze zeiden dat ze Fred misten. Hoe is het met hem?'

Claire had geen idee hoe het met haar broer was. Hij zat in het leger en was naar Duitsland uitgezonden. De eerste maanden had Claire hem plichtsgetrouw geschreven, maar hij antwoordde zelden en dan nog alleen maar met briefkaarten (geen foto's). Uiteindelijk had Claire aanvaard dat Fred en zij weinig gemeen hadden en was de stroom brieven opgedroogd. Haar schuldgevoel niet. Afgezien van Fred en haar moeder had ze geen contact met familieleden. Ze had nog een tante van vaderskant, maar ze had begrepen dat de Bilsops haar hadden verstoten.

Tina daarentegen ging op in tientallen ingewikkelde familierelaties: met neven en nichten, achterneven en -nichten, hun vrouwen of mannen, peetmoeders en -dochters en allerlei zogenaamde tantes en ooms die helemaal geen echte familie waren. Soms stond die luidruchtige clan Claire tegen, maar soms was ze jaloers op hun hechte banden en zelfs hun vetes, want je maakte alleen ruzie als je iets om elkaar gaf. Nu Fred weg was, had ze alleen nog haar moeder en Jerry, die weerzinwekkende vriend van haar.

'Wel goed, denk ik,' zei Claire tegen Tina. 'Hij heeft mijn moeder een kaart uit Düsseldorf gestuurd.'

Ze waren bij de enorme glazen deuren van hun kantoorgebouw aangekomen en hadden nog de gebruikelijke paar minuten over om boven te komen. De lift zat zoals gewoonlijk propvol. Dit was Claires minst geliefde deel van de dag. 's Zomers stikte ze bijna in de zweetlucht en 's winters rook het al net zo onaangenaam naar natte wol, maar het opgepropt zitten was misschien nog wel erger dan de stank. Al die vreemden die tegen elkaar aan schurkten. Claire voelde nu de buik en borsten van een stevige vrouw in haar rug, en ze stond bijna met haar neus tegen de zwarte jas van een man aangedrukt. Ze moest haar koffie tegen de rug van de man houden. Op een dag zou de zak met haar ontbijt erin scheuren.

Ze was altijd opgelucht wanneer de deuren op de zevenendertigste verdieping opengingen en ze de 'aluminium sauna', zoals ze het in gedachten noemde, uit kon. Maar die opluchting werd vrijwel meteen tenietgedaan door de volgende uitdaging: zodra ze afscheid had genomen van Tina, moest ze langs de rijen bureaus van de secretaresses voor de kantoorkamers langs de muren lopen. Dan moest ze de hoek om, een gang zonder ramen in die naar een nog diepere gang voerde, en die bracht haar naar een kamer zonder ramen die ze deelde met een stuk of zes andere 'analisten', aangevoerd door Joan, die bewees dat je van een beetje gezag in een kleinzielige tiran kon veranderen. Daar gaan we weer, dacht Claire.

Toen ze de lift uit stapten, kromde Claire haar schouders, maar Tina naast haar gedroeg zich alsof ze de koningin van de verdieping was. Hoe kon ze zo vrolijk zijn? Misschien kwam het doordat Tina voor Michael Wainwright werkte, die ook wel bekendstond als 'de Kanjer'.

Claire onderdrukte een zucht bij de gedachte aan Michael. Alle meiden op kantoor waren vol van hem. Hij was eenendertig, vrijgezel, een stuk, geslaagd en smoorverliefd... op zichzelf. Hij had horden vrouwen achter zich aan, allemaal graatmagere managers in Prada-pakken en op schoenen die meer kostten dan Claire in een week verdiende. Michael ruilde de ene investeringsbankier in voor de andere effectenhandelaar of fondsbeheerder. Secretaresses als Tina en boekhoudkundig medewerkers als Claire waren niet zijn stijl. Veel vrouwen hadden de pest aan hem en veel anderen bewonderden hem, maar Claire was de enige die verliefd op hem was. Ze was natuurlijk niet zo stom om dat aan een van haar collega's te vertellen, en zelfs Tina wist het niet.

In de anderhalf jaar dat Claire nu bij Crayden Smithers werkte, had Michael Wainwright welgeteld vier keer iets tegen haar gezegd. De eerste keer had hij gevraagd: 'Wil je hier nu meteen vijf kopieën van maken, alsjeblieft?' De tweede keer had hij gezegd: 'Die cijfers moeten voor vanavond op papier staan.' De derde keer (die Claire koesterde) had hij 'Dank je wel. Leuke jurk,' tegen haar gezegd toen ze hem een verslag kwam brengen. De laatste keer, iets meer dan twee weken geleden, was hij op weg naar de lunch langs haar gestreken en had hij 'o, sorry' gezegd.

Ze waren bij Tina's bureau. Claire keek naar de kamer erachter, maar zag Michael niet. 'Ik ga vanavond met Tony naar Macy's, onze verlanglijst afgeven,' zei Tina. 'Heb je zin om mee te gaan?'

Claire, die zelfs betwijfelde of Tony zin had om te gaan, schudde haar hoofd. 'Nee, ik wil naar huis. Ik wil mijn boek uitlezen.'

Tina schokschouderde. 'Jij met je boeken.'

Claire schokschouderde ook en zei maar niet: 'Jij met je gewinkel.' Toen begon ze aan de onaangename route die haar als Alice in het konijnenhol in de gang zou laten verdwijnen.

2

'Hij komt er niet mee weg. Iemand zou eens tegen hem moeten zeggen dat hij een toontje lager moet zingen,' verkondigde Michelle d'Annunzio.

'Ja,' beaamde Marie 2, en ze schoot in de lach. 'Maar hij blijft toch het hoogste lied zingen.'

Michelle, Joan en Marie 2 giechelden. Marie 1 schudde haar hoofd.

Er werkten drie Maries op kantoor, en vier als je Marie LaPierre meetelde, wat niemand deed, dus werden de Maries 1, 2 en 3 genoemd, om verwarring te voorkomen. Twee Maries lunchten vandaag samen met Joan, Michelle, Tina en Claire. Het was Claire opgevallen dat het aanzien van de secretaresses afhankelijk was van degene voor wie ze werkten. Marie 1 werkte voor meneer Bataglia uit het middenkader, niets bijzonders, en kreeg dus weinig aandacht. Marie 2 werkte voor meneer Crayden junior, een van de Craydens uit Crayden Smithers, en werd dus veel belangrijker gevonden dan Marie 1. Aangezien Tina voor de Kanjer werkte, die sinds een jaar het wonderkind van de firma was, stond zij met stip op de tweede of derde plaats. Michelle werkte voor David Smithers, die zijn werk afbouwde en meer een schim dan een echte verschijning was. Iedereen leek belangrijker te zijn dan Claire, die maar voor Joan werkte, maar ze vond het niet erg. Ze vond het zelfs leuk om te zien hoe de plotselinge machtsverschuivingen aan de top zich op degenen op de bodem wreekten.

'Ik denk niet dat hij er deze keer mee wegkomt,' zei Marie 1. Ze legde haar broodje met salami en ei neer, pakte haar cola-light en nam een slok uit het blikje. Waarom zou iemand die een lunch van tweeduizend calorieën eet frisdrank zonder suiker willen drinken? vroeg Claire zich af. Marie was nog net zo dik als op de dag dat Claire hier voor het eerst had geluncht.

'Nee, echt niet,' zei Michelle, en ze nam een hap van haar driedubbele sandwich. Zij hoefde niet op haar gewicht te letten: ze kon eten wat ze wilde en kwam geen gram aan.

'O, jawel,' zei Tina. Ze streek een lok zwart haar achter haar oor en nam een hap van haar broodje kalkoen. 'Hé, zijn liefdesleven is zo druk als het Centraal Station, maar ik ben een goede conducteur. Ik hou alle treinen op verschillende sporen. Ze botsen nooit.'

Claire nam de moeite niet erop te wijzen dat een conducteur andere taken had, want ze vond de vergelijking eigenlijk wel treffend.

Marie 2 wierp Tina een zure blik toe. 'Zeg jij maar tegen Mike de machinist dat er op een dag twee locomotieven op elkaar knallen. En dan lezen wij het allemaal in de *Wall Street Journal*.'

Joan, het hoofd van de analisten en afgezien van Claire de enige aan tafel die geen secretaresse van Italiaanse afkomst was, schudde haar hoofd. Ze was een gescheiden alleenstaande moeder van in de dertig en volgens Claire terecht verbitterd. 'Ik hoop dat God je heeft gehoord,' zei ze. 'Hij verdient het, die klootzak.'

Dat vond Claire nu weer niet eerlijk. Michael Wainwright leefde erop los, maar hij kon het zich veroorloven. Hij had er niet alleen het uiterlijk, de hersenen en de opleiding, maar ook het netwerk voor. Claire hoorde bijna dagelijks van Tina met wie hij omging, wie hij de bons ging geven, wie hij aan zijn lijst veroveringen had toegevoegd en waar hij met zijn nieuwste vriendin naartoe ging. Claire hield in gedachten een agenda bij zonder eigen afspraken, maar vol van het leven van de Kanjer. Ze wist niet of Tina's verhalen goed of slecht waren voor haar obsessie, maar als ze Tina vroeg ermee op te houden, zou die zeker wantrouwig worden, want ze was altijd gespitst op romantiek. En Claire droomde niet eens van een echte band met Michael Wainwright. Ze wist dat hij in de kringen van de rijke en mooie mensen verkeerde, en dat zij geen van beide was. Michael Wainwright was romantisch niet haalbaar, daar maakte ze zich geen illusies over, maar daarom had ze nog wel gevoelens. Ze hield ze alleen voor zich. Haar verliefdheid was een soort hobby, dacht ze, zoiets als vogels kijken.

Tina legde haar broodje neer en veegde woest met een servet langs haar mond. 'Waarom verdient hij dat?' vroeg ze opstandig aan Joan. 'Hij belooft zijn vriendinnen nooit iets. Het zijn volwassen meiden. Ze kunnen wel voor zichzelf zorgen.' Claire glimlachte. In het openbaar viel Tina Michael nooit af, maar Claire wist dat ze hem weleens waarschuwde voor het relationele wespennest waarin hij zich zo dapper stak.

'Het is tijd om terug te gaan,' zei Joan nuffig, en ze keek naar Claire, die knikte en haar onaangeroerde appel in haar tas stopte. In tegenstelling tot de anderen werkte Claire niet voor een investeringsbankier, en dat Joan haar ter verantwoording kon roepen, maakte het leven niet altijd leuker. Ze stond op en glimlachte naar Tina, die achter Joans rug haar middelvinger opstak.

Die middag rekende Claire eindeloze veranderingen in spreadsheets vol getallen door. Het ergste van haar werk was ook het prettigste: er waren geen veranderingen, geen verrassingen, geen pieken en dalen. Zodra ze deze taak af had, zou Joan haar een nieuwe geven. In tegenstelling tot Tina en de drie Maries ving Claire geen glimp op van alle drama's die zich in en om de kantoorkamers met de ramen afspeelden; ze zag niets van de bezoekende cliënten en de besprekingen in de vergaderkamers met glazen wanden. Ze zag niet wie er werden aangenomen en ontslagen. Maar ze hoorde alles. Soms dacht Claire dat ze de drama's beter in haar verbeelding dan in het echt kon volgen. Tina was een soort menselijke radio – altijd alleen maar Tina – en Claire zag de successen en mislukkingen, de coups, de promoties en de vernederingen in gedachten levendiger voor zich dan in het echt.

Het probleem was dat ze tijd had om te dagdromen, te veel tijd, en dat haar dromen te vaak om de Kanjer draaiden. Soms was ze bang dat het meer op een obsessie begon te lijken dan ze zichzelf wilde bekennen.

Claire werd 'analist' genoemd, maar ze was in feite niet meer dan een gediplomeerd administratief medewerker. De secretaresses werden uiteraard ook geen secretaresses genoemd, maar 'officemanagers', al verwachtten ze allemaal cadeautjes en bloemen op secretaressedag. De twee groepen hadden echter iets belangrijkers gemeen: binnen Crayden Smithers konden noch de analisten, noch de officemanagers hogerop komen. Na tien jaar trouwe dienst werd je niet tot investeringsbankier gepromoveerd. In het gunstigste geval kreeg je de baan van Joan. Niet dat Claire die wilde hebben. Joan was de sluitspier van de ingewanden van Crayden Smithers.

Die middag was ze om vijf voor vijf bijna klaar met het opstellen van een statistiek (ze haatte het uittikken van statistieken) en besloot het werk af te maken. Dat was niet gebruikelijk, want de analisten hadden vaste werktijden en vertrokken meestal stipt om vijf uur. Alleen Joan moest soms blijven om de administratie af te maken en uitzendkrachten of overwerk te regelen.

Het was kwart over vijf. Joan trok haar jas aan en keek naar Claire. 'Voor zessen weggaan,' waarschuwde ze.

Claire glimlachte en knikte. Bij Crayden Smithers gaf een uur of meer overwerk recht op een taxirit naar huis. Een rit naar Tottenville kostte minstens tweehonderd dollar. 'Dat staat ons budget niet toe,' zei Joan op weg naar de deur.

'Weet ik,' riep Claire haar na. Toen was ze voor het eerst in meer dan acht uur alleen en haalde diep adem. De terugreis zou vandaag minder lastig zijn dan in het spitsuur, maar ze zou langer moeten wachten, want de boten, bussen en treinen gingen minder vaak. Staten Island hoorde bij New York, maar de inwoners voelden zich vaak vergeten en achtergesteld bij de andere stadsdistricten. Toch maakten velen dagelijks de lange reis naar hun werk omdat ze in het kleine stukje aan het water binnen de grenzen van New York wilden blijven wonen. Claire vond het echter alleen maar vermoeiend, en aan geen van beide kanten van de reis had ze veel te verwachten. Ze besloot op weg naar huis ergens iets te gaan eten.

Claire maakte de statistiek af, drukte op de printknop en pakte haar spullen in terwijl het document uit de printer rolde. Net toen ze haar nieuwe jas aantrok, een lichtgroene die haar ogen goed liet uitkomen, vond ze, kwam de Kanjer, Michael de Kanjer Wainwright zelf, de kamer in. Ze schrok ervan, want hoe goed hij er in haar dagdromen ook uitzag, in het echt was hij stukken knapper. Hij was iets langer dan Claire, met een volmaakte houding en een brede, gespierde borst. Zijn lichtblonde haar glansde onder het tl-licht. Zijn bruine ogen leken dwars door haar heen te kijken. Claire verstijfde even voordat ze de rest van haar arm door de mouw van haar jas stak. 'Waar is Joan?' vroeg hij.

'Joan is al naar huis,' zei ze kalmer dan ze zich voelde. Ze was bang dat ze bloosde en keek snel naar haar tas. Ze zette hem behoedzaam op haar stoel. Iets doen. Bezig blijven en niet opkijken. Ze moest haar gympen ook nog aantrekken, maar dat vond ze gênant waar hij bij was.

Ze dacht dat hij weg zou gaan, maar schrok van een harde klap. Toen ze opkeek, zag ze dat de Kanjer een dikke map op Joans bureau had gesmeten. 'Shit!' zei hij. Toen draaide hij zich naar haar om en glimlachte misschien niet gemeend, maar wel oogverblindend naar haar. Zo onweerstaanbaar als een Magnum in juli en waarschijnlijk net zo slecht voor haar. 'Jij weet zeker niet waar de cijfers van Worthington liggen, Karen?'

'Jawel,' zei ze. Ze liep naar de printer en pakte de nog warme vellen. 'Hier. En het is Claire.'

'Claire?' herhaalde hij, en hij keek naar het verslag in haar handen alsof ze het daarover had.

'Mijn naam,' zei ze. 'Niet Karen, maar Claire.'

'Maar natuurlijk. Claire,' zei hij. 'Ik zat zo in de stress over dat rotverslag dat het me was ontschoten. Het spijt me.' De grootste stress die Michael Wainwright ooit had gekend, dacht Claire, was waarschijnlijk toen hij bang was niet bij de goede studentenvereniging van Yale aangenomen te worden. Ze knikte zwijgend en liep terug naar haar bureau.

Ze pakte haar tas, haalde haar gympen eruit en wilde net gaan zitten om ze aan te trekken, toen het tot haar doordrong dat de Kanjer er nog was. Hij bladerde door de statistieken en keek haar recht aan. Ze liet een schoen uit haar hand vallen.

'Hoor eens, Ka... eh, Claire,' zei Michael. 'Ik weet nu al dat ik hier fouten in heb gemaakt. We gaan het morgen bespreken, en als het dan niet klopt, sla ik een modderfiguur.' Hij zweeg. Ze durfde de gevallen schoen niet op te rapen en bleef dus maar gewoon staan.

Michael liep naar haar toe, bukte zich elegant en bood haar de gymschoen met een ridderlijk gebaar aan. Ze reikte ernaar en hij trok smekend zijn wenkbrauwen op, alsof hij een wederdienst wilde vragen. 'Zou je nog even kunnen blijven om een paar correcties voor me door te voeren?'

Ze had het kunnen weten. Mooie ridder. Maar haar hand met de oude gymschoen die hij had aangeraakt tintelde. Je bent heel dom, hield ze zichzelf voor, en vervolgens knikte ze omdat haar nek het nog wel leek te doen, maar haar stem niet.

'Echt?' zei hij niet bepaald verbaasd. 'Super.' Hij draaide zich om en begon met een rode pen in de bladzijden te krabbelen. Claire wurmde zich uit haar jas en stouwde haar tas samen met de verdwaalde schoen onder haar bureau. Ze wierp een blik op de klok. Het was al tien over halfzes en ze betwijfelde of ze om zes uur klaar zou zijn, maar ze wist wat Joan over de taxi had gezegd. Claire vroeg zich af of het veel kouder was geworden, en hoe vaak de bussen vanaf de pont na zeven uur reden.

'Oké,' zei Michael, 'hier is het dan.' Ze ging naast hem staan en keek naar de papieren die hij had uitgespreid. 'Dit zijn mijn correcties,' zei hij, en hij wees naar meer dan tien bladzijden vol rode aantekeningen. 'En zou je mijn tabellen willen nakijken en hier een staafdiagram van willen maken?' Tot haar verontrusting zagen de wijzigingen eruit als het soort statistische werk dat maar heel moeilijk gecorrigeerd kan worden. En als ze het diagram veranderde, zou ze de indeling moeten wijzigen. En dat zou waarschijnlijk verloop opleveren en de paginering van de rest van het verslag veranderen. Ze zou het hele geval moeten doornemen voordat ze het kon printen om te zien of het wel goed op de pagina stond.

'Lukt dat?' vroeg hij, en ze kon natuurlijk met geen mogelijkheid nee zeggen. Jammer genoeg kon ze net zo onmogelijk ja zeggen, want ze kon niet praten. Ze was zo dicht bij hem dat ze hem kon ruiken: een soort zeep en misschien een vleugje aftershave en iets wat deed denken aan... vers stijfsel. Hoe kon hij om zes uur nog zo fris ruiken? Hij wees naar een correctie en ze zag dat zijn manchet nog witter was dan het papier. Ja. En haar gympen stonken. 'Gaat het lang duren?' onderbrak hij haar zelfverachting.

Claire schudde haar hoofd en vond haar stem terug. 'Een uur of twee, denk ik,' zei ze.

'Te gek!' zei hij. 'Je bent mijn redder.' Hij raapte de papieren bij elkaar en reikte ze haar aan. 'Bedankt,' zei hij. 'Ik wacht in mijn kamer. En mag ik je op een etentje trakteren?'

3

Ook los van de tijd die Claire doorbracht met bijna in katzwijm vallen en door de kamer dansen, deed ze er iets langer over om de correcties door te voeren dan nodig was, want ze vergat telkens codes in te voeren en nog lang nadat Michael de kamer had verlaten bleven haar vingers trillen. Ook bleef ze zich tegen wil en dank voorstellen hoe het zou zijn om een uur tegenover dat gezicht te zitten. Zou hij haar vragen stellen of over zijn eigen leven praten? Wat moest ze in vredesnaam zeggen? Op de een of andere manier geloofde ze niet dat hij belangstelling zou hebben voor de patentsteek. Misschien zou Assepoester toch nog naar het bal gaan, dacht ze. Michael Wainwright was natuurlijk niet in haar geïnteresseerd, maar al paste het muiltje niet, ze zou het toch een avond kunnen dragen.

Tegen de tijd dat ze klaar was, was ze hongerig en moe, maar ook opgetogen bij het vooruitzicht van een etentje met de Kanjer. Ze nam de bladzijden twee keer door om zich ervan te verzekeren dat er geen tikfouten in zaten en printte de definitieve versie uit. Voordat ze zich ermee naar zijn kamer haastte, bleef ze even weifelend staan. Moest ze haar jas aantrekken, zodat ze meteen met hem mee kon gaan, of hem het document brengen en dan haar spullen gaan pakken? Misschien moest ze hem eerst bellen. Ze kende zijn doorkiesnummer. Ze haalde diep adem, ging zitten en belde. Hij nam meteen op. 'Met Claire,' zei ze. 'Het is klaar.'

'Fantastisch,' zei hij. 'Kom je het brengen?'

'Met genoegen,' zei Claire. Ze hoorde zelf hoe houterig het klonk en vervolgde snel: 'Oké, ik kom eraan.'

Ze trok haar nieuwe groene jas aan, streek hem glad en keek of ze tissues in haar zak had, want ze begon verkouden te worden. Toen haalde ze snel een borstel door haar haar en dacht spijtig aan haar lipgloss thuis. Maar ze bloosde van opwinding, en toen ze zichzelf in de spiegel achter de deur van de voorraadkast bekeek, was ze gek genoeg tevreden. Ze vond het jammer dat ze de zijden sjaal die ze bij de jas had gekocht niet bij zich had, maar daar was het die ochtend veel te koud voor geweest. Nou ja. Haar gebreide das was ook goed.

Ze liep door de raamloze doolhof naar Tina's bureau. In de kamer erachter brandde een enkele lamp en ze zag Michael aan zijn computer zitten. We hebben samengewerkt, dacht ze, en ze glimlachte. Dat, in combinatie met haar nieuwe jas, gaf haar de moed om zijn domein enigszins zelfverzekerd te betreden. 'Alsjeblieft,' zei ze. Hij keek niet op van zijn toetsenbord. Ze legde het verslag voor hem neer.

'Goddank,' zei een stem achter haar. Claire draaide zich als door de bliksem getroffen om en zag een slanke, donkere vrouw op de bank achter zich zitten. Ze had haar benen op de salontafel gelegd, met de enkels keurig over elkaar. Hoewel het schemerig was in die hoek, zag Claire hoe elegant haar kapsel en grijze mantelpak waren. Ze kende niet alle vrouwelijke investeringsbankiers op deze verdieping bij naam, maar zo'n chique vrouw had ze zeker opgemerkt. Was ze een cliënt van Worthington? 'Ik ben uitgehongerd,' zei de vrouw. Haar stem was helder en haar accent zo gepolijst als haar zichtbaar dure schoenen.

'Ik ook,' zei Michael instemmend. Pas toen keek hij naar Claire. Een panisch moment lang was ze bang dat hij de vrouw ook mee uit eten zou vragen, maar misschien kwam die gewoon het verslag halen om het in haar voorname penthouse of ruime loft te bestuderen. Claire hoopte het van harte. De Kanjer pakte het document, stopte het in zijn aktetas en stond op. 'Zullen we gaan?' vroeg hij.

Claire knikte, blij dat ze haar nieuwe jas aanhad. Ze zag wel dat het in vergelijking met de kleding van de andere vrouw een goedkoop flodderding was, maar hij was tenminste een stuk beter dan haar oude. 'Ik ben zover,' zei ze.

Michael en de vrouw stonden op en pakten allebei hun eigen jas. Claire werd voor hen uit naar buiten gedreven, en tot haar ongenoegen liepen ze gedrieën naar de lift. In het felle licht op de gang zag Claire dat de vrouw van haar eigen leeftijd was, met een volmaakte huid, maatje 36 en de lange benen van een fotomodel. Haar schoenen waren spectaculair, heel sexy in contrast met het ingetogen pakje. Claire hoopte dat ze haar slanke enkel zou breken.

'Heel erg bedankt,' zei Michael tegen haar toen ze bij de lift kwamen.

'Wat duurde dat ongelooflijk lang,' zei de vrouw klaaglijk.

'Het spijt me,' zei Claire, en toen kon ze haar tong wel afbijten.

Om het nog erger te maken glimlachte de vrouw naar haar. 'Jij kunt het niet helpen. Het is Michaels schuld,' zei ze, en alsof Claire niet meer bestond, keek ze weer naar hem. Ze was niet alleen veel dunner, maar ook iets langer dan Claire, en ze keek over Claires hoofd naar de Kanjer. 'Je bent ook zo onattent,' zei ze.

Haar toon beviel Claire niet: die was net zo uitdagend als haar schoenen.

'Jezus, Kate, zo is het wel genoeg,' zei Michael. Toen de lift openging, liet hij de beide vrouwen eerst de verlaten ontvangsthal in stappen. De hakken van de vrouw tikten op het marmer. Bij de immense glazen toegangsdeuren veerde een geüniformeerde bewaker op.

'Ik houd de deur voor u open, meneer Wainwright,' zei hij gedienstig. Claire tuurde in het donker. Het regende verschrikkelijk, maar tot haar blijdschap zag ze een zwarte auto staan wachten. Pas toen de voordeur opengіng, besefte ze wat die ene auto betekende. Ging die Kate toch mee uit eten? Ze had kunnen weten dat ze niet te veel moest verwachten. Ze zuchtte.

Michael, die haar hoorde, keek naar haar. 'Je zult wel bekaf zijn,' zei hij. 'Zal ik Gus vragen of hij een taxi voor je bestelt?'

Claire was verbijsterd. Hij keek naar haar, maar de vraag was toch voor Kate bedoeld? Ze zweeg. Michael bleef haar aankijken. Wilde hij twee auto's nemen? Moest hij nog iets zakelijks met Kate bespreken voor ze gingen eten? Wat moest ze zeggen? Nu voelde ze Gus' en Kates ogen ook op zich.

'Nee, dank je,' zei ze, en ze hoopte dat het het goede antwoord was.

Michael haalde zijn schouders op. 'Ook goed. En nogmaals bedankt.' Hij draaide zich om, bleef staan, haalde zijn portefeuille uit zijn zak en draaide zich weer naar haar om. 'Dat was ik bijna vergeten,' zei hij tegen Claire. 'Ik zou je op een etentje trakteren.' Hij pakte een knisperend nieuw briefje van honderd en gaf het aan Claire, die het in haar gêne en afschuw aannam. Ze voelde tranen opwellen.

'Prettige avond,' zei Michael. 'Werk ze, Gus.' Hij gaf Kate een arm en ze renden samen door de ijskoude regen naar de warme auto.

'Wat een toffe vent,' zei Gus.

'Kan niet beter,' verzuchtte Claire, maar Gus hoorde de teleurstelling en het sarcasme in haar stem niet.

4

'O ja,' zei Tina. 'Katherine Rensselaer. Die is nieuw. Ze werkt bij de Ford Foundation.' Claire vroeg zich af waarom alleen de rijken bij filantropische instellingen werkten. Ze dacht niet dat er ook maar één bijstandsmoeder liefdadigheidsgeld mocht verdelen. 'Hij heeft Blaire nog niet gedumpt, maar Kate werkt zich snel op. En Courtney ligt eruit, al weet ze dat zelf nog niet.'

Claire niesde. Het was weer warm en de zon schitterde in het water van de haven, maar het licht deed alleen maar pijn aan Claires tranende ogen.

'Wil je een tissue?' vroeg Tina.

Claire schudde haar hoofd. 'Ik heb zelf. Ik wist gisteren al dat die verkoudheid eraan kwam.'

Ze was vernederd de hal uitgelopen en zonder paraplu de stromende regen in gegaan, en haar sjaal was voor ze bij de hoek was al doorweekt geweest. Het was gruwelijk donker geweest, er was geen taxi te bekennen en ondanks haar honger was ze te misselijk geweest om aan eten te kunnen denken. Tijdens de natte, eenzame wandeling naar de pont was ze eten in je eentje sowieso als iets zieligs gaan zien.

Nu viste ze een tissue uit haar tas en snoot haar neus. Ze kneep hard in haar neusvleugels, maar niet alleen omdat ze snotterde. Ze wilde zichzelf knijpen om niet te vergeten dat ze nooit meer zo stom mocht zijn. Er biggelden twee tranen over haar wangen en ze kon weer iets duidelijker zien.

'Je bent snipverkouden! Weet je, aan het strand zou het zo over zijn. Ik ga vandaag onze tickets reserveren. Het is je laatste kans,' probeerde Tina haar over te halen.

'Nee, dank je.' De tranen bleven uit Claires ogen stromen. Ze reikte blindelings naar een volgende tissue, diepte een verfomfaaide op, dacht ze, en zag toen dat het het klamme briefje van honderd was. Ze had gisteren pas na meer dan een uur gemerkt dat ze het nog steeds in haar hand hield en had het toen kwaad in haar tas gegooid. Nu zag Tina het natuurlijk ook.

'Hoe kom je daaraan, zo vlak voor het eind van de maand?' vroeg Tina. 'Heeft je moeder haar leven eindelijk gebeterd?'

Claire stopte het geld in haar zak, al had ze het liever overboord gegooid, en snoof. Ze had geen tissues meer, maar haar neus bleef lopen en de tranen bleven stromen. Het voelde alsof haar hele hoofd leegliep. 'Ik ga nog even naar de wc voordat we er zijn,' zei ze zonder op Tina's vraag in te gaan.

Ze ging in een hokje in de schemerige, grijze toiletruimte van de veerboot zitten uithuilen. Ze had het liefst onder de boot gelegen, op de bodem van de haven. Kon je onder water huilen? Die gedachte riep haar tot de orde. Ze besloot zich op te frissen, maar de verweerde metalen spiegel boven de wasbak gaf haar een nieuwe reden om te huilen. Ze zag er verschrikkelijk uit. Ze was zelfs blij dat haar verkoudheid haar een excuus gaf voor haar opgezette ogen, haar rode neus, haar bleke wangen en de gebarsten lippen vol kloofjes waar ze sinds de vorige avond op had gebeten. Terwijl ze in de spiegel keek, zag ze tegen wil en dank Katherine Rensselaer weer voor zich: die gave teint, die sobere kleding die discreet van veel geld getuigde, dat goedgeknipte, glanzende haar. Zelfs haar naam was chic. Was er in Connecticut of Pennsylvania geen stad die Rensselaer heette?

Claire pakte een kam en terwijl ze probeerde wat orde in haar haar te scheppen, vroeg ze zich af hoe het zou zijn om een plaatsnaam te dragen. Claire Amelia Tottenville. Ha! Al was haar woonplaats nog zo'n negorij, de naam klonk belangrijk. In elk geval belangrijker dan Claire Amelia Bilsop.

Net toen ze haar kam opborg, voelde ze de boot stoten. Ze legden aan. Hoe lang was ze hier geweest? Tina zou woedend bij de loopplank op haar wachten, tikkend met haar voet, terwijl de horden andere forenzen langs haar heen denderden. Alsof Sy haar bagel aan iemand anders zou geven. Claire wist dat ze pas weg kon als alle dekken leeg waren en dat Tina haar de hele weg op haar donder zou geven. Ze wist niet of ze tegen het gevit zou kunnen, of tegen Joans vragen over het werk aan Worthington, en of ze wel met haar waterige, vermoeide ogen naar de betekenisloze cijfers van vandaag zou kunnen kijken tot ze wazig werden. Het was onaangenaam in de krappe toiletruimte, maar Claire voelde zich er veiliger dan in de buitenwereld. Ze wist niet hoe ze deze dag door moest komen, maar aangezien ze geen keus had, hing ze haar tas om haar schouder en ging op zoek naar Tina, die inderdaad zo geërgerd stond te wachten als Claire had voorzien.

Tijdens de wandeling naar het werk, de tussenstop voor koffie, het betreden van de hal, de tocht omhoog in de lift, die nog vreselijker was dan anders, en de haastige tocht naar haar kamer hield Claire letterlijk en figuurlijk haar hoofd gebogen. Ze stouwde haar tas onder haar bureau, hing haar jas op en keek naar de vloer. Ze wist niet wiens blik ze wilde ontlopen: Michael zag ze vrijwel nooit en dat mens van Kate zou er zeker niet zijn. Gus, de bewaker, moest nachtdienst hebben. Verder had niemand iets van het incident gezien. De Kanjer en zijn vrouw van die dag hadden het niet eens een incident gevonden.

Toch besefte Claire toen ze inlogde dat het niet-incident een aardverschuiving in haar ziel teweeg had gebracht, en dat er een grote kloof was ontstaan. En die kon ze zo gruwelijk duidelijk zien dat ze dacht dat hij op de een of andere manier voor iedereen zichtbaar moest zijn.

Terwijl ze aan haar bureau ging zitten en de zak met haar koffie en bagel openmaakte, kwam het in haar op dat iets wat ze altijd van zichzelf had aangenomen, niet waar hoefde te zijn. Ze had haar gebrek aan hartstocht altijd aan haar eigen karakter toegeschreven, dat afstandelijk, introvert, verlegen of wat dan ook was, en ze had haar verliefdheid op de Kanjer nooit serieus genomen. Ze had het als een soort afleiding gezien, niet als een missie of iets wat je al te serieus moest nemen. Maar toen hij haar te eten had gevraagd, zoals ze onterecht had verondersteld, was er iets gebeurd. Er was een gevoel door de verpakking van haar emotionele leven gebroken dat haar had vervuld met een onmiskenbare vreugde. Het was zo intens geweest, zo compleet, dat het ontkennen ervan een soort zonde zou zijn. Ze was er boordevol van geweest. In die paar verwachtingsvolle uren had ze zich springlevend gevoeld en beseft hoe groot ze zou kunnen zijn, hoeveel uitgebreider haar gevoelsrepertoire was. Nu werd ze weer beteugeld door haar beperkte leventje en haar weinige uitlaatkleppen, en dat deed pijn. Het was alsof ze een briljant concertpianiste was die altijd met maar één hand had mogen spelen. Gisteravond waren haar handen een paar kostelijke uren lang allebei vrij geweest. Vanochtend had de toekomst niet alleen somber, maar zelfs ondraaglijk geleken door de wetenschap dat ze het weer met één hand zou moeten doen.

Ze keek naar haar toetsenbord en hield haar vingers erboven. Er viel een traan op haar duim, maar ze veegde hem snel weg. Ze spreidde het werk uit dat Joan haar al had toebedeeld en begon. Maar het viel niet mee. Elke saaie rij cijfers werd gevolgd door nog een saaie rij, en nog een... Het leek alsof ze door die rijen te lezen en ze van het toetsenbord naar het scherm te tikken een gevangenis om zichzelf optrok, rij na rij, cijfer na cijfer.

Ze wist niet hoe ze hier overheen moest komen. Misschien zou ze opknappen als ze alleen ging lunchen, als ze een ijscoupe nam en de lepel aflikte terwijl ze haar wonden likte. Iets zoets met butterscotchsaus zou heel... troostend zijn. Maar Tina zou ook mee willen, en dan was alles bedorven.

Het vreemde was dat hoewel Claire niemand iets had verteld en niemand, de chique Kate en de Kanjer incluis, wist hoe ze zich had vergist, Claires schaamte bijna ondraaglijk was. Ze besefte dat ze nu pas begreep wat dat woord betekende, want de schaamte woog zo zwaar dat ze haar hoofd en schouders nauwelijks op kon tillen. Geen beest mocht met zo'n last opgezadeld worden.

De verkoudheid verklaarde haar rode ogen en ingezakte houding. Gelukkig was er veel werk en had niemand anders tijd om haar op te merken, tenminste niet tot elf uur, toen Marie 2 binnenkwam en een soort ruzie met Joan begon. Marie 2 werkte voor meneer Crayden junior, en ze was heel pietluttig als het op zijn onderzoeken aankwam. Ze vroeg vaak speciaal naar Claire, maar dat was tegen Joans beleid. Niet dat Marie 2 in een ander beleid dan het hare geloofde. Het lukte Claire niet te luisteren tot ze harder gingen praten, en toen hoorde ze haar naam. En even later stonden Joan en Marie bij haar bureau. 'Ze is al bezig met...' zei Joan.

'Het interesseert me geen bal waar ze mee bezig is. Meneer Crayden moet dit hebben en dat werk van Boynton kan wel wachten.'

'Je kunt hier niet zomaar...'

'O nee? Wacht maar af.'

Claire keek op. Marie 2 stond met een dikke map voor haar. 'God, wat zie jij er beroerd uit,' zei ze.

'Ik heb kou gevat.'

'O ja, slimmerd? Wat doe je dan hier? Jij hoort in bed te liggen. En straks steek je ons ook nog allemaal aan.'

'Het spijt me,' zei Claire.

'Madonne! Wat heb jij, Joan?' zei Marie 2, die alle wapens tegen haar vijand wilde inzetten. 'Zie je dan niet dat je haar naar huis moet sturen?'

Opeens leek het idee van haar bed, haar kussens en haar donzige sprei Claire niet alleen onweerstaanbaar, maar ook onontkoombaar. Haar moeder en Jerry zouden weg zijn. Ze zou het stil en knus hebben. Een kop gloeiend hete thee. Dan een dutje. En daarna misschien soep met beboterde toast. Ze kon in bed eten, drinken en lezen zonder dat haar moeder haar verweet dat ze asociaal was. En als ze een hele doos tissues opmaakte aan het betten van haar huilogen had ze een excuus: ze was ziek.

'Denk je dat je koorts hebt?' vroeg Marie 2, en ze legde als de ervaren moeder die ze was een hand op Claires voorhoofd. 'Je gloeit,' zei ze. 'Joan, bel de taxi.'

'Maar ze woont helemaal in Staten Island, en ik kan het niet op de rekening van een cliënt zetten. Boynton is over zijn budget heen,' stribbelde Joan tegen.

'O, zet het dan bij Cigna. Meneer Lymington zet zijn Cubaanse sigaren op hun onkostenrekening. Wat maakt een zo'n taxirit nou uit?'

Claire zat er gedwee bij, alsof ze het niet over haar hadden. Ze voelde zich licht in haar hoofd en ver weg, alsof ze al langzaam wegreed. Donna, de gestreste analiste naast haar, keek van Marie 2 naar Joan. Net als de anderen in de kamer, zag Claire nu eindelijk. Als ze iets kon voelen, zouden haar schaamte en ellende nu compleet zijn, maar ze was al te ver heen.

'Ze maakt ons allemaal ziek,' zei Donna. 'Er is hier geen frisse lucht.'

Iedereen begon door elkaar heen te praten, maar Joan maakte er een eind aan door de telefoon te pakken. 'Ik stuur je naar huis,' zei ze tegen Claire, alsof ze het zelf had bedacht.

De rest was wazig. Er werd een taxi besteld. Marie 2 hees Claire in haar jas, Donna pakte haar tas en haar breiwerk en ze brachten haar naar de lift. 'Auto 317,' zei Donna. 'Dat kreng van een Joan wilde het niet,' fluisterde ze. 'Alsof het háár geld is.'

De lift kwam. Claire stapte er wankelend in. 'Gaat het?' vroeg Marie 2. 'Ik moet terug naar meneer Crayden, anders wordt hij woest. Ga maar gewoon naar buiten. De auto staat er al.'

Claire knikte en de liftdeuren schoven dicht. In het lege moment voordat de lift in beweging kwam, barstte ze weer in snikken uit. De onverwachte vriendelijkheid van mensen in films, op tv en in boeken maakte haar altijd aan het huilen, en nu ze die zorg zelf ontving, moest ze er ook om huilen. Het was niet alleen de verkoudheid, het ellendige voorval van de vorige avond of het vervliegen van haar kleine droom. Haar hele leven leek opeens zielig. Op dat moment in de lift ving ze een glimp van zichzelf op zoals anderen haar waarschijnlijk zagen: een alleenstaande, iets te dikke vrouw die nog thuis woonde en een uitzichtloze baan had. Geen carrière, geen romantische beloften en geen veranderingen in zicht.

Met het dalen van de lift zakte ook Claires stemming. Waarom heb ik geen ambitie, geen doel? vroeg ze zich af. Waarom nam ze hier genoegen mee? Ze had geen energie meer en nog erger, haar tissues waren ook weer op. Niemand mocht haar zo zien, maar hoe ze ook in haar tas en haar zakken graaide, ze had niets om de tranen en vegen mee weg te halen. Toen de liftdeuren opengingen had ze geen enkele trots meer en veegde haar neus en ogen af aan de mouw van haar nieuwe groene jas, die ze nu zo verachtte dat het helemaal niet erg meer was.

Toen ze over de marmeren vloer van de ontvangsthal liep, werd ze bijna omvergelopen door Michael de Kanjer Wainwright. Hij pakte haar arm, die zonder snot, en hield haar overeind. 'Sorry,' zei hij, en toen keek hij nog eens naar haar. 'Claire? Ben jij het?' Ze was niet meer in staat haar gezicht te redden, iets te veinzen of er iets om te geven.

'Ja.'

'Ben je ziek?'

'Ja,' zei ze weer. Waarschijnlijk verwachtte hij nu een bagatelliserende verklaring, een waar hij zelf van zou opknappen. Dat ze een beetje grieperig was, geen paniek, het was maar allergie/voorhoofdsholteontsteking/SARS/de pest en hij hoefde zich geen zorgen te maken. De kanker van de hoop was in remissie.

'Sorry,' zei hij. Ze vroeg zich gedachteloos af hoe vaak hij dat al tegen haar had gezegd.

'Ik ga naar huis,' zei ze, en ze trok haar arm los.

'Oké. Nou, beterschap. En bedankt voor je werk van gisteren. Het heeft me echt gered.'

Ze keek hem even zwijgend aan en nam zich voor nooit meer te vergeten dat mannen als de Kanjer nooit vrouwen als Claire mee uit vroegen. Zulke vrouwen vroegen ze om gunsten, aandacht en bewondering. Ze vroegen hun of ze hun administratie wilden doen, hun liefdesleven in goede banen wilden leiden, hun smoking van de stomerij wilden halen en een cadeautje voor hun cliënt, moeder of geliefde wilden kopen. Ze hadden zulke vrouwen om eten, bloemen en kantoorartikelen te bestellen. En dan gaven ze zulke vrouwen honderd dollar. Het was stom, verdwaasd en bespottelijk geweest dat ze iets anders had gedacht.

'Ik moet gaan,' zei ze, en ze probeerde met een schijn van waardigheid weg te lopen, wat ondoenlijk is met een breiwerk en een snotneus.

Pas toen ze naar buiten liep, schoot het haar te binnen dat ze de honderd dollar nog in haar zak had. Had ze daar maar eerder aan gedacht, dan had ze hem het geld terug kunnen geven. De auto stond te wachten. Claire liet zich op de achterbank zakken, innig dankbaar voor de beschutting.

'Tottenville?' vroeg de chauffeur. 'Staten Island, hè?' Claire knikte, liet haar hoofd zakken en sloot haar opgezette ogen.

Misschien sliep ze. Misschien droomde ze. Ze wist het niet. Toen de auto bij haar huis stopte, werd ze wakker. De lange rit was voorbij. Ze reikte koortsig en pijnlijk in haar tas, pakte het briefje van honderd en gaf het aan de chauffeur. 'De rekening is betaald,' zei hij.

'Het is fooi.'

'Maar de fooi is ook betaald.'

'Hou maar,' zei ze. 'Ik hoef het niet.'

Ze stapte duizelig uit en sloeg het portier dicht. Kon ze de Kanjer ook maar zo gemakkelijk uit haar leven bannen.

5

Claire bleef vijf dagen in bed. Na de eerste vierentwintig uur bleek ze niet meer dan een koutje te hebben. Toen ze haar tranen eenmaal had bedwongen, bleef alleen haar snotneus over. Ze voelde zich zo slap als een vaatdoek en het was niet leuk om met een neus die gloeide van het schaven te lopen, maar de pijn in haar borst, die geen bronchitis was, genas minder snel.

Nadat ze de taxichauffeur met de uitzinnige fooi had verrast, sliep Claire de hele middag en bijna de hele nacht. De volgende dag sliep ze onregelmatig en bleef tot in de kleine uurtjes wakker. Ze at niet en waste zich niet. Toen ze wakker werd, kon ze zich haar dromen gelukkig niet meer gedetailleerd herinneren, maar ze wist dat ze in elke droom was vernederd. Michaels gezicht was minstens één keer opgedoken, verwrongen van boosaardig gelach. Op de avond van de tweede dag bracht haar moeder haar een bord gehaktbrood en macaroni met kaas op bed (Jerry's lievelingskostje), maar Claire schudde zwijgend haar hoofd. Naar de keuken gaan om thee en toast te maken leek overweldigend moeilijk, en slikken was onmogelijk. Ze kon niet eens een boek optillen om te lezen. Claire viel weer in slaap.

Toen ze die nacht om drie uur wakker werd, pakte ze haar breiwerk. Ze moest een vest afhechten dat ze voor Tina's vader had gemaakt. Tina had de wol en het patroon uitgezocht. Het was kamgaren van ongelijkmatige dikte, de wol waar Claire de grootste hekel aan had, in gemengde tinten bruin en oranje, waar ze ook niet dol op was. Ze was blij dat het een patroon uit één stuk was, zodat ze het niet in elkaar hoefde te zetten. Het afhechten was niet echt bevredigend, maar dat gold net zo goed voor haar leven, bepeinsde Claire.

Iets voor vieren legde ze de ronde naald weg en kwam uit bed om het vest op het bureau te leggen. Ze voelde zich gammel en leeg, maar omdàt het midden in de nacht was, wilde ze niet naar de keuken gaan.

Ze had Jerry er ooit aangetroffen, naakt voor de open koelkast die hem verlichtte. In plaats van dat risico te nemen trok ze de onderste la van haar bureau open om haar schatten te bekijken.

Wanneer Claire verdrietig, verveeld of eenzaam was, ging ze naar een van de vele wolwinkels die ze kende en liet zich verlokken door de mooie kleuren, de heerlijke texturen en de beloften die alle verleidelijke garens haar influisterden. Nu lag de buit van die uitstapjes voor haar. Ondanks haar ellende voelde Claire zich zoals altijd ontroerd door de kleurige chaos. Ze pakte haar lievelingswol, een dure, weelderige, heel lichtroze kasjmier. Het was dunne wol en Claire had zich lang geleden voorgenomen er een trui met een fijn, ingewikkeld kabelpatroon voor zichzelf van te breien. Ze legde de kluwens op haar bed en pakte na lang nadenken een paar houten naalden nummer drie uit haar breimand. Ze had het patroon voor de trui bewaard, maar ze dacht dat ze het ook wel zonder kon.

Voor een kabeltrui hoefde ze alleen tijdens het breien van de eerste hele kabel op het patroon te letten. Zodra die klaar was en ze wist hoeveel pennen er tussen de draaien zaten, kon ze de rest uit haar hoofd. Ze stapte weer in bed. Het waaide, en ze hoorde hoe de wind de kale takken tegen het huis sloeg. Ze voelde zich knus, zo onder haar dekens, met de wol op haar schoot. Terwijl ze begon op te zetten, bedacht ze dat ze goed op de draaien moest letten en niet mocht vergeten de hulpnaald van voor naar achter te wisselen. Zoals ze er nu aan toe was, zou de concentratie die het werk vergde haar goed doen.

De dagen daarna deed ze niets anders dan breien, lezen, slapen, een paar tv-programma's bekijken en haar wonden likken. Ze vond het jammer dat ze geen video had, want ze had geen zin om 's avonds bij haar moeder beneden te gaan kijken. Jerry wilde altijd naar *Cops* of *Junkyard Wars* kijken. Ze bleef dus boven en las haar boek van Jeanette Winterson uit. Ze huilde om het eind, en dat hielp haar de dingen in het juiste perspectief te zien. Haar leven had erger kunnen zijn.

Tina was bezorgd. Wanneer ze op bezoek kwam, deed Claire alsof ze heel ziek was om haar snel weg te krijgen, maar ze wist dat ze zich niet eeuwig kon blijven verstoppen.

Op zondag was ze er eindelijk overheen. Ze stelde vast dat haar domme idee dat iemand als Michael Wainwright belangstelling voor haar zou kunnen hebben niet zozeer pijnlijk was als wel bespottelijk. Ze dwong zichzelf erom te denken wie ze was, waar ze woonde en welke kleine pleziertjes haar vergund waren. Ze zou er meer opzoeken, eens naar een schouwburg gaan, een eigen video kopen. Ze zou lid worden van een sportschool. Sinds haar eindexamen kwam ze langzaam aan, en de kantoorbaan had haar middel en heupen laten uitdijen. Een voordeel van haar ziekte was dat ze was afgevallen. Ze ging trainen. Niet dat dat leuk was, of gemakkelijk, want in de dure sportscholen in Manhattan voelde ze zich niet thuis en terug in Tottenville na haar werk was ze altijd moe, maar ze ging het doen. En, besloot ze, ze zou Tina's moeder, die kapster was, highlights in haar haar laten zetten.

Het zou allemaal echter weinig verschil maken, en het Worthington-incident, zoals ze het nu noemde, had haar erop gewezen hoe beperkt haar leven was. En Claire wist dat lezen, breien en tv-kijken, hoe opbeurend het programma ook was, daar niets aan veranderden.

Ze wist niet hoe ze een echte verandering kon bewerkstelligen. Ze was geen broek van slechte snit die je kon vermaken, maar een verlegen, teruggetrokken jonge vrouw. Was ze gaan lezen en breien omdat ze nooit een gezelschapsdier was geweest, of had haar falen in groepen haar in een isolement gedreven? En wat kon ze eraan doen? Uitgaan met Tina's neven en de broers van haar vriendinnen, allemaal mannen met wie ze niets gemeen had en die haar als een huismus zagen? Waarom?

Weer gaan studeren? Hoe moest ze dat betalen? Reizen? Alleen? En waarheen? Lid worden van een vereniging? Een leesclub? Vrienden of zelfs een zielsverwant op internet zoeken?

Claire moest er allemaal niet aan denken. Ze was gewoon geen gezelligheidsmens. Ze kroop weer in bed. Zelfs als ze 'op zoek ging', zou het niet anders gaan dan anders. Als een versierder haar aansprak, zou ze zich vervelen, en als een intelligente, aantrekkelijke man iets tegen haar zei (dat moest een wonder zijn) zou ze dichter klappen dan een oester. Geen mens zou haar zien en ze zou een muurbloempje zijn. Ze overwoog zelfs even Tina's vakantieaanbod aan te nemen, maar dat idee verwierp ze heel snel. Ze mocht dan koorts hebben, ze ijlde niet. Ze belde Tina wel, maar alleen om te vragen of haar moeder tijd had om haar haar te doen. 'Kom maar,' zei Tina.

'Nu nog?' vroeg Claire. 'Het is al laat.'

'Hé, je bent maar een jaar of vijf te laat. Mijn moeder dacht dat ze je pas zou mogen doen als je al grijs was.'

Claire kleedde zich aan en ging naar Tina, die zich samen met haar moeder Annamarie over haar kapsel boog. 'Ik heb nog nooit zo'n slechte coupe gezien,' zei Annamarie. 'Net drie kapsels op één kop.' Claire liet haar haar dus knippen en verven, voornamelijk uit gekwetste trots.

Het resultaat verraste haar. In plaats van de tinten rood die Annamarie meestal koos, had ze subtiele schakeringen honingblond genomen die goed bij Claires lichtbruine haar pasten, en door de laagjes kreeg haar fijne haar meer volume. 'Je hebt crèmespoeling, versteviger en gel voor dit kapsel nodig,' zei Annamarie. Claire kon zich niet voorstellen dat ze meer dingen op haar hoofd zou smeren dan ze familieleden had, maar wat ze in de spiegel zag, maakte haar blij.

Toen Tina haar maandagochtend kwam halen, stond ze klaar.

'Je ziet er een stuk beter uit. Je haar, en ik denk dat je gezicht iets smaller is geworden door de griep,' verkondigde Tina.

Het was ongewoon warm, en ze zaten samen op een bank uit de wind op de pont. Claires breiwerk lag onaangeraakt op haar schoot. Ze voelde zich nog zwak en ze hief haar gezicht naar de zon alsof ze vitaminen wilde indrinken.

'Je zou best een kleurtje kunnen gebruiken,' zei Tina. 'Laatste kans voor Porto Rico.'

Claire kon een zucht niet onderdrukken. Ze was een week weggeweest, maar het gesprek zette zich naadloos voort. Ze deed haar ogen dicht en vroeg zich in stilte af, en niet voor het eerst, waarom Tina niet liever alleen met Anthony met vakantie wilde. Claire kon zich niet voorstellen dat ze Tina mee zou willen nemen als zijzelf met een geliefde op reis ging, áls ze ooit de kans zou krijgen zo'n reis te maken. Was ze daarom een minder trouwe vriendin, of minder afhankelijk? Allebei, misschien.

'Nou, raad eens hoe het met mijn baas gaat?' vroeg Tina. Claire was blij dat ze haar ogen dicht had. Zo kon ze haar gezicht gemakkelijker neutraal houden.

'Hij zit weer in de ultimatumfase,' vertelde Tina. 'Hij wil Katherine houden, maar ze heeft ontdekt dat hij een knipperlichtrelatie met Blaire heeft, en nu zegt ze dat hij het met haar moet uitmaken of anders.'

'En gaat hij dat doen?' vroeg Claire luchtig.

'Mooi niet,' zei Tina, en ze lachte. 'Hij is koppig en hij laat zich de wet niet voorschrijven. Als het Blaire niet was, was het wel een ander. Zijn grote fout is dat hij eerlijk antwoord geeft als ze ernaar vragen, en dat doen ze.' Ze schudde haar hoofd. 'Courtney is bijna een jaar aan hem blijven plakken omdat ze nooit vroeg wat hij deed als hij niet bij haar was.' Tina haalde haar schouders op. 'Maar uiteindelijk heeft hij haar toch gedumpt.'

'Dat is het lot van al zijn vriendinnen, hè?'

'Ja,' beaamde Tina. 'De bom barst altijd. Het enige verschil is hoe lang ze het volhouden en of het een scène wordt.'

'Hé, we zijn er bijna,' zei Claire, en ze stond op.

'God, ik sterf van de honger!' zei Tina. 'Ik hoop dat Sy de grootste bagel voor mij heeft bewaard.'

Claire glimlachte moeizaam naar haar en liep met alle anderen de loopplank af, en toen liepen ze met een deel van de massa mee naar Water Street. Er zweefde een helikopter boven hen en Claire stelde zich voor dat ze van die hoogte op mieren leken die allemaal doelbewust naar hun mierenhopen stroomden.

Ze zuchtte. Na de week thuis leken de reis en het werk deprimerender dan ooit. Ze overwoog weer of ze niet naar de bibliotheekacademie zou kunnen gaan, maar waarom zou ze? Er werden elke dag bibliotheken gesloten in New York. Haar eigen filiaal in Staten Island was maar drie dagen per week open, en op zaterdag alleen 's ochtends. Ze moest gewoon onder ogen zien dat ze een rups was, zij het een dunnere dan eerst, en dat ze nooit een mot zou worden, laat staan een vlinder. Claire Bilsop, het muurrupsje.

En nu kon ze niet meer van haar zielige geheime verliefdheid dromen om zich niet eenzaam te voelen. Ze zou zichzelf niet toestaan een nieuwe liefde te zoeken, en ze zag ook niets in de andere verwaande investeringsbankiers. Wat had het voor zin? Ze wilde zichzelf niet langer bedriegen.

In zekere zin had het incident met de Kanjer dus een heilzaam effect gehad. Het was een soort inenting geweest. Een beetje dodelijke

Kanjer in haar bloedsomloop had haar ziek gemaakt, maar nu was ze immuun.

Toen ze later die dag aan de lunch zaten, waren de gesprekken weer net zo onsamenhangend als altijd. Wanneer Tina iets over haar baas vertelde, reikte Claire tot haar opluchting niet langer naar elke lettergreep om er later op te kunnen mediteren. Ze sloot zich ervoor af.

'Jezus, wat lijk je mager,' zei Marie 1 tegen Claire. 'Het zal je nieuwe kapsel zijn.' Ze hadden Claires nieuwe haarstijl natuurlijk uitgebreid besproken en iedereen vond het mooi, behalve Joan, wat Claire ervan overtuigde dat het haar goed stond. Ze was niet blij met de aandacht, maar ze had erop gerekend. Ze had een jurk van zwarte tricot met beige spikkels en een bijpassend jasje van haar moeder geleend. Ze vond dat ze er best goed uit mocht zien na haar afwezigheid, maar Joan keek haar aan alsof ze Claire ervan verdacht dat ze helemaal niet ziek was geweest.

'Hé, ze is echt ziek geweest. Kijk niet zo,' zei Tina.

'Wil je een plakje leverworst?' vroeg Marie 2. 'Ik heb zat.'

Het gesprek kwam op recepten en Claire was blij dat ze niet meer in het middelpunt stond. Ze richtte al haar aandacht op haar broodje eiersalade, al smaakte het naar zaagsel.

'Vic wil naar Vegas, maar ik heb gezegd dat hij dat wel kan vergeten,' zei Marie 1. 'De vorige keer in Atlantic City heeft hij zeshonderd dollar vergokt,' vervolgde ze terwijl ze nerveus aan haar verlovingsring met diamant draaide. 'Ik wist het niet, maar hij had ook nog eens krediet op onze Visa en MasterCard opgenomen.'

'Ik geloof niet in gokken,' zei Joan. 'Zelfs niet in de loterij.'

'Dan krijg je niks van me als ik win,' verzekerde Michelle haar.

'In het casino heb je meer kans,' zei Marie 2.

'In Porto Rico hebben ze ook casino's, maar dat is niet wat Anthony en ik daar gaan doen,' deed Tina een duit in het zakje.

'Ik hou het op Disney World,' vond Michelle. 'Het is fantastisch voor kinderen en Epcot is goed voor volwassenen.'

'Epcot is waardeloos,' zei Marie 1. 'Ik heb me nog nooit zo verveeld als daar.'

Over verveeld gesproken. Claire kon het bijna niet meer aan. Ze was die saaie herhalingen van voor de hand liggende dingen opeens spuugzat. Toen nam het gesprek gek genoeg een fascinerende wending.

'Meneer Crayden senior gaat volgende maand een nieuwe deal sluiten in Londen,' verkondigde Marie 2. 'Misschien neemt hij Abigail mee.' Abigail Samuels was al bijna dertig jaar de secretaresse van meneer Crayden. Ze was lang, ongetrouwd en hyperefficiënt, en ze verzorgde de zaken van meneer Crayden tot in de puntjes, alsmede een aanzienlijk deel van zijn privé-leven. Ze lunchte nooit met de andere secretaresses. Ze was een hooghartige, witharige aristocrate die wel iets beters te doen had. Claire had haar weleens alleen in een lunchroom zien zitten. Ze las Balzac in het Frans. Claire had een diep ontzag voor haar.

'Abigail boft maar,' zei Michelle sarcastisch. 'Ze mag op reis. Jammer dat ze geen man heeft, en geen leven.'

Marie 2 besteedde geen aandacht aan Michelle, zoals zo vaak. 'Nou, meneer Crayden junior gaat misschien ook mee, en raad eens wie er dan wordt uitgenodigd?' Er werd verbaasd *oe* en *aah* geroepen.

'Je man besterft het,' zei Marie 1.

'Nou en?' zei Marie 2. 'Als Crayden het vraagt, ga ik. Ik ben daar nog nooit geweest.'

Claire kreeg kippenvel bij het idee. Ze had nooit veel gereisd, maar als zij eens naar Londen zou kunnen... Als ze nu eens naar Londen móést, zodat ze niet in de verleiding kon komen de reis uit angst af te zeggen... Als ze er ging werken, zodat ze al een paar mensen kende, zich een beetje vertrouwd kon voelen... Enfin, ze zou de kans nooit krijgen. Analisten kregen geen reisjes naar Londen aangeboden.

Tina legde haar broodje salami neer en trok haar dik aangezette wenkbrauwen op. 'Hé, misschien gaat Michael daarom ook,' zei ze. 'Ik heb net tickets voor komende donderdag voor hem gereserveerd.'

'Ga jij ook?' vroeg Marie 1.

'Nee, hij blijft maar tot het eind van het weekend, en hij gaat met Katherine. Zijn nieuwe vlam.'

Claire dwong zichzelf haar laatste hap door te slikken. 'Ik ga even snel naar Duane Reade,' zei ze. 'Moet ik iets meebrengen voor iemand?'

Niemand had iets nodig, maar Joan wees haar er met klem op dat ze nog maar twintig minuten pauze had. Claire knikte en ontvluchtte het gezelschap.

Ze hoefde niets te kopen, ze moest gewoon frisse lucht hebben. Onder het lopen vroeg ze zich af waar ze mee bezig was. Waarom bracht ze haar dagen door in een zaal zonder ramen, en haar avonden alleen met een boek? Ze had zich van het leven afgesloten: ze had net zo goed in het klooster kunnen zitten. Toch wist ze zeker dat ze geen non was. Ze wilde reizen. Ze wilde een opwindende baan. Ze wilde nieuwe dingen doen en nieuwe mensen ontmoeten. Ze wist alleen niet hoe. Ze liet zich op een bank zakken. Het was koud geworden, maar in de zon, met haar jas dicht om zich heen, hield ze het wel vol. Alleen het idee dat ze terug moest naar Crayden Smithers en Joan bezorgde haar de rillingen. Zelfs hier, met de wind uit de haven op haar gezicht, voelde ze zich een gevangene.

Naar Manhattan verhuizen was duidelijk de oplossing, maar ze deinsde ervoor terug. Hoe moest ze het betalen, en zou ze woonruimte kunnen vinden? Andere mensen deden het ook, maar ze voelde zich niet zoals andere mensen. Ze had zich zelfs altijd anders gevoeld dan alle anderen. Wat het nog erger maakte, was dat iedereen dat met haar eens was. Geen wonder dat ze zich zo eenzaam voelde.

Ik zou me kunnen opgeven voor een groepsreis, dacht ze. Ik zou naar Europa kunnen gaan, als ik een reisleider had. Maar ze zou in een groep kunnen belanden met een soort Marie 1 en Michelle, en met hen door Parijs banjeren leek haar een bespottelijk idee.

Misschien zou er ook een Abigail Samuels tussen kunnen zitten, dacht ze, of zelfs een belezen man. Ze had de hele *Comédie Humaine*, en Jean Rhys en Colette gelezen. Ze had het gevoel dat ze al in Frankrijk was geweest en moest er niet aan denken in het echt te gaan, als stomme toerist die de taal niet sprak, de verkeerde kleren droeg en de verkeerde plaatsen opzocht.

Ze was dus niet alleen een lafaard, maar ook een snob. Een stiekeme snob, en dat zijn de ergste. Tijdens de lunch voelde ze zich beter dan alle anderen, maar met welk recht? Michelle, Tina en de Maries, en zelfs Joan, deden nog eens iets, gingen ergens heen en sliepen met mannen. Ik moet veranderen, besloot ze, en ze stond op. Ze moest wel, want haar huidige leven was onmogelijk geworden.

Claire keek op haar horloge. Ze zou te laat terugkomen, en Joan zou haar straffen door haar de rest van de middag de lastigste klussen te geven. Ze vond het niet erg, want ze had een belangrijk besluit genomen. Ze wist niet of ze een vlinder kon worden, maar ze zou zichzelf een metamorfose laten ondergaan. Ze had een nieuw doel: hoe groot de obstakels ook waren, ze zou veranderen.

Alleen wist ze nog niet waarin.

6

De volgende dag zaten ze zoals gewoonlijk aan de lunch over de gebruikelijke dingen te kletsen (de tv van de vorige avond, de nieuwste film) toen Tina opgewonden binnen kwam stormen. 'Dit geloven jullie nooit!' Ze keek eerst of iedereen wel op haar lette en vertelde toen: 'Daarnet liep Katherine straal langs me heen zijn kantoor in. Ik bedoel, ik probeerde haar tegen te houden, maar ze deed alsof ik lucht was. Hij zat aan de telefoon, maar toen hij haar zag, hing hij meteen op. En toen zei ze: "Ik weet niet waar je me voor aanziet, maar ik ben zeer zeker niet wie je denkt!"'

'Ze ligt eruit!' zei Marie 1.

Tina knikte. 'Ze kan wel gaan, maar ze gaat niet.'

'Waarheen?' vroeg Michelle.

'Naar Londen. Ze heeft haar uitstapje verpest.'

'Dat meen je niet,' zei Marie 2. Ze dacht even na. 'Heeft zij tegen hem gezegd dat hij dat reisje maar in zijn reet moest stoppen, of hij tegen haar?'

'Er kwam geen reet aan te pas.' Tina snoof. 'Ze hebben niet één schunnig woord gebruikt. Zij noemde hem een "narcistische parodie op zichzelf" en hij...' Ze kneep haar ogen dicht alsof ze zich de exacte bewoordingen van de geflopte Kanjer wilde herinneren. 'Ik geloof dat hij haar vroeg haar psychologische profiel voor zich te houden. Toen kwam Michael naar me toe en zei dat ik het tweede ticket opzij moest leggen.'

'Nou, ik vind dat ze best tegen hem had mogen zeggen dat hij de tering kon krijgen,' vond Michelle. Op hetzelfde moment kwam Abigail Samuels binnen, net op tijd om de verwensing te horen. Claire boog haar hoofd. Zij ging met deze mensen om, dus iedereen behalve zij moest wel denken dat ze een van hen was, en nu had die afstandelijke, hoogopgeleide Abigail, die waarschijnlijk nog maagd was ook, hun gesprek opgevangen.

Abigail liep echter onverstoorbaar langs hen heen, pakte een yoghurtje uit de koelkast en draaide zich weer om. Bij de deur keek ze naar het nu stille groepje om. 'Claire,' zei ze, 'heb jij tijd om wat belangrijke documenten voor me te kopiëren?'

Iedereen keek van Abigail naar Claire. Claire keek van Abigail naar Joan, die knikte. Toen stond ze woordeloos op en liep achter Abigail aan de kantine uit.

Ze liepen langs de rij secretaresses en toen ze bijna bij de kamer van Michael waren, draaide Abigail zich naar Claire om. 'Jij lijkt me een discreet meisje,' zei ze. 'Ik wil dat dit klusje onder ons blijft.'

Claire knikte, wat Abigail voldoende leek te vinden. Ze hadden haar bureau voor de kamer van meneer Crayden bereikt. 'Ga maar naar de kopieermachine in de directievoorraadkamer.' Ze pakte een stapel documenten en gaf ze aan Claire. 'Ik heb liever dat je ze niet leest, maar ik kan je niet tegenhouden.'

Claire werd naar een deur geleid die ze nog nooit had gezien. In de kleine, maar wel gelambriseerde ruimte erachter stonden vitrinekasten vol met in leer gebonden blocnotes, gemonogrammeerd postpapier en allerlei luxe kantoorartikelen. In een mahoniehouten kast waren een kopieermachine, een papierversnipperaar en een fax ingebouwd.

'Weet je hoe de machine werkt?' vroeg Abigail. Claire knikte. 'Hij kan niet sorteren, en ik moet twee kopieën van alles hebben. Kun je de boel op volgorde houden?'

'Ja,' zei Claire stuntelig.

'Dat dacht ik al,' zei Abigail met een glimlach. 'Als je nog vragen hebt, roep je maar.'

Claire begon te kopiëren. Het was saai, maar het was weer eens wat anders en ze was Joan even kwijt. Toch had ze het gevoel dat ze zou moeten boeten voor het feit dat zij was uitverkoren, net als vroeger op school.

Ze voerde het eerste vel in en wierp er een blik op om zich ervan te verzekeren dat ze niet medeplichtig was aan verduistering of fraude. Crayden Smithers was een van de weinige handelshuizen die niet betrokken waren geweest bij de aandelenschandalen uit de jaren negentig, maar je kon nooit voorzichtig genoeg zijn. Toen ze had gezien dat het alleen maar arbeidsovereenkomsten waren, en dat de gevoelige informatie betrekking had op salarissen en bonussen, werkte ze door zonder nog te kijken.

Het ritme van het optillen van de flap, de oude bladzij pakken en de nieuwe recht neerleggen, de twee kopieën pakken en ze van elkaar scheiden, bood een soort monotone troost. Het was dom werk, maar toen ze eenmaal was gewend aan het mechanische tempo dat ze zichzelf had opgelegd, was het niet per definitie goed dat ze tijd had om na te denken. Ze wilde niet terugdenken aan het gesprek tijdens de lunch, aan Michaels zakenreisjes en wie hij meenam. Ze wilde haar werk afmaken, naar huis gaan en haar kabeltrui afmaken. Dat idee maakte haar blij. Het werd een prachtige trui en hoewel de kasjmier een exorbitante aanschaf was geweest, had ze er geen spijt van.

Het werd benauwd in de kleine kamer. Claire duwde haar haar achter haar oren en boog zich over de machine. Ze voelde de hitte op haar wangen en vroeg zich af of er een ventilator was, al betwijfelde ze of iemand hier ooit zoveel kopieerwerk deed. Door het geluid van de machine en haar concentratie merkte ze niet dat de deur achter haar openging.

7

'Hallo, Claire,' zei de Kanjer.

'Hallo.' Claire keek op en probeerde haar verbazing te maskeren en haar toon hartelijk te houden, maar niet meer dan dat.

'Ik wist niet dat je hier zat.' Hij nam haar op en glimlachte vreemd schuchter naar haar. Ze wist niet hoe flatteus haar blos en haar nieuwe kapsel waren. Ze was blij dat ze de jurk van haar moeder weer aanhad, en hoopte dat hij niet te strak om haar billen spande. Toen hield ze zichzelf streng voor dat het niets uitmaakte hoe ze eruitzag. Als ze een greintje trots had, zou ze zo niet vals, dan toch minstens kortaf tegen hem doen.

'Nee, waarom zou je?' zei ze.

Michael schokschouderde. Toen keek hij naar het vel papier in zijn hand. 'Ik moet dit nu direct naar Catwallider, Wickersham & Taft faxen.'

Claire keek hem bedaard aan, zonder haar hulp aan te bieden. Abigails werk voor meneer Crayden senior ging vóór dat van Michael. Het schonk haar een zekere voldoening dat ze niets aanbood. Michael moest zich langs haar heen naar de fax wurmen. Ze wapende zich en voelde het niet, maar ze moest wel horen hoe hij onhandig het faxnummer intoetste voordat hij het document invoerde. De machine vroeg met een fluittoon om het indrukken van de startknop, maar Michael deed niets. Claire wist wat hij moest doen, maar zweeg.

'God, wat ben ik ook een debiel. Hoe werkt dat ding in vredesnaam?' vroeg hij uiteindelijk.

Ze wist dat het mannentaal was voor 'knap jij dit maar voor me op'. Jerry praatte altijd zo tegen haar moeder: 'Hoe zet je de wasmachine aan? Hoe zet je de borden in het rek? Hoe kook je een ei? Hoe moet dit in jezusnaam?' Ze haalde haar schouders op, dankbaar voor de drie stapels papier die voor haar lagen. 'Waar is Tina?' vroeg ze bij wijze van antwoord.

'Dat zou ik ook weleens willen weten.'

Hij klonk niet echt geërgerd, maar het idee dat Tina zich drukte en in moeilijkheden zou kunnen komen, was voor Claire genoeg om haar taak te laten rusten. 'Wacht maar,' zei ze. Ze nam niet de moeite hem uit te leggen hoe je het papier invoerde, dat het met de tekst naar beneden moest of dat je op de startknop moest drukken zodra je verbinding had. Waarom ook? De Michael Wainwrights van deze wereld waren niet geboren om zulke dingen te doen. Ze keek naar beneden, voerde nog een vel in de fax in en zag hoe het langzaam werd opgeslokt. Ze zag de instappers van de Kanjer en was ervan overtuigd dat hij nu weg zou gaan. Hij zou haar hier achterlaten en zelf teruggaan naar zijn wand van glas. Misschien kreeg ze nog een bedankje, want hij was altijd beleefd. Maar zijn schoenen bleven voor de hare staan tot ze wel moest opkijken.

Hij keek haar aandachtig aan. 'Is er iets?' vroeg hij, en ze wilde zeggen: 'Ja, ik heb de pest aan je,' maar dat zei ze natuurlijk niet. 'Je bent heel knap, weet je dat wel?' zei hij. Als hij haar met een dode vis in haar gezicht had geslagen, had Claire niet verbaasder kunnen zijn. Ze voelde dat ze weer bloosde, maar nu van woede, niet van plezier of verlegenheid. Wie dacht hij dat hij was? Wainwright of niet, hij had het recht niet met andermans gevoelens te spelen, alleen maar om de tijd te doden of zijn opgeblazen ego te plezieren.

'Vind jij het leuk als een wildvreemde iets over je uiterlijk zegt?' zei ze. 'Ik geef je met alle genoegen een samenvatting.' Haar stem klonk vast en zonder een zweempje van de woede en vernedering die ze voelde. Hij knipperde met zijn ogen, rechtte zijn rug en keek haar aan, nu met iets wat dichter bij echte belangstelling kwam.

'Sorry. Was dat neerbuigend van me?' vroeg hij.

Ze liet hem het antwoord zelf uitknobbelen. 'Moet ik nog iets voor je doen?' vroeg ze. 'Ik ben voor meneer Crayden senior bezig. Over twintig minuten ben ik klaar.' Ze gaf hem zijn originelen terug en richtte zich weer op haar taak. 'Als je hulp nodig hebt, kun je misschien beter naar Joan gaan.'

Hij glimlachte. 'Joan kan me niet helpen, maar jij misschien wel.'

Ze had het kunnen weten. Wat zou ze nu weer voor rotklus krijgen? Ze legde weer een bladzij onder de kopieermachine en keek hem zwijgend aan. Ze zou het doen, maar hij moest niet denken dat ze blijdschap of dankbaarheid ging veinzen.

'Ben je komende donderdag vrij?' vroeg hij.

Ze probeerde de vraag te begrijpen, maar ze kon hem niet volgen. 'Hoe laat?'

'De hele dag, eigenlijk. Vanaf woensdagavond.'

'Ik snap het niet.'

'Ik... ik vroeg me gewoon af of je een lang weekend met me naar Londen zou willen. Ik ga woensdagavond weg en ik moet donderdag en vrijdag werken, maar we hebben de avonden nog en ik blijf het weekend.'

'Wat?' zei ze. Er leek een soort kortsluiting tussen haar oren en haar hersenen te zitten. Had ze hem echt horen zeggen...

Op dat moment hield de kopieermachine ermee op en begon te piepen. Ze begreep hem niet, maar was vastbesloten dat er geen misverstanden meer tussen haar en Michael zouden ontstaan. Het piepen hield aan, ze keek, zag het lampje branden dat aangaf dat er papier was blijven steken en bukte zich om het klem zittende papier los te trekken. Het lukte niet. 'Kan ik iets doen?' vroeg hij. Haar brein bleef ook steken en ze voelde zich net zo klem zitten als het papier. Ze trok er klungelig aan. Ongeloof, schaamte en verwarring vochten om de heerschappij in haar totaal overdonderde geest.

'Wacht. Laat mij maar.' Hij bukte zich en drukte op een knop aan de zijkant van de kopieermachine. De hele bovenkant van de papiergeleider sprong open. Als hij mij aanraakt, dacht Claire, springt mijn hoofd er ook af. 'Je wilt niet weten hoe vaak ik met dit ding heb geworsteld,' zei hij. Hij drukte nog een knop in, bevrijdde het papier en keek haar glimlachend aan. 'Nou, ga je met me mee naar Londen?' vroeg hij.

Het alarmsignaal in haar hoofd piepte harder dan de kopieermachine. Alle roddels die ze niet had willen horen speelden door haar hoofd: het zakenreisje dat Marie 2 misschien ging maken, de nieuwe zakelijke activiteiten in het Verenigd Koninkrijk, Tina's woordelijke verslag van Michaels problemen bij het krijgen van een vrouw voor zijn nieuwste escapade. Ze probeerde de valstrik te ontdekken, de wachtende vernedering. Misschien had hij secretariële ondersteuning nodig. Dat moest het zijn. Ze slaakte een zucht van verlichting. Natuurlijk...

'Kan Tina je niet helpen?' vroeg ze.

'Waarmee?' luidde zijn wedervraag.
'Met het typewerk, of...'
Hij schoot in de lach en Claire voelde dat ze weer bloosde. Hij lachte haar uit, en ze had zo haar best gedaan om dat te vermijden, hem te vergeten, hem uit haar hoofd te zetten, en toch...
'Claire, ik wil graag dat je een lang weekend met me naar Londen gaat. Niet om te werken. Voor de lol. Als mijn... gast.'
Toen sloeg hij zijn linkerarm om haar heen. Ze voelde zijn hand warm, bijna heet, door haar kleren, en toen trok hij haar naar zich toe, hief haar kin met zijn andere hand en drukte zijn mond op de hare.
Claire was zo perplex dat ze niet eens kon verstijven of denken. Het was allemaal net een droom, alsof ze een rol in een sprookje speelde, *Sneeuwwitje* of *Doornroosje*, zo'n passieve vrouw die jaren wachtte tot ze met een kus werd gewekt. Ze voelde elk plekje waar ze elkaar aanraakten: elke vinger tussen haar schouderbladen, zijn hand op haar wang en zijn lippen op de hare, en het was alsof haar huid nooit eerder was aangeraakt. Haar verrassing ging vergezeld van een lading emotionele én sensuele gewaarwordingen.
Toen hij haar losliet, was Claire sprakeloos. In haar stoutste dromen had ze zich niet zoiets lekkers kunnen voorstellen. Ze hield letterlijk haar adem in en kon, nee wílde geen woord uitbrengen.
Toen likte hij langs zijn lippen. Ze hield zich stil, want ze kon geen geluid maken. Hij deed een pas achteruit en even zag ze twijfel op zijn gezicht. 'Als je dat ongepast van me vond, heb ik daar alle begrip voor...' Hij aarzelde even. 'En ook als je dit politiek incorrect vindt, of zelfs seksuele intimidatie. Denk dat alsjeblieft niet. Ik bedoel, we werken niet echt samen. Alleen op hetzelfde kantoor.'
Claire kon nog steeds niet praten. Toevallig had haar zwijgen haar een glimp gegund van Michaels onzekerheid, een zeldzaam moment van angst of iets wat erop leek. Het maakte hem op de een of andere manier echter, minder ongenaakbaar. Ze knipperde een traan weg.
'Oké. Sorry. Ik dacht gewoon dat het leuk zou kunnen worden, maar goed.'
Claire zocht steun bij de kopieermachine en probeerde iets te zeggen. Ze keek naar de Kanjer, maar ze zag hem niet goed. En ze was nog steeds bang dat ze hem niet goed had begrepen.

Hij draaide zich om en liep naar de deur. Doe iets, spoorde ze zichzelf aan. Maar waar had ze die uitnodiging aan te danken? Waarom zij? Ze herinnerde zich het gesprek tijdens de lunch dat ze niet had willen horen en begreep dat hij waarschijnlijk zo snel geen vrouw meer kon optrommelen. 'Wacht even,' hoorde ze zichzelf zeggen. Hij keek om. 'Ik wil heel graag mee,' zei ze.

8

'Ben je gestoord?' zei Tina de volgende ochtend tegen Claire. Haar schrille stem was niet alleen voor Claire, maar ook voor iedereen in de buurt goed hoorbaar.

Claire haalde de draad naar voren, liet de drie volgende steken van de hulpnaald op de gewone naald glijden en schudde kalm haar hoofd. Ze zou die prachtige trui in Londen dragen.

'Claire, in godsnaam. Je kent hem niet eens.' Tina sloeg haar armen over elkaar. 'En je weet heus wel hoe hij met vrouwen omgaat. Als Katherine Rensselaer hem al niet aankon, hoe verwacht jij dan...'

Claire stopte behoedzaam haar breiwerk in haar tas. Zelfs Katherine Rensselaer kon niet zo'n beeldige kasjmieren trui hebben. 'Ik verwacht helemaal niks,' zei ze bedaard.

'Nou, maar híj wel! Denk je dat hij je helemaal mee naar Londen neemt voor de gezelligheid?' Tina schudde haar hoofd en Claire zag dat ze eerder kwaad dan bezorgd was. 'Denk je dat dit het begin is van een liefdesrelatie? Wat ben je soms ook een kind.'

'Nee!' sprak Claire haar tegen. 'Ik ben van plan met hem naar bed te gaan. Ik wil het. Maar verder verwacht ik niets.'

Tina lachte sarcastisch. 'Ja, vast. Ik ken jou. Ik waarschuw je, Claire. Een verhouding met Michael Wainwright kun je wel vergeten.'

'Ik hoef niets te vergeten, want ik denk er niet eens aan,' zei Claire. Toen stootte de pont tot haar opluchting zacht tegen de boeien. Ze waren er bijna.

Maar het hield niet op. 'Waar denk je dan wél aan?' vroeg Tina. 'Hoe je jezelf nog dieper de put in kunt helpen? Hoe je je voor het hele kantoor voor schut kunt zetten?'

Opeens drong het tot Claire door dat Tina's houding en toon haar niet aanstonden. En dat ze niet hoefde te luisteren. 'Ik denk dat ik nooit verder van Staten Island ben geweest dan Boston. Dat ik sinds *Mary*

Poppins over Londen lees, maar er nooit ben geweest.' Ze zweeg even om haar drift te beteugelen en keek Tina recht aan. 'En ik denk dat ik wel genoeg raad heb gekregen.'

Tina's gezicht verstrakte. Toen haalde ze haar schouders op. 'Zelf weten,' zei ze, en ze liepen zwijgend naar kantoor.

'Heb je een goede koffer?' vroeg Marie 2. 'Je kunt niet met een rugzak vliegen, hoor.' Claire had er nog niet aan gedacht. Het nieuws had zich dankzij Tina als een lopend vuurtje verspreid. Uit alle enthousiaste reacties maakte Claire op dat de arbeidersklasse zich trots had verheven; alsof het eigen team een soort doelpunt had gescoord. Claire wist wel dat ze niet boven die klasse stond, maar ze had zich nooit één gevoeld met 'de meiden' en het kon haar niets schelen wat de anderen vonden. Sinds Michael haar had uitgenodigd, voelde ze zich anders, tegelijkertijd meer opgenomen in de kantoorharem en er verder van verwijderd. Nu, aan de lunchtafel, waar zelfs Marie 3 bij was komen zitten, was haar reis hét onderwerp van gesprek, maar Claire voelde zich absoluut niet verlegen.

'Je moet zo'n koffer op wieltjes hebben,' vervolgde Marie 2. 'Die lui vliegen eersteklas. De hotelportiers lachen je uit als je geen fatsoenlijke koffers hebt.'

'Die portiers kunnen doodvallen,' vond Marie 1. 'Het gaat niet om je koffers. Ik bedoel, wat gaat er in het hotel gebeuren?'

'Ik denk dat we dat allemaal wel weten,' zei Joan.

Niemand reageerde op haar neerbuigende toontje. 'Wat voor hotel?' vroeg Michelle.

'Hij heeft een suite in het Berkeley gereserveerd,' verkondigde Tina. Ze was de hele ochtend boos geweest en keek Claire nog steeds niet aan. 'Hij is heus wel een heer, hoor. Echt. En het is een suite met drie kamers. De bank in de zitkamer staat klaar als het Claire in de slaapkamer niet bevalt.'

'Nu al bevallen?' zei Marie 2. Claire bloosde bij wijze van uitzondering eens niet en niemand lachte.

'Ze heeft een retourtje,' vervolgde Tina. 'Als ze geld voor een taxi heeft, kan ze terugkomen wanneer ze maar wil.'

'Ik zou nooit meer terugkomen,' zei Marie 1.

'En Vic dan?' vroeg Marie 3.

'Vic bekijkt het maar,' zei Marie 1.

'Hé, je hoeft niets te doen wat je niet wilt,' bond Marie 2 Claire op het hart. 'En wat er in de slaapkamer gebeurt, gaat ons niets aan,' zei ze tegen de anderen aan tafel, hoewel Claire wist dat Marie 2 dol was op verhalen over seksuele problemen, stoeipartijen en overspel.

Claire was eerlijk gezegd net zo benieuwd naar wat er in de slaapkamer zou kunnen gebeuren als naar Londen. Het idee dat Michael haar had gekozen, dat hij haar wilde, al was het dan maar bij gebrek aan beter, was verbluffend en opwindend. Ze vond het ongelooflijk dat ze in het vliegtuig ging stappen met een man die haar maar één keer had gezoend en dat ze in Londen met hem ging slapen. Ze dacht weer aan zijn hand op de hare en moest haar ogen even sluiten om haar opwinding te temperen. Als zo'n klein gebaar, zulk minimaal contact al zo'n sterke uitwerking had, hoe zou ze dan op zijn lichaam op het hare reageren? Ze sidderde.

'Wat neem je allemaal mee?' vroeg Michelle. 'Dragen ze daar allemaal een hoed, net als prinses Di vroeger?' Ze zuchtte. 'Ik was gek op die hoeden van haar.'

'Laat die hoeden en tassen maar even zitten,' zei Tina. 'Claire, heb je wel een paspoort? Anders kom je Europa niet in.'

Claire voelde het optimisme en de hoop die ze had gevoeld sinds ze haar besluit had genomen, zo langzaam maar zeker verdwijnen als de Kernhemmer Kat, maar er bleef geen grijns achter. De tranen sprongen haar in de ogen. Ze had geen paspoort en, nog erger, ze wist niet hoe ze eraan moest komen. 'Ik kan er een kopen,' zei ze.

'Ha!' zei Joan. 'Vergeet het maar. Je moet je geboorteakte en pasfoto's bij het postkantoor inleveren, een formulier invullen en zes weken wachten.'

De muren kwamen op Claire af, alsof ze weer in de lift stond. Ze had kunnen weten dat een ontsnapping, een echt avontuur, niet voor haar was weggelegd. Zij was niet zo iemand die een paspoort in haar bovenste bureaula had liggen. Nee. Zij had breinaalden. Ze kon niet gaan. Ze zette haar nagels in haar handpalm om zich door die pijn van de andere marteling te laten afleiden.

'Zes weken?' zei Michelle. 'Altijd?'

'Altijd,' bevestigde Joan.

'Onzin.' Ze keken allemaal op. Abigail Samuels stond in de deuropening. Ze richtte zich alleen tot Claire. 'Je kunt binnen een paar uur een paspoort hebben. Je geeft gewoon je geboorteakte af, je aanvraagformulier en een brief op ons postpapier waarin staat dat je voor zaken op reis moet.' Abigail glimlachte naar Claire. 'En laat je ticket zien. Of doe wat onze directeuren doen. Voor vijftig dollar knapt een koeriersdienst het voor je op. Binnen twee uur. Dat hoor jij te weten, Tina.' Ze keken allemaal naar Tina, die niets zei.

'Dank je,' zei Claire beverig tegen Abigail.

'Graag gedaan,' zei Abigail, en ze glimlachte weer naar Claire. Haar kleine, rechte tanden waren zo wit als haar haar. Toen werd haar mond een strakke lijn. Ze keek naar Joan, maar praatte nog steeds tegen Claire. 'Als je geen brief van het bedrijf kunt krijgen, kom je maar naar mij, dan geef ik je er een met de handtekening van de oude meneer Crayden.' Ze keek iedereen aan en draaide zich om, maar voordat ze de gang in liep, keek ze weer naar Claire. 'En als je een koffer nodig hebt, wil ik je er met plezier een lenen.'

Het bleef even stil na haar vertrek. 'Jezusmina,' fluisterde Marie 1 toen.

'Is ze familie van je?' vroeg Marie 3.

'Maakt me niet uit,' zei Marie 2, 'maar luistert ze deze tafel af? In dat geval zitten we allemaal diep in de puree.'

Tina keek naar Claire. 'Heb je het haar verteld?' vroeg ze. 'Want als de andere directeuren dit horen... Ik bedoel, misschien vinden ze het niet leuk.'

Claire schudde haar hoofd. Ze had Abigail nooit gesproken, tot de dag dat ze haar om hulp had gevraagd. En toen hadden ze ook niet veel gezegd. De hiërarchie bij Crayden Smithers was zo streng als in het leger. Secretaresses, administratief personeel, analisten, boekhouders en het zogenaamde 'ondersteunend personeel' waren werkmieren. Ze woonden in verre voorsteden, nooit in Manhattan. Ze droegen goedkope kleren. Hun haar zat nooit echt helemaal goed. Als ze al hoger onderwijs hadden genoten, was het niet aan een prestigieuze universiteit. Ze vormden een onderklasse en al zou niemand het willen toegeven, ze waren óf jaloers op hun bazen (zoals Joan), óf (en dat vond Claire nog erger) ze wentelden zich in de afgestraalde glorie van degene voor wie ze werkten.

Abigail Samuels was de enige uitzondering. Ze was waarschijnlijk al vijftig jaar secretaresse. Ze had de beste scholen bezocht, droeg de beste klassieke kleding en zag eruit als de echtgenote van een van de oudere vennoten. Abigail was dan ook 'in zaken' gegaan toen secretaresses nog een hoed en handschoenen droegen en vrouwen nog niet op het idee kwamen rechten of bedrijfskunde te gaan studeren. Haar klasse scheidde haar van de andere secretaresses en haar baan scheidde haar van het hogere kader. Claire dacht dat ze de eenzaamste werkneemster van Crayden Smithers moest zijn.

Ze had geen idee hoe Abigail wist dat ze naar Londen ging, en het verbaasde haar dat ze het niet leek af te keuren. Dat Abigail geïnteresseerd was in iets wat Claire deed, afgezien van fotokopiëren dan, verbaasde haar niet minder dan de anderen aan tafel. En dat ze niet alleen had verteld hoe Claire aan een paspoort kon komen, maar Joan zelfs indirect had gedreigd en Claire een koffer te leen had aangeboden, was...

'Verbijsterend gewoon,' zei Marie 1.

'Ze zal je wel aardig vinden,' zei Marie 2.

Bijzonderder en bijzonderder, dacht Claire, maar ze was zo wijs Lewis Carroll niet aan deze tafel te citeren.

9

Op vrijdag ging Claire na haar werk geld voor haar reis opnemen. Er stond iets meer dan negenhonderd dollar op haar rekening. Een armzalig bedrag voor een reis, maar het was hoogst onwaarschijnlijk dat haar moeder haar 'leningen' binnenkort zou aflossen. Ze telde de biljetten zorgvuldig na, deed ze in een envelop en verstopte die in een strandtas in de onderste la van haar bureau. En wat moest ze tegen haar moeder zeggen? Het was nog te vroeg voor een vrijgezellenfeest voor Tina, en dat zou ook geen dagen duren. Ze zou gewoon op het laatste moment een smoes verzinnen. Ze had nu wel iets belangrijkers aan haar hoofd.

Ze keek in haar kast. Binnen een halfuur lag er een berg kledingstukken op haar bed. Veel te veel. Je gaat maar vier dagen weg, vermaande ze zichzelf streng, maar toch leek het alsof ze alles nodig had en niets geschikt was. Ze was iets dunner geworden, dus de topjes in maat 42 pasten nog wel, maar de broeken en rokken in maat 44 zaten iets losser dan anders, zij het nog niet los genoeg. Ze zuchtte. Misschien was haar probleem niet dat haar kont te dik was, maar dat haar borsten te klein waren. Zou je de juiste verhouding wiskundig kunnen berekenen? Ze dacht aan Katherine Rensselaer met haar perfecte lijf in haar perfect passende kleren. Claires mooiste jasje was van Ann Taylor. Daar was Katherine Rensselaer waarschijnlijk nog nooit geweest, zoals Claire nog nooit bij Prada had gewinkeld. Ze keek naar de stapel kleren, schokschouderde en glimlachte. Ze mocht dan dikke dijen en goedkope kleren hebben, maar zíj ging met de Kanjer naar Londen, niet Katherine Rensselaer.

Op zaterdagochtend paste Claire alle fatsoenlijke kleren die ze had, en tegen de middag was ze bekaf. Ze had een zwarte broek uitgekozen, een beige trui, een gerende rok van zwart met bruine tweed en verder niets. Ze had de donkerblauwe jurk nog die ze ooit naar een bruiloft had gedragen, maar die hing tot op de vloer.

'Waar heb jij de hele ochtend gezeten?' vroeg haar moeder toen Claire afgetobd en moe de keuken in kwam. 'Je was zo stil. Weer aan het breien?'

'Nee, de trui is af.' Het was waar. Hij was prachtig geworden en Claire nam hem beslist mee. Ze glimlachte bij de gedachte.

'Wat heb je dan uitgespookt?'

'Gewoon, grote schoonmaak gehouden,' zei Claire. 'Heb je blauw garen? Ik moet een zoom leggen.'

'Ik dacht het wel. Kijk maar in de onderste la.'

Claire rommelde in de keukenla vol oude ijslepels en botte messen. Ze vond het garen, een verwarde kluwen, en een kartelschaar die het nog zou kunnen doen. Ze had honger, maar ze wilde dat de rok en broek goed zaten. Ze maakte dus snel een tonijnsalade, schonk zichzelf ijsthee in (geen suiker) en ging ermee naar boven.

Toen ze had gegeten, paste ze de lange jurk. Hij was recht en mouwloos met een boothals. Als ze hem iets boven de knie afknipte, zou hij er goed uit kunnen zien, maar voordat ze de schaar erin zette, ging ze aan haar bureau zitten om een lijst te maken. De berg kleren had weinig bruikbaars opgeleverd. Ze moest nog een mooi zwart T-shirt en een goede blouse van witte of beige zijde hebben en een paar schoenen, misschien met enkelbandjes. Ze had degelijke wandelschoenen, maar (ze bloosde bijna) ze had dringend mooier ondergoed en een nachtpon nodig.

Claire hield niet van winkelen. Als ze maat 40 had gehad, had ze het leuk kunnen vinden, maar het was zo ontmoedigend om hoopvol een maat 42 te pakken, haar dijen er niet in te krijgen en dan maar net in een 44 te passen. En ze had een totaal andere smaak dan iedereen die ze kende. Claire las geen modebladen en was te bescheiden om te beseffen dat ze stijl had, al was het een simpele, tijdloze stijl. Ze dacht gewoon dat ze zich 'saai' kleedde, zoals Tina altijd zei. Dat herinnerde haar eraan dat Tina over een uur zou komen. Ze was liever zonder Tina gaan winkelen, maar dat was onmogelijk.

Toen Tina aankwam, was ze niet chagrijnig meer. Nu deed ze alsof het allemaal haar idee was geweest. 'Victoria's Secret, we komen eraan!' gilde ze toen ze naar buiten liepen.

'Ik weet niet of ik daar wel heen wil,' zei Claire.

'Maar je moest toch slipjes en een beha hebben? En een sexy nachtpon. Ik heb een negligé van rode kant gezien en een nachtpon die...'

'Ik wil naar Saks.'

'Saks Fifth Avenue? Je bent niet wijs! Veel te duur.'

'Maar ik heb een klantenkaart,' zei Claire. Hij was eigenlijk van haar moeder, maar die was Claire zo langzamerhand een paar duizend dollar schuldig, en Claire zou de rekening betalen zodra hij kwam.

'O, dan is het wat anders,' zei Tina, die van haar creditcards leefde. 'Kom op.'

Ze doorkruisten Saks en na twee uur zoeken had Claire een crèmekleurige zijden blouse gevonden die ze wilde kopen, hoewel hij tweehonderdtien dollar kostte. 'Je bent gek!' zei Tina. 'Deze was negenendertig. In de uitverkoop.' Ze wees naar haar eigen blouse en Claire keek naar hen beiden in de spiegel. Dat gaf de doorslag. De blouse die zij aanhad, zag eruit alsof hij vijfhonderd dollar meer kostte dan die van Tina. Katherine Rensselaer had erin kunnen lopen.

Het zwarte T-shirt was goddank geen probleem, en de schoenen evenmin. Ze kocht zelfs twee paar. Het was een opluchting dat ze op de schoenafdeling zonder schaamte haar maat kon noemen. Om in een pump te komen, hoefde ze niet in gevecht met een rits. Ze koos zwarte schoenen met een open hiel en beige sierstiksels waarop ze goed kon lopen en een paar donkerblauwe pumps met een strikje – achterop. 'Ja, die zijn goed,' gaf Tina toe. 'En iedereen draagt tegenwoordig hakken onder een broek.'

Claire had weinig vertrouwen in Tina's smaak, maar toen ze een etalagepop met een strakke broek en naaldhakken zag, ging ze terug naar de derde verdieping en kocht een donkerblauwe broek met zijsplitten om met de schoenen te kunnen pronken. Tot haar verrukking bleek ze in een maat 38 te passen.

'Ze vallen een tikje groot,' zei de verkoopster.

'Haar kont ook,' zei Tina.

Ondanks het gelach kocht Claire de broek, en daarna was de lingerieafdeling aan de beurt. Zoals Claire al had gevreesd, wist Tina telkens de paar dingen eruit te pikken die ordinair, smakeloos of allebei waren. 'Daar zie ik mezelf niet in,' zei ze toen Tina een zwartkanten torselet met een beugelbeha en een minuscule string ophield.

'Het gaat erom dat híj je erin ziet,' zei Tina.

Na de opmerking over haar kont was Claire niet van plan een string aan te trekken. Uiteindelijk kozen ze een lichtroze nachtpon met kant op het lijfje die iets doorschijnend was. 'Wilt u de bijpassende peignoir?' vroeg de verkoopster. Dat wilde Claire wel.

Pas bij de regenjassen werd het crisis. De meeste kostten zes- of zevenhonderd dollar. Claire keek naar de kaart van haar moeder en kon het niet over haar hart verkrijgen. Ze zou haar groene jas moeten dragen, al leek die nu goedkoop en fout.

Beneden, op weg naar buiten, viel haar oog op een snoer onregelmatig gevormde parels. Ze waren niet echt, maar ze hadden een mooie glans en ze waren aan gouddraad met knoopjes ertussen geregen. 'Nee, hè?' zei Tina. 'Zullen we maar meteen naar Tiffany's gaan?' De ketting kostte honderdvijf dollar, maar Claire besloot hem te nemen, samen met de bijbehorende oorbellen.

Op weg naar de ondergrondse weigerde Claire te denken aan het bedrag dat ze had gespendeerd. 'Wat doe je in het vliegtuig aan?' vroeg Tina.

'Gewoon, wat ik woensdag naar mijn werk aanheb. Ik trek wel iets moois aan.'

Tina schudde haar hoofd. 'Nee, je moet iets dragen wat lekker zit. Je slaapt in het vliegtuig, dus je trekt niet je mooiste kloffie aan.'

Dat was nieuw voor Claire. 'Wat zou...' Ze kon de naam Michael niet over haar lippen krijgen, al zou ze het moeten leren. 'Wat doet hij aan?'

'Meestal een spijkerbroek. Soms met een T-shirt en een colbert, soms met een trui. Hij kleedt zich op kantoor om.'

Claire was verbaasd en herzag haar plan. Ze zou haar spijkerbroek meenemen naar haar werk en er de trui op dragen die ze had gebreid. 'Ik moet nog steeds een regenjas hebben,' zei ze.

'Century Twenty-one,' stelde Tina voor. 'Je kunt er maandag in de lunchpauze heen.'

'Nee, dan moet ik mijn paspoort halen.' Claire huiverde, en niet alleen van de maartse wind. Als ze haar paspoort niet kreeg, waren alle voorbereidingen, alle opwinding en al het geld dat ze had uitgegeven onzinnig en verspild.

'Ja, maar je hoeft alleen je spullen af te geven. Ik laat je paspoort wel door een koerier halen,' zei Tina luchtig. 'Zullen we bij Century Twenty-one afspreken?'

Claire wist dat alle vrouwen van Crayden Smithers bij die discounter winkelden, maar ze kon niet tegen de drukte en het gedoe. Anderzijds wist ze dat de groene jas gewoon niet kon. Ze betwijfelde of de chique, volmaakte regenjas met allure die ze voor zich zag aan het rek met zeventig procent korting van Century Twenty-one zou hangen, maar ze kon het proberen. Ze kon geen goud van stro spinnen, maar misschien kon ze een naald in een hooiberg vinden! 'Doen we,' beloofde ze.

10

Die maandag nam Claire 's ochtends vrij, ging regelrecht naar de paspoortkoerier, gaf haar documenten af en liep naar haar afspraak met Tina. Het was tussen de middag altijd druk in de winkel, en Claire werd al duizelig toen ze naar binnen ging, maar ze was vergeten dat ze een beroeps bij zich had. Voordat zij de rekken en rekken met blazers, de tientallen sjaals en de bakken met honderden truien (allemaal met zestig procent korting) zelfs maar goed had gezien, had Tina haar al stevig bij haar schouder gepakt. 'Naar achteren, trap op en op de tussenverdieping rechtsaf.'

Claire werkte zich door een menigte vrouwen met boodschappentassen, paraplu's en ander wapentuig naar boven.

Ze kwamen uit bij twee zeker dertig meter lange rekken met jassen. 'Wat voor maat heb je?' vroeg Tina. '40? 42? Of nog groter?' Claire dacht minachting in Tina's maatje 38-stem te horen. 'Moet je er een trui onder kunnen dragen?'

Voordat Claire antwoord kon geven, begon Tina met een geconcentreerd gezicht door het rek te klikken. Ze bekeek elke jas even en schoof hem dan weg voordat Claire er iets van kon zien. Binnen de kortste keren had ze drie jassen uit de eerste dertig meter gekozen. 'Kijk. Wil je een oliejas?'

De jas was van knalgeel plastic. Claire zei niets. 'Dacht ik al,' zei Tina met een lach. 'En deze?'

De tweede jas was zwart en had meer banden, gespen, epauletten en zakken dan het Vreemdelingenlegioen ooit had kunnen bedenken. 'Nee, ik wil...'

'Beige,' zeiden ze precies tegelijk, en tot Claires verbijstering liet Tina haar een keurige lichtbruine regenjas zien.

'Ta-dá!' zei Tina. 'Net iets voor jou. Loeisaai.'

Toen Claire de jas openknoopte, zag ze het merk en de voering. Het was een Aquascutum. Claire wist niets van mode, maar ze wist wel dat de mensen met een raam in hun kantoorkamer dat merk droegen.

Ze trok de jas aan. De voering was zacht en de kleur neeg meer naar lichtgrijs dan bruin. 'Hé, die staat je goed,' zei Tina oprecht verbaasd. Ze duwde Claire naar een spiegel en Claire moest het beamen. De schoudervullingen maakten haar smalle schouders iets breder, en de gerende lijn camoufleerde haar heupen. 'Ik vind hem wat sober,' zei Tina, en ze hield de zwarte jas weer op. 'Met deze heb je meer waar voor je geld.'

Claire kon haar blik echter niet van de spiegel afhouden. Ze dacht aan Katherine Rensselaer, die die avond in de regen net zo'n soort jas had gedragen. 'Ik wil deze,' zei ze, en toen keek ze pas naar het prijskaartje. *Afgeprijsd.* En toch nog driehonderd dollar!

'Néé!' zei Tina toen Claire haar het kaartje liet zien. Ze keek om naar de borden boven de rekken en vertelde Claire het enigszins goede nieuws: 'Vandaag geven ze nog eens twintig procent korting op alle jassen.'

'Maar hij is al afgeprijsd,' zei Claire. De jas had oorspronkelijk bijna duizend dollar gekost.

'Nou en? Er gaat nog eens twintig procent van die driehonderd af, dat bespaart je weer zestig dollar,' zei Tina. Ze keek weer naar de zwarte jas. 'Deze kost maar honderdveertig,' zei ze.

Maar Claires besluit stond vast. Ze keek nog eens naar haar spiegelbeeld. Ze kon zich voorstellen dat ze in deze jas in een straat in Londen naar de Big Ben opkeek.

Dinsdagavond kwam Tina 'helpen pakken', maar Claire vermoedde dat ze alleen kwam snuffelen en alles aan de lunchtafel zou doorvertellen. Al zou Claire haar vragen haar mond te houden, ze wist dat Tina dat niet kon. Maar hopen dat ze niets tegen mijn moeder zegt, dacht Claire.

'Halló, mevrouw Bilsop,' zei Tina met een stem die zangerig klonk van geheimzinnigheid.

'Hallo, Christine,' antwoordde Claires moeder, die zoals gebruikelijk (gelukkig) niet geïnteresseerd was. 'Alles goed?'

'Ja, hoor.' Toen mimede Tina op een overdreven manier 'weet ze het al?' naar Claire, die haar hoofd schudde. Gelukkig stond haar moeder met haar rug naar haar toe.

'We gaan naar boven,' zei Claire. Op de trap wendde ze de blik hemelwaarts. 'Je houdt je mond,' zei ze tegen Tina, die niet uitblonk in subtiliteit.

Op haar kamer, met de deur dicht, voelde Claire zich veilig genoeg om haar paspoort te voorschijn te halen en haar koffer te pakken. Ze had besloten zichzelf niet voor schut te zetten door een koffer van Abigail te lenen. Het paspoort was een snoezig boekje. Wat Claire het leukst vond, was dat er na de bladzij met haar foto nog eens tien pagina's voor in- en uitreisstempels kwamen. De hare waren uiteraard leeg, maar er zou snel een stempel in komen.

Ze vroeg zich af hoeveel stempels Michael Wainwright en Katherine Rensselaer in hun paspoort hadden en schudde haar hoofd. Ze was vierentwintig en ze was nog nooit in het buitenland geweest.

Tina keek naar haar koffer. 'Is dat alles wat je meeneemt?' vroeg ze.

'Nou, ik ben nog niet klaar,' bekende Claire. 'Kijk, mijn nieuwe trui.' Ze pakte hem van de stapel ingepakte kleren, haalde hem uit het vloeipapier en trok hem over haar hoofd.

'Wauw!' zei Tina. 'Mooi.' Ze voelde aan de fijne kabels. 'Hij voelt ook lekker aan. Angora?'

Claire voelde heel even minachting. Angora leek net zoveel op kasjmier als jute op zijde, maar ze zei alleen: 'Kasjmier.'

Tina keek in de koffer. 'Je bent echt de koningin van het beige. Weet je zeker dat je er niets fleurigs bij wilt? Knalroze of turkoois? Ik heb een nieuw strapless topje dat je vast wel zou passen.'

Claire glimlachte. Het was maart, roze en turkoois waren niet haar kleuren en ze beschikte niet over de benodigde anatomie om een strapless topje op te houden, maar ja, Tina had weinig oog voor anderen, tenzij ze stof tot roddelen leverden.

Tina had genoeg van de koffer, liep naar het bureau, pakte de ingelijste eindexamenfoto waar ze samen op stonden, glimlachte, zette hem terug en keek naar Claire.

'Hé, ik wil je niet kwetsen, maar je weet toch dat dit niet langer dan het weekend gaat duren? Het is niets persoonlijks. Zo gaat de Kanjer gewoon te werk.'

'Ik weet het.'

'En een kreng als Joan zit te popelen om jou te zien instorten als Michael...'

'Als hij me de bons geeft, bedoel je,' zei Claire bedaard. Ze vouwde haar nieuwe nachtpon zorgvuldig op en keek Tina aan. 'Het gaat niet alleen om Michael,' zei ze, de naam met moeite uitsprekend. 'Ik vind hem leuk, maar ik vind het avontuur nog leuker. Londen! Ongelooflijk.' Ze wees naar de half gepakte koffer. 'Ik verwacht niets. Ik kan amper geloven dát ik ga.'

Tina schudde bedenkelijk haar hoofd. 'Ja, dat zeg je nu, maar na een romantisch weekend zou je er anders over kunnen denken. Hij is goed in wat hij doet.' Ze gaf Claire een vette knipoog.

Claire vouwde het zijden negligé op en stopte het voorzichtig met de nachtpon in de koffer. 'Ik weet het. Hij is de ster van de afdeling.'

'Ik heb het niet alleen over zijn werk. Ik bedoel alles. Je zou de e-mails eens moeten zien die sommige vrouwen die met hem hebben geslapen hem sturen.'

'Heb jij ze gezien?' vroeg Claire.

'Ik ken zijn wachtwoord toch?' zei Tina, en Claire zag haar voor het eerst blozen. Tina liep van het bureau naar het bed. 'Hoor eens, Claire, ik wil maar zeggen dat Michael anders is dan wij. Ik zou best zo'n vent aan de haak willen slaan, maar zulke mannen willen geen meiden zoals wij. Daarom ben ik met Anthony. Hij heeft een goede baan, een pensioenplan. Hij vindt me fantastisch en sexy. En zijn ouders zijn gek op me. Je zou Michaels ouders nooit te zien krijgen en als hij dit zag...' Tina gebaarde met haar lange gelakte nagels naar de kleine kamer, het loslatende behang onder het raam en de versleten vloerbedekking.

In plaats van schaamte of dankbaarheid te voelen werd Claire opeens zo kwaad dat ze haar gezicht moest afwenden. Ze wist dat Tina 'er niets mee bedoelde', maar deze ene keer hoefde Claire eens niet te horen dat ze niet goed genoeg was, dat ze niet te veel moest verwachten en dat het er niet in zat. Dat wist ze allemaal al.

Toen haar woede iets was gezakt, keek ze weer naar Tina. 'Ik ben niet stom, Tina,' zei ze bewust niet te hard of te beverig. 'Ik weet dat ik geen toekomst met Michael heb. Ik heb helemaal geen toekomst. En zelfs geen verleden. Er gaat geen Anthony met mij naar Porto Rico en ik spaar niet voor een bruiloft. Dat wil ik ook niet. Maar dat ik geen man van hier wil, betekent niet dat ik me belachelijk ga maken bij Michael Wainwright. Ik ga op avontuur uit.'

Ze zag meteen aan Tina's strakke mond en lichaamstaal dat ze haar had beledigd. Ze beet op haar lip, pakte haar nieuwe blouse en vouwde hem op.

'Ik zeg alleen dat je voorzichtig moet zijn,' zei Tina. 'Ik wil niet dat je gekwetst wordt.'

Claire kon Tina amper aankijken. Ze legde de blouse in haar koffer en liep naar de kast. 'Weet ik,' zei ze. Ze keek naar de lege hangers en afgewezen kleren, die ze nooit meer wilde dragen, besefte ze, en bedacht dat Tina jaloers zou kunnen zijn.

In hun jarenlange vriendschap was Tina altijd degene die dingen ondernam, eropuit ging en vriendjes had. Zij was degene met de grote familie en veel familiefeesten. Ze had een reeks afgedankte aanbidders en nu een verloofde. Claire had alleen een tante die ze niet kende. Ze had nooit iets gehad waar Tina haar om benijdde, zelfs niet haar hoge cijfers. Tina gaf niets om school. En gek genoeg zou Tina nooit geloven dat Claire niets wilde van wat Tina had.

Nu trof het haar bijna als een vuistslag dat Tina voor het eerst afgunstig zou kunnen zijn, en dat ze het gevoel had dat Claire op Anthony en haar neerkeek. En met dat besef kwam angst, maar het was al te laat. 'Zitten hier kleren bij die jij wilt hebben?' vroeg ze.

Tina snoof en schudde haar hoofd. 'Hé, je gaat toch niet voorgoed weg?' zei ze. 'Het zijn maar vier dagen.'

Claire knikte. De koffer was bijna vol. Ze pakte haar breiwerk en twee extra bollen wol.

'Wat doe je nou? Je neemt je breiwerk toch niet mee?'

'Waarom niet?' vroeg Claire.

'Ben je gek? Mannen willen niet met hun opoe slapen.'

'Tina, ik ben niet van plan in bed te gaan zitten breien, maar hij werkt op donderdag en vrijdag en als ik niks te doen heb...'

'... dan kun je gaan winkelen. Of je gezicht laten doen. Er zit een salon op de bovenste verdieping van het Berkeley. Er is een zwembad op het dak.'

'Een zwembad?' herhaalde Claire stomverbaasd. Een zwembad op een dak in het regenachtige Londen paste op de een of andere manier niet in haar verbeeldingswereld.

'Ja, een zwembad. Neem je bikini mee.'

'Echt?' Claire wilde geen bikini meenemen. Ze had geen leuke en ze wilde niet met Michael zwemmen, want ze kreeg liever een ruggenprik dan dat ze hem haar dijen liet zien, maar ze voelde Tina's ogen op zich. Ze liep naar de ladekast, pakte haar oude blauwe zwempak, stopte het in de koffer en deed het deksel dicht. Zodra Tina weg was, zou ze het zwempak eruit halen. 'Zo,' zei ze, 'dat was het wel, geloof ik.' Ze keek naar Tina.

Tina schokschouderde. 'Dan ga ik maar.' Claire knikte en ze liepen zwijgend de trap af. Achter zich hoorde Claire een comedyserie, Jerry's gesnurk en het giechelen van haar moeder om een grap. 'Dag mevrouw Bilsop,' riep Tina.

'Doei,' riep Claires moeder terug.

'Nou, tot morgen dan maar,' zei Tina luid, alsof mevrouw Bilsop het ook moest horen. Tina liep het pad af en toen ze bij de stoep was, keek ze om. 'Ik hou echt van Anthony, hoor,' zei ze.

Claire knikte. 'Natuurlijk,' zei ze.

'Nee, ik meen het. Ik hou meer van hem dan ik ooit van iemand als Michael Wainwright zou kunnen houden.' Claire knikte weer. Misschien was ze niet de enige die hopeloos verliefd op de Kanjer was. We hebben allemaal onze geheimpjes, dacht ze. En onze blinde vlekken. 'Welterusten,' zei ze. Wat kon ze anders zeggen?

Tina haalde haar schouders op en liep weg, en Claire luisterde naar het tikken van haar hakken op de stoep van Tottenville. Ze besefte dat iets van hun vriendschap, voorzover het dat was, voorgoed was afgelopen. Wanneer Claires leven boeiender was dan dat van Tina, was er iets heel erg mis.

Claire liep terug naar de woonkamer en stak haar hoofd om de deur. 'Mam, ik ga een stukje lopen,' verkondigde ze.

'Trek dan een trui aan. Je wilt toch niet weer verkouden worden?' riep haar moeder terug.

Claire pakte een trui van de stoel in de gang, hees zich erin en trok de buitendeur achter zich dicht.

Toen ze terugkwam, zaten haar moeder en Jerry nog tv te kijken. Ze liep de trap naar haar kamer op en keek door haar raam naar de overwoekerde voortuin. Sinds de dood van haar vader tuinierde ze niet graag meer, misschien omdat ze hem dan zo miste. Het tuinhek was uit zijn verf gebladderd als een slang uit zijn vel. Ze richtte haar blik op de nachtelijke hemel, zag een vallende ster, nam de gok en deed een wens.

Toen maakte ze haar koffer open, haalde het badpak eruit en gooide het in de prullenbak onder haar bureau. Ze legde haar breiwerk op de plek van het badpak en stopte nog een kluwen gele wol in de koffer. Ze zou goud van stro breien, net als het meisje uit het sprookje.

11

Het was woensdag, de dag waarop ze naar Londen ging. Claire ging later van huis dan anders, vlak nadat haar moeder naar haar werk als ziekenverzorgster was gegaan en voordat Jerry wakker werd, zodat ze haar niet met de zware koffer zagen zeulen. Ze rolde hem op de veerboot, ervan af en naar kantoor. Op weg naar haar werkplek had ze het gevoel dat iedereen naar haar keek, maar dat kon niet waar zijn. Ze zette de koffer in de kast achter Joans bureau, ging zitten en probeerde er niet aan te denken dat dit de opwindendste dag van haar leven was. Michael kon zich nog bedenken, maar om kwart over tien belde Tina haar op om te zeggen dat hij later kwam omdat hij nog moest pakken.

Claire hing op en wist niet of ze nu opgelucht of bang was. Misschien allebei. De wildste fantasieën buitelden door haar hoofd. Ze voelde dat het zweet over haar handpalmen naar haar vingertoppen droop. Ze stopte twee keer met typen om te controleren of ze haar paspoort en ticket wel bij zich had. Ze had ze. En haar geld ook. Ze zou in de lunchpauze een bank zoeken die het voor haar kon wisselen.

Ze keek naar haar ticket. Stoel 2B. Ze vroeg zich af of het aan het raam was en of er meer mensen in hun rij zouden zitten. En wat zouden ze te eten krijgen? De vlucht vertrok om negen uur. Moest ze van tevoren een broodje eten? Zou er een film vertoond worden?

Om kwart voor twaalf, toen Claire nog maar heel weinig werk had verzet, belde Tina weer. 'Ik heb net de auto bevestigd. Je wordt om kwart voor zeven met een limousine gehaald. Mike heeft een bespreking om zes uur, dus hij zal wel laat komen. Zo te zien kun je lid worden van de Mile High Club.' Tina grinnikte. 'En we gaan iets eerder lunchen,' besloot ze.

'O, ik wilde nog een paar boodschappen doen,' zei Claire.

'Vergeet het maar. We hebben iets bijzonders bedacht; je kunt vandaag niet overslaan. En als je nog condooms moet halen of zo, heeft Joan dat maar goed te vinden, anders krijgt ze er van Marie 2 van langs.'

'Goed dan,' zei Claire met een zucht. 'Tot over tien minuten.'

Toen Claire de kantine binnenkwam, zat iedereen er al. Ze had een broodje met boterhamworst bij zich, maar wist dat ze het niet door haar keel zou kunnen krijgen. Toen ze dichterbij kwam, zag ze tot haar stomme verbazing dat er een taart op tafel stond. *Goede reis, Claire*, stond er in smeltende glazuurletters op. 'O, hemel. Dank jullie wel,' zei ze voordat ze ging zitten.

Ze waren met meer mensen dan anders. Zelfs Marie 4 was gekomen. Marie 3 toverde een fles champagne tevoorschijn en ze nipten uit plastic bekertjes.

'Hé, we hebben iets voor je,' zei Marie 2. Ze keken elkaar allemaal aan en Marie 2 overhandigde Claire een envelop.

'O, nee,' zei Claire. 'Jullie hebben toch niet...'

'Jawel. Voor jou, van ons allemaal.'

'Behalve Joan,' vertelde Tina.

'Ze hoefde vandaag helemaal niet naar de tandarts, ze kan gewoon geen blije mensen zien.'

'Dank jullie wel,' zei Claire, die echt ontroerd was, en ze stopte de envelop in haar tas.

'Hé, wil je de plattegrond niet zien die we voor je hebben gekocht?' zei Marie 1. Iedereen lachte en Claire pakte de envelop en maakte hem open. Er zat een kaart in, en toen ze hem openvouwde sprong er een champagnefles met glitters uit. Ze hadden hem allemaal getekend, en er zat ook geld in. Drie knisperverse briefjes van honderd en drie van twintig.

'Voor de bus,' zei Michelle.

'En zorg dat je alles doet wat Joan niet zou doen,' gniffelde Marie 2.

Ze aten allemaal een paar stukken taart, behalve Claire, die bijna geen hap naar binnen kreeg. Weer terug op haar werkplek kon ze nauwelijks geloven dat ze over zes uur al met de Kanjer op weg zou zijn naar het vliegveld. Ze hield zichzelf streng voor dat ze hem niet meer zo mocht noemen, maar het was moeilijk. 'Michael,' fluisterde ze. 'Michael.' Ze dacht dat Joan naar haar keek, maar reageerde er niet op.

Even na drieën kreeg ze tot haar verrassing een telefoontje van Abigail. 'Kun je even naar me toe komen?' Claire zei ja, hing op en voelde de moed in haar schoenen zinken. Ze overtrad natuurlijk het een of andere voorschrift en ze mocht niet op reis. Ze had het kunnen weten.

Ze zei tegen Joan dat ze bij mevrouw Samuels was geroepen en stond op. Joans gezicht, dat toch al niet prettig was om te zien, werd genepen rond de mond en iets naast het midden van haar voorhoofd ontstond een verticale rimpel. Claire kon wel zien dat Joan niet lelijk was geboren, maar tegen haar vijftigste het gezicht zou hebben dat ze verdiende.

In de hal kwam ze Michael tegen, die waarschijnlijk terugkwam van een lange lunch. 'Hé,' zei hij vrolijk. 'Ik had je nog willen bellen, maar ik heb een vreselijke ochtend gehad.'

Claire voelde de ogen van Maggie, de receptioniste, in haar rug en wist niet wat ze moest zeggen. Ze glimlachte.

'Ben je er klaar voor?'

Claire knikte.

'Top. Ik wil om een uur of zeven vertrekken. Kun je in mijn kamer wachten?'

'Goed,' zei Claire. 'Maar nu moet ik naar de kamer van de oude meneer Crayden.'

Michael trok zijn wenkbrauwen op. 'Jij komt nog eens ergens,' zei hij. Toen liep hij glimlachend weg.

Claire verwonderde zich over zijn achteloze begroeting. Zijzelf was rood en gegeneerd, ze kon geen woord uitbrengen en haar hart klopte als een dolle. Hij leek het heel gewoon te vinden. En dat is het ook, dacht ze. Hij gaat om de haverklap op reis, en steeds met een andere vrouw. Denk daar goed om. Ze was bij het kantoor van Abigail Samuels aangekomen. De deur was open, maar ze klopte toch aan.

'O, kom binnen,' zei Abigail. Haar kamer was klein, maar had ramen en er stond zelfs een bankje. 'Je gaat vanavond weg, hè?' zei ze.

Claire knikte.

'Nou, ik wilde je een goede reis wensen, en ik heb iets voor je.' Abigail haalde een klein pakje uit haar bovenste la en gaf het aan Claire. 'Het is een gids,' legde ze uit. 'Londen is een van mijn lievelingssteden. Ik ben zo vrij geweest de dingen die je echt moet zien aan te kruisen en te onderstrepen; ze vallen soms buiten de gebaande paden, maar ze zijn de moeite waard.'

Claire keek naar de oudere vrouw. Ze wist niet waarom Abigail dit deed, maar ze was geroerd en innig dankbaar.

'Ik ging vroeger vaak met meneer Crayden naar Londen.' Abigails gezicht werd zacht en heel even zag Claire de veel jongere vrouw onder de verslapte huid en de kraaienpootjes. 'We hebben er heerlijke tijden beleefd.'

Claire begreep wat ze zojuist had gehoord en probeerde haar verbazing te verdoezelen. Abigail Samuels en de oude meneer Crayden hadden... 'Heel erg bedankt,' zei ze. 'Ik zal het koesteren.'

Abigail glimlachte. 'Misschien kun je dit ook gebruiken,' zei ze. 'Het is maar een paar pond die ik van mijn vorige bezoek overhad, maar het zou van pas kunnen komen.' Ze legde een mooi tasje op haar bureau. 'Ken je het Engelse geld?' vroeg ze. Ze maakte het tasje open en pakte er wat biljetten en munten uit. 'Kijk, dit is een munt van een pond,' zei ze, en ze legde een kleine, dikke munt in Claires hand. Toen liet ze de andere munten zien, stopte al het geld weer in het tasje en gaf het aan Claire. 'Veel plezier,' zei ze.

'Dat kan ik niet aannemen,' zei Claire ontdaan.

'Natuurlijk wel,' zei Abigail.

'Laat me je er dan voor betalen.'

Abigail schudde haar hoofd. 'Zit er maar niet over in. Het was mijn onkostenvergoeding.'

'Dank je wel,' zei Claire. 'Bedankt voor alles.'

Abigail knikte en Claire liep naar de deur, maar toen schraapte Abigail haar keel. Claire keek uiteraard om.

'Zorg dat je je waardigheid behoudt als je terugkomt,' zei Abigail. 'Maak je geen illusies, al is Wainwright vrijgezel.' Claire zag aan haar gezicht dat ze zelf ooit van meneer Crayden gehouden moest hebben. Waarschijnlijk nog. Vreemd, dacht ze, hoe de tijd verstrijkt. Abigail was een meisje geweest, net als zij, en ze moest veel avonturen hebben beleefd. Ze vroeg zich af of Abigail zich ook illusies had gemaakt, maar ze dacht van niet.

Abigail keek haar recht aan, alsof ze haar gedachten kon lezen. 'Het was toen anders,' zei ze. 'In zekere zin misschien wel makkelijker. Iedereen wist precies waar hij stond. Mannen gingen niet bij hun vrouw weg. Vrouwen hadden lagere verwachtingen.' Ze wendde haar blik naar het raam. 'Soms vinden mensen elkaar en kunnen ze gewoon niet verstandig zijn, al is het niet goed. Dat is niet veranderd.' Ze keek weer naar Claire. 'Maar vergis je niet,' vervolgde ze. 'Ze leggen allemaal andere maatstaven aan voor hun echtgenote dan voor...'

Claire keek haar meelevend aan, maar Abigail, een mysterie dat veel van zichzelf had onthuld, had geen behoefte aan medeleven. 'Ik heb mijn waardigheid behouden en ik heb nergens spijt van,' zei ze.

'Zo ga ik het ook aanpakken,' beloofde Claire.

12

Tina ging pas om halfzes naar huis, en nog met tegenzin. Zodra Claire alleen in Michaels kantoor was, belde ze haar moeder en zei dat ze een paar dagen naar Atlantic City ging. 'Goh, jij wel,' zei haar moeder. 'Zeg tegen Tina dat ze niet haar hele bruidsschat vergokt.' Claire beloofde het en voelde zich een beetje schuldig.

'Veel plezier,' zei haar moeder. Jerry maakte lawaai op de achtergrond. 'O, ik moet ophangen,' zei ze.

Nu had Claire niets meer te doen (de Kanjer mocht haar niet op breien betrappen) en ze kwam in de verleiding om wat te snuffelen. Wie was die man met wie ze naar Engeland ging? Ze was veel te beleefd en schuchter om zijn bureau te doorzoeken, maar ze kon wel naar de ingelijste foto's en diploma's aan de muur kijken.

Hij had op Yale gezeten en was daarna naar de Wharton Business School gegaan, een van de beste MBA-opleidingen van het land. Er hing een foto in een zilveren lijst van een jongen met de arm van een knappe oudere man om zijn schouder. Ze hadden allebei golfclubs bij zich.

Daarnaast hing een foto van Michael met drie verzorgde vrouwen. De oudste moest zijn moeder zijn, want ze leek sprekend op hem, en de andere twee zouden zijn zussen wel zijn. Claire zag dat het een geposeerde foto was en vroeg zich af hoe het zou zijn als er een echte fotograaf bij je thuiskwam; het was iets anders dan de zelfontspanner instellen en dan hard het beeld in rennen.

Dan was er nog een foto van een veel jongere Michael met een labrador die hem idolaat aankeek. Claire prentte zich in dat zij niet zo naar hem mocht kijken.

Naast de hondenfoto stonden een paar onderscheidingen voor zijn bestuurswerk voor goede doelen, en onder een kristallen exemplaar met zijn naam erin gegraveerd lag een gevouwen vel blauw postpapier. Claire pakte het en zag dat het een met de hand geschreven brief was.

Michael,

Na gisteren weet ik niet meer wat ik van je moet denken. Ik geloofde, kennelijk onterecht, dat ik belangrijk voor je was en dat we elkaar als de spil van ons leven beschouwden. Voor het geval je het nog niet wist: ik heb genoeg eigenwaarde om niet alleen gekwetst te zijn door je aanhoudende omgang met een andere vrouw, maar ook boos, en ik ben sterk genoeg om je te laten vallen als een kikker die op de een of andere manier in mijn hand is gekropen.

Het spijt me dat ik zo tegen je tekeer ben gegaan, maar ik was enorm geschrokken door wat ik als wangedrag jouwerzijds beschouw. Ik zal je niet meer vervelen met mijn verwijten. Mijn vriendenkring en ik zullen je in de toekomst zelfs angstvallig mijden.

Vergeet niet, Michael, dat ik niet alleen tenniskampioen ben geweest, maar ook bekendstond om mijn sportieve gedrag. Een heer moet zich ook aan de spelregels houden, en jij bent dubbelfout geweest. Ik denk dat je, net als op de tennisbaan, eens moet nadenken over de grenzen en je opslag. Ik speel te goed om nog terug te willen slaan.

Het spijt me alleen dat ik een kikker heb gekust.

Katherine

Claire keek schuldbewust op en legde de brief terug. Michael moest er ook van onder de indruk zijn geweest, anders had hij hem wel weggegooid. Voor haarzelf was de brief ontnuchterend: ze kreeg deze kans alleen omdat een andere vrouw, die er meer recht op had, zich had teruggetrokken. Ze vroeg zich af of het hele leven zo was; of je alleen iets kon krijgen ten koste van iemand anders.

Ze ging zo zitten dat ze de gang in kon kijken en vroeg zich af hoeveel van zulke brieven Michael in het archief had opgeborgen. Had Tina ze allemaal gelezen, net als zijn e-mail? Bewaarde ze alles in een map? En onder welke kop?

Alle voorwerpen, de foto's en vooral de brief hadden haar nog zenuwachtiger gemaakt. Ze begaf zich op glad ijs en ze wist dat ze niet goed kon schaatsen. Eén verspreking, één blunder en ze ging onderuit.

Hoe langer ze wachtte, hoe meer bedenkingen ze tegen het hele plan kreeg. Ze kon haar koffer nu nog de deur uit rollen. Ze kon haar ticket met een briefje op zijn bureau leggen, maar de gedachte aan zijn ogen, zijn zwierige tred, de vleiende glimlach die hij opzette als hij zijn zin wilde krijgen en de herinnering aan zijn hand op de hare weerhielden haar ervan. En als ze nu wegliep, zou ze haar paspoort nooit kunnen gebruiken. En ze zou de anderen niet meer onder ogen kunnen komen, zelfs Abigail niet.

Claire haalde haar paspoort weer uit haar tas. Ze vond het prachtig, en het gaf haar het gevoel dat ze belangrijk was. Ze keek naar haar pasfoto en de nu nog lege bladzijden. Michaels paspoort lag op zijn bureau. Ze raapte al haar moed bij elkaar, liep erheen en pakte het.

Vanaf zijn foto keek hij haar neutraal aan. Zijn gezichtsuitdrukking was veel mondainer dan haar idiote grijns, maar wat vooral indruk op haar maakte, waren de bladzijden en nog eens bladzijden met douanestempels en visa. Bermuda, Italië, Duitsland, Hong Kong. Er waren stempels van landen waar Claire nog nooit van had gehoord, en het boekje was bijna vol. Nog twee jaar, dan was het paspoort verlopen. Hoe moest het als het voor die tijd vol was? Ze legde het paspoort snel weg. Hij mocht haar niet op snuffelen betrappen.

Om vier over halfzeven, toen ze zeker wist dat ze het vliegtuig zouden missen, kwam Michael binnen. 'God, ze praten maar door,' zei hij. 'Laten we maar gauw gaan.'

Claire stond op en pakte haar jas en het handvat van haar koffer op wieltjes. 'Zijn we niet te laat?' vroeg ze. 'Het inchecken duurt minstens twee uur.'

Hij glimlachte naar haar. 'Voor ons niet,' zei hij. Hij hees zijn tas over zijn schouder en nam haar koffer over.

Zodra ze beneden kwamen, nam de chauffeur hun bagage over. De 'limousine' bleek maar een gewone Mercedes te zijn, maar de stoelen waren comfortabel. Michael verontschuldigde zich, want hij moest nog een dossier voor de vergadering van donderdagochtend doornemen. 'Als ik hiermee klaar ben, kunnen we tijdens de vlucht ontspannen iets drinken,' zei hij.

Claire knikte en keek door het raampje naar buiten. Ze waren er binnen een halfuur, en ze werden meteen door een glimlachende grondstewardess naar een privé-lift geleid. Toen de deur openging, zag Claire een immense ruimte voor zich met uitzicht op de startbanen. IJs tinkelde zacht in kristallen glazen en er werd discreet geroezemoesd.

Ze kozen een tweezitsbankje en er dook prompt een serveerster op. Claire bestelde jus d'orange en Michael whisky. 'En twee glazen water, anders drogen we uit.' Net toen ze hun drankje kregen, kwam de glimlachende grondstewardess terug met bagagelabels, instapkaarten en een verontschuldiging. 'Het is nu heel druk bij de douane,' zei ze. 'Ik kom u over een minuut of tien halen. U hebt de laatste gate.'

'Zoals altijd,' zei Michael met een glimlach.

'Hebt u handbagage die u wilt afgeven?'

Michael schudde zijn hoofd, pakte zijn glas en nam een slokje. 'Wij zitten goed, hè?' zei hij tegen Claire. Het was de eerste keer dat hij haar aankeek.

Ze knikte. 'Prima,' zei ze, en ze leunde achterover tegen het ongelooflijk zachte suède bankje. Michael pakte haar hand. 'Wil je nog iets te lezen hebben?'

Claire glimlachte. 'Nee,' zei ze. 'Ik heb niets te wensen over.'

'Ik ook niet,' zei Michael, en hij beantwoordde haar glimlach.

Ze wendde haar gezicht verlegen af, maar ze liep over van blijdschap. Dit was het soort avontuur dat Audrey Hepburn in een oude film kon beleven. Buiten, in het dichte, satijnzachte duister, kwam een enorm vliegtuig vlak naast hen tot stilstand. Michael zei iets en ze keek hem aan.

'Je hoeft je nergens druk om te maken. Ik heb koosjer eten voor je besteld, dus dat zit wel goed.'

Claire stond paf, maar toen begreep ze dat hij een grapje maakte en giechelde. 'Maak ik zo'n orthodoxe indruk?' vroeg ze.

Zijn ene mondhoek kroop omhoog. 'Integendeel. Ik vind je heel onorthodox. Onder die frikkerige buitenkant ligt een wereldveroveraar op de loer. Denk maar niet dat ik het niet heb gezien.'

Claire had er niet van terug, maar het gaf niet, want de grondstewardess kwam hen halen. 'Bent u zover?' vroeg ze.

Michael nam Claire bij de elleboog en loodste haar door de schemerige, gedempte zaal naar de felle tl-verlichting en luid weerkaatsende vertrekhal zelf. De grondstewardess liet hun paspoorten controleren en begeleidde hen naar het vliegtuig.

Tot Claires verrassing stond daar weer een stewardess te wachten, die hen door een gordijn naar de voorkant van het toestel bracht. Claire wist van het bestaan van de eersteklas, maar had die nog nooit gezien. 'U zit op de tweede rij, meneer Wainwright, maar er zijn nog plaatsen op de laatste rij, als u dat liever wilt,' zei de stewardess.

'Nee, de tweede rij is prima.'

'Zal ik bij het raam gaan zitten?' vroeg Claire.

'Ja, goed,' zei Michael. 'Al is er weinig te zien.'

Hij ging naast haar zitten, pakte een deken en een tasje uit de zak aan de stoel voor haar, legde de deken over haar benen en pakte er een voor zichzelf. Hij gaf haar het tasje en ze ritste het open. 'De gebruikelijke troep,' zei hij. 'Tandenborstel, crème, eau de cologne, slaapmasker, oordopjes.' Claire keek naar het praktische tasje. Ik zal het altijd bewaren, dacht ze.

De stewardess kwam terug met een zilveren blad met hoge wijnglazen. 'Champagne, water of jus d'orange?' vroeg ze.

'Alle drie, graag,' zei Michael. 'En jij?' vroeg hij aan Claire.

'Ik ook,' zei ze blij verrast.

'Hier zijn de menu's. Kruist u maar aan wat u hebben wilt. De expressmaaltijd is ook voorradig. Als u de hele vlucht wilt slapen, kunnen we uw maaltijd direct na de start opdienen.'

'Graag,' zei Michael. 'Ik heb morgenochtend vroeg een bespreking, dus ik kan mijn slaap goed gebruiken.'

'Ik moet even naar...' begon Claire.

De stewardess wees haar de wc, en dat was ook een verrassing. Er was nog net geen douche of bad, maar het was een grote ruimte. Aan de spiegel was een vaas met verse bloemen bevestigd en er lagen flaconnetjes handcrème, vochtinbrengende crème en eau de toilette. De handdoeken lagen prachtig op de toilettafel uitgespreid en het rook er lekker, net als in de cabine.

Toen ze terugkwam, waren hun stoelen in bedden veranderd. Michael had zijn jas uitgetrokken, zijn das af gedaan en zijn mouwen opgerold. Zijn schoenen waren weg en ze wist niet wat hij onder de deken droeg die hem van zijn middel tot aan zijn tenen bedekte. Droegen de mensen in de eersteklas een pyjama? Ze ging behoedzaam op haar eigen stoel liggen.

'Sorry, maar ik ga tukken,' zei Michael. 'Ik heb een zware dag voor de boeg, maar ik beloof je dat we na het werk fantastisch gaan dineren.'

Ze glimlachte. 'Leuk.'

'Weet je wat pas echt leuk is? Jij kunt morgen de hele dag uitslapen.' Hij sloot zijn ogen en trok een gekweld gezicht. 'Ik moet van bespreking naar bespreking sjokken terwijl jij je laat masseren en je nagels laat doen,' zei hij quasi klaaglijk.

Ze giechelde. 'Het lijkt me hoogst onwaarschijnlijk,' zei ze.

'Nou, ga dan winkelen of sightseeën.' Hij gaapte, wenste haar welterusten en gaf een kneepje in haar hand. 'Na deze vlucht kan ik met recht zeggen dat ik met je heb geslapen,' zei hij, en toen draaide hij zich om.

13

Op Heathrow hoefden ze niet bij de douane te wachten, want er was een speciale, snelle rij voor vips. Claire kreeg haar felbegeerde stempel, en natuurlijk stond er een chauffeur voor hen klaar (Terry, die Michaels vaste chauffeur leek te zijn) die het portier van een Mercedes voor hen openhield.

Het was een sombere dag, maar hoe dichter ze bij Londen kwamen, hoe boeiender het uitzicht werd. De rijtjeshuizen maakten plaats voor grotere huizen met voortuinen. Tot Claires verbazing bloeiden er veel bloemen, hoewel het pas maart was. Toen zag ze een heel blok huizen met grote ramen. Ze zagen er oud uit, met ingewikkeld, mooi glas-in-lood en metselwerk. 'Wat is dat?' vroeg ze.

Michael haalde zijn schouders op. 'Gewoon, huizen,' zei hij. 'Ik geloof dat het vroeger ateliers waren.' Hij drukte een kus op haar voorhoofd. 'Weet je wel hoe schattig je bent?' vroeg hij, en Claire bloosde.

Ze kon het niet helpen. Zijn goedkeurende blik bracht haar in een roes. 'Ik denk het wel, maar ik wilde liever glamoureus zijn.'

'Daar heb je een hoed voor nodig,' zei hij lachend.

'Ik zal het onthouden,' zei ze. Ondanks de chauffeur durfde ze haar hand op die van Michael te leggen. Ik kan het, dacht ze. Ik kan flirten en het is leuk. Ze keek weer naar buiten en zag een modern gebouw in de vorm van een wybertje.

'Lelijk, hè?' zei Michael. 'Ze noemen het de Ark, en het lijkt ook een beetje op een schip.'

'Ben je vaak in Londen geweest?'

Michael schokschouderde. 'Wat noem je vaak? Een keer of twintig?' Hij schokschouderde weer. 'En jij?'

Claire had geweten dat dit moment zou komen, en hoewel ze andere strategieën had overwogen, had ze besloten dat er niets anders op zat dan de waarheid vertellen. 'Nog nooit,' zei ze.

'Echt niet?' Hij zweeg even. 'Hoe oud ben je eigenlijk, als ik het vragen mag?'

Claire wist dat hij eenendertig was en dat het leeftijdsverschil de twintig reizen niet kon verklaren, tenzij hij ze allemaal de afgelopen zeven jaar had gemaakt. 'Vierentwintig,' zei ze.

Hij glimlachte. 'Je lijkt geen dag ouder dan drieëntwintigeneenhalf.'

De weg daalde en toen zag ze het Londen voor zich dat ze had verwacht, dat ze uit de films kende, met het ene monumentale gebouw na het andere. Ze durfde Michael niets te vragen, maar gelukkig had hij haar blik gevolgd.

'Dat daar is het Natural History Museum, daar ben ik nooit geweest, en dat is het Victoria and Albert. Waardeloos. Een en al meubelen en muziekinstrumenten en sierkunst.' Het werd drukker en het begon nog harder te regenen. 'En dat is Brompton Oratory,' zei Michael. 'Mooi vanbinnen.'

Claire keek naar het gebouw met de zuilen en durfde weer niets te vragen.

'We zijn over tien minuten bij het hotel, meneer,' zei Terry.

'Is het goed als ik me even omkleed en je dan alleen laat?' vroeg Michael.

'Ja, hoor.'

'Dank je,' zei Michael. 'Die vergadering vandaag wordt een harde dobber. Ze hebben me niet hierheen gestuurd om de charmeur te spelen. Behalve tegen jou, natuurlijk.'

Claire stond in het midden van de kamer, draaide langzaam rond en probeerde alles in zich op te nemen. Het was spectaculair en toch ingetogen. De wanden leken met stof bekleed te zijn en toen ze voelde, bleek het inderdaad beige-met-groen gestreepte zijde te zijn. Er stond een damasten bank met heel veel kussens met franje, een antiek dressoir met een enorme spiegel in vergulde lijst erboven en er hingen echte schilderijen in lijsten met snijwerk. In de nis bij de deur stond een immens boeket in een Chinese vaas, verlicht door een plafondspotje. Het allerspectaculairst waren echter de openslaande deuren naar een balkonnetje met uitzicht op een schitterend groen park.

Net toen Claire het balkon op wilde stappen, werd er aan de deur geklopt. Ze schrok en voor ze kon reageren, werd er nog eens geklopt. Aangezien Michael onder de douche stond en dus zeker niets hoorde, liep ze naar de deur. Daar stond een man in een blauw uniform met een bagagetrolley. 'Uw bagage, mevrouw,' zei hij.

'O, dank u wel. Breng maar binnen.'

De man droeg de koffers door de zitkamer naar de blauw-met-wit ingerichte slaapkamer. Claire was bang dat Michael naakt uit de douche zou opduiken, maar dat deed hij gelukkig niet.

'Zal ik dit voor u ophangen?' vroeg hij, en hij hield Michaels schoudertas op. Claire had geen idee en knikte maar. De man maakte een eveneens met blauw-met-witte stof beklede deur open. De kast erachter was voorzien van een rail met hangers, laden, schoenenrekken en, zo had Claire onmiddellijk geloofd, een kabouter die je kleren streek. 'Zal ik uw koffer op het bagagerek leggen?' vroeg de man. Ze knikte weer en hij trok een geval uit dat uit vier gekruiste stokken en stoffen banden leek te bestaan. Hij klapte het in een wip uit tot een soort standaard en legde haar koffer erop. Toen deed hij de mahoniehouten kast tegen de muur open. Claire dacht dat die ook voor kleren was bedoeld, maar er kwam een televisie tevoorschijn, een fax, een stereo-installatie, een koelkast en een barretje met kristallen glazen en een fles wijn die al in een ijsemmer lag te koelen.

De man reikte haar een afstandsbediening aan. 'Zal ik u uitleggen hoe het allemaal werkt?' vroeg hij. Claire schudde haar hoofd. Ze was niet naar Londen gekomen om tv te kijken en ze wist zeker dat Michael er wel mee overweg kon. Toen drong het tot haar afgrijzen tot haar door dat ze de man een fooi zou moeten geven. 'Is het warm genoeg?' vroeg hij. 'En zal ik de open haard voor u aanmaken?'

Claire had gedacht dat de open haard in de zitkamer alleen voor de show was. 'Is het daar wel koud genoeg voor?' vroeg ze.

De man glimlachte. 'Anders zetten we de thermostaat toch lager?' zei hij. 'Er zijn veel gasten die de haard hun hele verblijf laten branden.'

Claire glimlachte. 'Graag,' zei ze. 'Als het niet te veel moeite is.'

'Helemaal niet. Ik ben zo terug.'

Hij ging weg, wat Claire de kans gaf het geld uit haar tas te vissen dat ze van Abigail had gekregen. Maar moest ze hem nu een pond geven, twee pond of misschien wel vijf? Ze wist niet eens wat voor fooi ze in New York zou hebben gegeven, want ze had nog nooit van haar leven in een hotel in Manhattan gelogeerd. Ze hield het op een briefje van vijf pond en toen de man met een armvol houtblokken en kranten terugkwam, had ze het biljet in haar hand.

De man knielde bij de schouw, keek in de schoorsteen en legde twee houtblokken en wat kranten in de haard. De rest legde hij in een messing bak. Toen hij de kranten had aangestoken en de vlammen aan het hout likten, stond hij op, klopte zijn knieën af en glimlachte. 'Als u verder nog iets wenst, belt u de roomservice maar,' zei hij.

'Dat zal ik doen,' beloofde ze, al kon ze zich er niets bij voorstellen. De man liep naar de deur en was opeens weg. Ze besefte dat ze het geld nog in haar hand had en rende naar de deur. 'Hallo? Hallo, meneer?'

De man keek om. Ze stak schutterig haar hand met het opgevouwen biljet naar hem uit. 'Voor u,' zei ze. Hij nam het geld glimlachend aan, zonder te kijken hoeveel het was.

'Heel vriendelijk van u, mevrouw.'

Claire trok de deur dicht en liep zenuwachtig terug naar de slaapkamer. Ze ritste haar koffer open, maar voor ze kon zien hoe erg haar kleren geplet en gekreukt waren, dook Michael roze, geschoren, verkwikt en perfect gekleed uit de badkamer op. Hij liep naar haar toe en legde zijn handen op haar schouders. Zijn lichtbruine ogen twinkelden ondeugend. 'Ik zou niets liever willen dan nu met je in bed kruipen,' zei hij, 'maar het werk wacht niet. Jij wel, hoop ik?'

'Natuurlijk,' zei ze. 'Hoe laat denk je klaar te zijn?'

'Met mijn werk of met jou?' vroeg hij met een plagerige grijns. Ze bloosde en wendde haar blik af. Michael schoot in de lach. 'In elk geval voor zeven uur,' zei hij. 'Ik heb om halfacht een tafel bij Mr Chow gereserveerd. Mochten we zin hebben om erheen te gaan.'

Claire begreep weer eens niet goed waar hij het over had, maar ze knikte. Zijn nabijheid, zijn geur en de warmte van zijn douche, of gewoon van zijn lichaam, waren overweldigend. En toen hij zijn hand onder haar kin legde, haar gezicht naar het zijne ophief en haar voor het eerst écht kuste, wist ze wat ze in die oude boeken met 'bezwijmen' hadden bedoeld.

'Hm,' zei hij. 'Iets om naartoe te leven.' Hij liet haar los. 'Tot een uur of zeven,' zei hij. 'Ga een dutje doen, bestel iets bij de roomservice, wat je maar wilt. Harvey Nichols zit vlakbij en Harrods twee straten verderop. Daar kun je je wel vermaken,' zei hij. Toen hing hij zijn regenjas over zijn arm, pakte zijn koffertje en weg was hij.

Claire liep naar het grote bed. Er lag een donzige sprei op in hetzelfde blauw als de wanden, en hoog boven het hoofdeind zat een soort kroon met blauwe stof die in plooien tot aan de vloer viel. Claire schopte haar schoenen uit, klom op het bed, sprong een keer of vier op en neer en liet zich toen ademloos midden op de sprei vallen. Ze voelde zich net de prinses op de erwt, maar dan zonder erwt. Het was allemaal ongelooflijk perfect en veel, veel mooier dan ze zich ooit had kunnen voorstellen. Ze wilde foto's van alles in de kamer maken, zodat ze het nooit meer kon vergeten, maar eerst moest ze naar de wc.

De badkamer was een suite op zich. Boven de dubbele wastafel hing een spiegel in zilveren lijst, en er dreef een orchidee in een schaaltje. Op de marmeren plank die onder de spiegel leek te zweven, stonden glazen flesjes shampoo, crèmespoeling, handcrème, bodylotion en douchegel, en ook glazen potjes met zilveren dekseltjes met watten, wattenstaafjes, make-upsponsjes en (dat was nog het mooiste) zuurtjes. Claire pakte een zuurtje en wipte het in haar mond. Het smaakte naar sinaasappel.

In de spiegel zag ze de glazen douchecabine achter zich, die zo groot was als de hele badkamer die ze in Staten Island met haar moeder en Jerry deelde. Ernaast stond de grootste badkuip die ze ooit had gezien, met weer een hele reeks flesjes, zeepjes en lotions. Ten slotte was er nog een snoezig niervormig toilettafeltje met een blauw-met-wit gestreept rokje en een bijpassende kruk. Aan weerszijden van de drieslags spiegel stond een zilveren lamp met een roze kap. Claire lachte hardop, zo verrukt was ze ervan.

Ze rende terug naar de slaapkamer en wroette in haar koffer. Met haar toilettas liep ze terug naar de badkamer en daar stalde ze haar kam en borstel, haar lippenstift en blusher, haar Oil of Olaz en haar tandpasta uit. Toen ging ze aan de toilettafel zitten, keek in de spiegel en kwastte wat kleur op haar gezicht. Ze glimlachte naar haar drie spiegelbeelden. 'Wat hebben we het leuk, hè?' zei ze hardop. 'We zijn in de grote stad.'

14

Claire liep met doelbewuste tred de straat uit. Ze had het geld en de gids die ze van Abigail had gekregen in haar tas, evenals haar dollars, die ze ergens moest zien te wisselen. Ze keek om zich heen. Echt alles was hier anders. Niet zoals in het vliegtuig of het hotel, waar alles van rijkdom had getuigd; de lucht rook ook frisser, vond ze. Het was natuurlijk druk, bijna net zo druk als in Water Street, maar de mensen waren beleefder en leken ordelijker uit zijstraten en de ondergrondse te komen. Ze had aan de balie van het hotel gevraagd waar ze een bushalte kon vinden, want ze wilde niet, zoals andere toeristen, dom in een groep een rondleiding in een dubbeldekker maken of achter een gids met een rode paraplu aan hollen.

Het was iets warmer dan in New York, maar er hing regen in de grijze lucht. Ze knoopte dankbaar haar nieuwe jas dicht, keek om zich heen en vond dat ze redelijk in de massa opging. Ze wilde naar Knightsbridge en Sloane Street. 'Als u naar buiten stapt, rechtsaf gaat en dan de eerste straat links neemt, bent u in Knightsbridge,' had de receptionist gezegd. 'U vindt Sloane Street aan uw linkerhand, en daar zijn de bushaltes.' Ze liep door, en al snel werd haar aandacht getrokken door een etalage. Ze had nog nooit zoiets gezien. Een lichaamloos zwempak zweefde in de lucht. Er hing een grote vissenstaart met schubben onder, en aan de kant van het hoofd werd de zeemeermin verbeeld door een blonde pruik die zo lang was dat hij over de vloer golfde. In het zand stond discreet geschreven: *badkleding, eerste etage.*

Het was in een oogopslag duidelijk dat wisselen geen probleem zou worden. Er leken overal wisselkantoortjes te zijn. Ze koos er een uit, wisselde honderd dollar en voelde zich heel wereldwijs. Ze kon zulke dingen doen, helemaal in haar eentje.

Ze vond Sloane Street en een bushalte. Op het bordje stonden de nummers en tijden van de bussen aangegeven, en ook hoe vaak ze

’s avonds en ’s nachts reden. De keus was enorm, want het was een druk punt, maar het maakte Claire niet zoveel uit waar ze naartoe ging. De eerste bus die stopte, 22, was tot haar blijdschap een rode dubbeldekker. Eerst stapte er een stroom mensen aan de achterkant uit, en toen stapten de wachtende mensen pas in. Claire volgde hen en zag een wenteltrapje naar de bovenste verdieping. Net toen ze erop stond, startte de bus en viel ze bijna, maar ze kon net op tijd de leuning grijpen en bereikte de top.

Ze wist niet goed waarom, maar er zat bijna niemand. Later zou ze erachter komen dat ze het centrum uit was gereden, terwijl de meeste forenzen ’s ochtends juist naar het centrum toe gingen, maar op dat moment was ze alleen maar blij dat de stoelen voor in de bus nog vrij waren. Ze haastte zich erheen en viel bijna weer toen de bus opeens stopte, maar toen ze eenmaal zat, wat ze opgetogen. Ze keek recht op het drukke verkeer, en de etalages links en rechts, met daarboven woningen met bloembakken, balkons en de gekste gordijnen, jaloezieën en zonneschermen.

Sloane Street was lang, maar aan het eind was ze genoeg gewend om het op haar plattegrond op te zoeken. King’s Road leek een heerlijke ratjetoe van kledingzaken, cafés, restaurants, pubs (die er veel uitnodigender uitzagen dan de cafés thuis) en voortsnellende voetgangers.

Achter in de gids waren een paar pagina’s voor het maken van aantekeningen, en ze begon te schrijven.

Toen de conducteur kwam, zei ze verontschuldigend: ‘Ik heb geen kaartje. En geen abonnement.’

‘Geeft niet, schat. Je kunt een kaartje bij mij kopen. Waar ben je ingestapt?’

‘Sloane Street, vlak bij Knightsbridge.’

‘En waar stap je uit?’

‘Nou, ik wilde tot het eindpunt blijven zitten,’ zei ze.

‘Putney Bridge dus.’

‘En dan wil ik graag weer terug.’

‘Dan moet je eerst uitstappen en weer een kaartje kopen. Het spijt me, maar dat zijn de regels.’

Ze knikte. ‘Maar de bus gáát toch wel terug?’ vroeg ze, bang dat ze zou stranden.

'Er gaat altijd wel een bus terug,' zei de conducteur. 'Waarschijnlijk staat er een hele rij. De conducteurs houden daar rookpauze.'

Ze knipperde verbaasd met haar ogen.

'Dat is dan een pond,' zei de conducteur. Ze rommelde in haar tas, vond een munt van een pond en kreeg een kaartje uit een apparaat van de conducteur terug. 'Goed bewaren, schat,' zei hij. 'Wij worden afgedankt, en straks zijn er alleen nog maar kaartjes uit de computer. Dit wordt een stukje antiek.' Hij lachte. 'Net als ik, eigenlijk.' Hij lachte weer en liep door het gangpad terug. Hij pakte de ene lus na de andere en wankelde zelfs niet.

Claire keek gefascineerd naar buiten. Alles, zelfs de weinige graffiti, kon haar bekoren. Toen ze een hoek omsloegen en ze een pub zag die volgens het uithangbord de 'Slak en sla' heette, maakte dat haar zo blij dat ze het zelf ook niet meer snapte. Het zou kunnen komen doordat alles dankzij Michael een roze gloed kreeg, maar er zijn plekken die we allemaal kunnen vinden, plekken waar we misschien nooit zijn geweest en niet eens aan hebben gedacht, die op onverklaarbare wijze de sleutel tot ons geluk kunnen zijn.

15

Aan het begin van de avond stond Claire weifelend voor de kleerkast.

Ze had een heerlijke dag achter de rug. Ze was bij Putney Bridge uit de bus gestapt en had Putney verkend, een aangename woonwijk met, in Claires ogen althans, exotische winkels. Ze had een Italiaans broodje gekocht, dat wél net zoals thuis smaakte, en het op een bank in een plantsoen aan de rivier opgegeten. Ze had besloten terug te gaan lopen, en in Fulham Road had ze verrukt naar de etalages van de antiekzaken gekeken, die allemaal als kleine kamers waren ingericht. Een eetkamerameublement met een brandende kroonluchter erboven, een koningsblauwe bank met gouden sfinxen als armleuningen en pootjes met twee stoelen ernaast. Het mooist was nog wel het hemelbed met genoeg paarse draperieën voor een hele kerk.

Ze was ruim op tijd teruggekomen voor haar eetafspraak met Michael, maar nu stond ze daar. Ze had geen idee waar ze naartoe gingen en al had ze dat wel, dan had ze nog niet geweten wat ze ervoor moest aantrekken.

Ze had natuurlijk niet veel keus. Ze kon de rok met de dure zijden blouse dragen, maar misschien was een rok niet formeel genoeg. Ze besloot de beslissing uit te stellen en eerst haar haar te doen. Ze herinnerde zich Tina's raad en bracht wat extra mascara aan. Toen hees ze zich in een donkerblauwe slankmakende panty en toen ze de rok en de blouse had aangetrokken, hoorde ze Michael in de zitkamer. Ze griste haar oorbellen van de toilettafel en liep naar de deur. Hij stond bij het bureau papieren door te nemen, en opeens begon de fax te ratelen. Zodra het geluid verstomde, keek hij op.

'Wauw. Om op te vreten,' zei hij. Ze voelde een blos uit haar hals optrekken tot aan haar haarwortels. Hij keek naar de fax. 'Ik verga van de honger,' zei hij. 'En jij?'

'Ik heb wel trek,' zei ze.

'Prima. Heb je zin in Chinees? Maar dan zoals je het nog nooit hebt geproefd?'

'Kunnen we niet Engels eten? We zijn toch in Londen?'

Hij lachte. 'Dat kun je niet menen. Rosbief en Yorkshirepudding? Ik dacht het niet.'

'Ik laat het helemaal aan jou over,' zei ze.

Hij knikte, keek weer naar de fax en pakte de telefoon. 'Kunt u mijn reservering bij Mr Chow bevestigen?' vroeg hij. 'Halfacht. We eten onmodieus vroeg.' Hij hing op en glimlachte naar haar. 'Misschien hebben we nog van alles te doen na het eten,' zei hij.

Ze sloeg haar ogen neer en deed haar oorbellen in. Kon hij zien hoe zenuwachtig ze was?

'Hé,' zei hij, 'ik heb net gehoord dat ik zaterdag een zakendiner heb. Zou jij jezelf kunnen vermaken?' Ze knikte. 'De roomservice hier is uitstekend,' vervolgde hij. De telefoon ging: hun reservering was bevestigd. Michael scheurde de fax in repen en gooide die in de prullenbak.

Claire vroeg zich af waarom hij dat deed, maar misschien stonden er dingen in de fax die zij niet mocht weten. Michael liep naar haar toe, gaf haar een arm en drukte een zoen op haar slaap. 'Hm, wat ruik je lekker.' Ze had geen parfum opgedaan, maar haar shampoo zou wel lekker genoeg zijn. 'Zullen we?' vroeg hij. Ze knikte en ze liepen samen naar de lift.

Daar liet hij haar arm los, legde zijn handen op haar heupen en trok haar naar zich toe. 'Dat voelt goed,' zei hij. Hij schurkte tegen haar aan. 'Om de eetlust op te wekken,' fluisterde hij. Toen gingen de liftdeuren open en stonden ze tegenover drie Japanse mannen in pak. Michael trok zich er niets van aan en leidde haar de lift in.

Ze liepen naar Knightsbridge, staken over en sloegen een kleine, charmante zijstraat in (alles leek hier even charmant). Michael stopte bij een smalle gevel en maakte een deur in de vorm van een glazen bel open. 'Tien jaar geleden was dit zo hip dat je nauwelijks een tafel kon krijgen, hoe beroemd je ook was,' vertelde hij, 'maar je weet hoe dat gaat: een exclusief, trendy restaurant krijgt te veel publiciteit, wordt door de toeristen overgenomen, de jetset laat het links liggen, en nu kan iedereen er terecht.'

Er kwamen twee gastvrouwen op Claire af gesneld om haar regenjas aan te nemen en vervolgens werden ze via een wenteltrap naar de eetzaal geleid. De tafels hadden allemaal een ingebouwde lamp die door het tafelkleed heen omhoog scheen. Claire was nog nooit in een restaurant geweest dat de door Michael beschreven cyclus had doorgemaakt. Heel even vroeg ze zich af waarom hij haar niet naar een 'exclusief, trendy restaurant' had gebracht. Wilde hij niet met haar gezien worden? Ze keek naar haar kleren. Niet slecht, maar in maat 38 waren ze stijlvoller geweest dan in maat 42. Hou op, vermaande ze zichzelf. Ze was nog nooit in zo'n restaurant als dit geweest. Ze zou dankbaar moeten zijn.

De zaal was vrijwel leeg en ze kregen een hoektafel. Toen de ober haar op het bankje hielp, stootte ze haar hoofd aan de lamp die aan het lage plafond hing. Ze schaamde zich ontzettend, maar Michael haalde lachend zijn schouders op. 'Dat gaat al tien jaar zo,' zei hij. 'Je vraagt je af waarom ze er niets aan doen.' Hij boog zich naar haar toe en pakte haar hand. Ze had nog een hand vrij, maar wreef er niet mee over haar voorhoofd en hoopte maar dat ze geen buil zou krijgen.

Michael praatte, en ze probeerde haar onbehagen te overwinnen en naar hem te luisteren. 'Chow heeft de hele trend gezet. Vóór hem was er geen pan-Aziatische keuken, geen fusion. Niet dat dit echt fusion is. Het is moeilijk te omschrijven. Misschien een kruising tussen Chinees en Frans.'

Het drong tot haar door dat hij het niet over politiek, maar over eten had. Ze dacht aan Katherine Rensselaer, die haarfijn zou weten wat voor eten Mr Chow opdiende, wanneer hij ermee was begonnen, waar zijn andere restaurants zaten en wie erin hadden geïnvesteerd. Waarschijnlijk had ze zelf nog met Mr Chow op school gezeten.

De menukaarten werden gebracht. Ze wierp een blik op het hare. 'Het ziet er allemaal lekker uit,' zei ze.

'Zal ik voor ons allebei bestellen?' stelde hij voor. 'Dan kunnen we samen doen. Je weet wel, net als in een gezin.'

Claire dacht aan het eten in haar gezin, dat wrokkig werd opgediend en in stilte genuttigd, maar ze glimlachte. Met Michael samen doen zou zalig zijn, en bij de gedachte aan wat ze later nog samen gingen doen, trilde het van haar borst tot aan haar...

'Je moet de *gambei* proeven,' zei hij. 'Ze zeggen dat het gebakken zeewier is, maar dat klopt niet. De mensen raden er al jaren naar. Wat het ook is, het is ongelooflijk.'

Bij het idee van gebakken zeewier werd ze niet alleen nerveus, maar ronduit misselijk. Ze hield niet van sushi en ze wilde de avond niet bederven door misselijk te worden. Misschien kon ze gewoon met haar eten spelen. 'Daarna misschien de kip van de chef, en ik ben gek op zijn zoete rundvlees. Het lijkt wel veel vlees, maar het zijn kleine porties. Is dat goed?'

Ze knikte, maar wist dat ze nu toch eens iets moest zeggen. 'Ik hou van groente.'

'De groente zit bij de rest. Niet zo boeiend, maar het kan ermee door. Wil je wijn?' Ze knikte, en Michael overlegde met de ober en de sommelier. Claire zocht weer radeloos naar gespreksstof, maar Michael was haar voor. 'Tina heeft me geloof ik verteld dat je in de buurt woont,' zei hij. 'Bij haar, bedoel ik.'

Claire knikte. 'Ja, we reizen elke dag samen op en neer.' De gedachte aan de lange tocht maakte haar moedeloos. 'Ik heb een hekel aan de trein, maar de oversteek met de veerboot is heerlijk. Het is elke dag anders.'

'Volgt de boot elke dag een andere route?' vroeg hij. 'Vanwege het weer of zo?'

Ze lachte. 'Nee, het weer maakt het steeds anders.' Ze beschreef het uitzicht op de Battery en New York dat haar bleef verbazen. 'Het licht reflecteert het water telkens anders,' zei ze. 'Als de lucht helderblauw is, lijkt de stad... Nou ja, mooier dan Oz. En als het mistig is, verdwijnt hij soms. Die grote stad vol mensen is gewoon weg, en zelfs als we aanmeren, is er niets van te zien. Dat vind ik het mooist, die spookstad.'

Michael glimlachte naar haar. 'Voor mij is het nog geen reden om naar Staten Island te verhuizen,' zei hij, 'maar een bezoek zou de moeite waard kunnen zijn.'

Ze glimlachte bij het idee van Tina en haar met hem op de veerboot, maar dat hij bij haar thuis zou komen, was gewoon onvoorstelbaar. 'Tottenville is een vreemd stadje,' zei ze. 'Het is een van de eerste nederzettingen in de haven. Mijn familie van vaderskant is er al voor de Revolutie komen wonen. Dat zei mijn vader tenminste altijd.'

'De voorouders van mijn vader moesten vluchten in de Revolutie,' zei Michael met een glimlach. 'Ze hadden de verkeerde kant gekozen, al weerhoudt dat mijn moeder er niet van lid van de Dochters van de Revolutie te zijn.'

Claire probeerde zich Michaels moeder voor te stellen, en hoe erg die het zou vinden als hij met Claire aan kwam zetten. Wat hij natuurlijk nooit zou doen. Hij had al die vriendinnen met moeders die ook lid waren van de Dochters van de Revolutie, die maat 36 hadden en aan gerenommeerde universiteiten hadden gestudeerd. Ze probeerde aan al die films te denken waarin de voorname held voor een pittig beeldschoon volksmeisje valt. Het was alleen jammer dat zij niet pittig en beeldschoon was.

'Wat doet je vader?' vroeg Michael.

'Hij is dood.' De vraag had haar overrompeld en ze hoorde dat haar antwoord te bot klonk.

'Dat spijt me voor je. Mijn vader is overleden toen ik twaalf was.'

'Ik was negentien,' zei Claire, verbaasd over de overeenkomst. 'Ik mis hem ontzettend. Ik denk dat ik zijn oogappeltje was.'

Michael glimlachte. 'Ik kan het me voorstellen,' zei hij. 'Ik was niet bepaald de lieveling van mijn vader. Eigenlijk merkte hij me nauwelijks op. Hij werkte hard en ik was niet zo goed op school, dus ik had weinig om over op te scheppen. Mijn broer was de grote ster.'

Claire keek naar de Kanjer en dacht dat hij misschien niet altijd een zondagskind was geweest. Ze probeerde hem als een verwaarloosde jongen van twaalf voor zich te zien, maar het ging niet. Hij was te zelfverzekerd, en hij leek niet alleen te weten wat hij wilde, maar ook hoe hij het moest krijgen.

Toen werd het eten met veel ceremonieel door twee obers geserveerd. Als gezin eten betekende dus niet dat je zelf maar wat pakte, maar dat bedienden voor je opschepten, dacht Claire. Ze keek naar de groene krulletjes naast de geurige rijst en nam zich voor ze door te slikken, hoe vies zeewier ook smaakte. Ze kreeg ivoren eetstokjes aangereikt, maar schudde haar hoofd. Michael nam ze wel aan, en even had ze spijt, maar wat had het voor zin? Ze zou misschien nog een stukje kip kunnen oppakken, maar zeker geen afzonderlijke rijstkorrels of die groene krulletjes.

Michael wenste haar smakelijk eten en gebaarde naar de ober dat hij haar nog eens moest bijschenken.

Tot haar verbazing was het allemaal heerlijk. Het knapperige groene spul smaakte niet naar zeewier, maar smolt zoet en zilt tegelijk in haar mond. De kip en het rundvlees waren al net zo smakelijk, en Claire merkte dat ze zat te schranzen. Ze dwong zichzelf haar vork neer te leggen en wat van haar wijn en water te drinken.

Intussen vergastte Michael haar op verhalen over zijn streken op zijn kostschool en tijdens zijn studie. Zijn hele opleiding leek alleen uit kattenkwaad en lol te hebben bestaan. Ze dacht terug aan haar saaie tijd op de openbare scholen in Tottenville en besloot dat ze hem beter over haar lunches met de Maries, Michelle, Tina en Joan kon vertellen. Als ze een beetje enthousiasme opbracht, kon ze grappig zijn (hij lachte tenminste) en ze begon de belachelijke kanten van haar vrouwelijke collega's en hun levens extra aan te zetten. Michael stelde vragen en leek aandachtig te luisteren. Het kon Claire niet schelen waarom hij zo geboeid was, en of ze haar vriendinnen voor gek zette. Ze zou geen kans laten lopen om de Kanjer te amuseren en te veroveren.

Tegen de tijd dat ze klaar waren met eten, voelde Claire zich ontspannen en tevreden. Ze stond op zonder haar hoofd aan de lamp te stoten, liep onvast langs de andere tafels en liet zich door Michael in haar jas helpen.

Op de terugweg naar het hotel giechelde ze veel en op een hoek trok hij haar een portiek in en gaf haar een kus waar ze van smolt. 'Je hebt iets,' zei hij. 'Je bent aanbiddelijk. Ik ken niemand zoals jij.'

Claire geloofde het grif. Hoeveel Bilsops uit Tottenville kende Michael nou helemaal? Maar ze sloeg haar armen om zijn nek, hief haar gezicht naar hem op en wachtte op de volgende kus.

16

Claire liep naast Michael door de gang naar hun suite, overdonderd door wat er nu zou kunnen gebeuren. De vlucht, haar dag in Londen en het diner leken allemaal als een luisterrijke droom in elkaar over te vloeien. Ze was er duizelig van. Het kan ook de jetlag zijn, dacht ze.

En Michael vindt dit allemaal heel gewoon, hield ze zichzelf voor. Hij had het eerder gedaan en zou het ongetwijfeld vaker doen. Net op dat moment pakte Michael teder haar hand. 'Ik heb een heerlijke avond gehad,' zei hij.

'Ik ook,' antwoordde ze, en het was waar. Toch bleef Claire maar aan Katherine Rensselaer en die Blaire denken. Had hij in hun oren ook zo oprecht geklonken? Katherine had hem een kikker genoemd, maar hij leek in veel opzichten een prins. Ze wist dat alles wat er tussen hen gebeurde wat hem betrof weer vergeten zou zijn zodra ze terug in Amerika waren, maar toch... Ze was in zijn ban.

Michael liet haar hand los om de sleutel van de suite uit zijn zak op te diepen. Hij hield de deur voor haar open en sloeg in het halletje zijn arm om haar middel. Claire smolt weer, al probeerde ze er niets van te laten merken. Moest ze hem tegenhouden of hem zijn gang laten gaan? Ze wist dat seks na de eerste afspraak niet slim was, maar... dit was anders. Hij duwde zijn neus in haar nek en loodste haar naar de zitkamer. Zou hij het hierbij laten? En waarom vond ze dat een verontrustend idee?

Michael nam Claire nog steviger in zijn armen en kuste haar teder. 'Wat ben je mooi,' fluisterde hij. 'Ik geloof dat ik het nu pas goed zie.'

Claire was verbouwereerd, niet door zijn woorden, maar door zijn eerlijkheid. Hoe moest ze reageren? Ze was niet van plan hem te bedanken. Dat zou bespottelijk zijn. Ze was er niet aan gewend complimentjes te krijgen, laat staan dat iemand haar op die manier kuste. Gelukkig deed hij het nog eens, zodat ze niet hoefde te denken.

Deze kus was inniger, en zalig, maar Claire maakte zich van hem los om hem aan te kijken. Toen trok ze hem tot haar stomme verbazing weer naar zich toe en kuste hem, smachtend naar zijn mond. Het was precies zoals ze zich had voorgesteld. Hij ging plagerig met het puntje van zijn tong langs de binnenrand van haar bovenlip. Het was... heerlijk. Ze sidderde. Michael schoof met zijn mond naar haar wang. 'Zullen we het ons gemakkelijk maken? We hoeven niet midden in de kamer te blijven staan.'

Nee, natuurlijk niet, maar waar moesten ze dan heen? Claire wist zich geen raad. Als ze naar de bank liep, kon ze preuts lijken, maar als ze naar het bed liep, kon ze vrijpostig of voorbarig overkomen. Claire was wild van Michael en ze wilde alles doen wat hij vroeg, maar ze had niet genoeg ervaring om te weten hoe afstandelijk of happig ze zich moest opstellen. Wie wel? Voor het eerst met iemand vrijen is bijna altijd ongemakkelijk. Zelfs de meest ervaren man, de meest zelfverzekerde vrouw, voelt zich een tikje onzeker. Aangezien Claire dat niet wist, voelde ze zich heel erg onzeker.

Ze voelde ook dat Michaels handen van haar heupen naar haar buik en ribben gleden. Hij prutste aan de knoopjes van haar blouse en streelde over haar borsten. Claire hoorde zichzelf kreunen. Ze beefde weer. Hij stond tegen haar aan gedrukt en ze voelde de hitte van zijn lijf door hun kleren heen. Ze stond als verlamd tegen de muur; ze kon niet meer denken, alleen nog maar voelen. En dit voelde heel natuurlijk en tegelijkertijd ook ongelooflijk en onverwacht. Ze huiverde. 'Je hebt het koud,' zei hij, en hij legde zijn handen om haar gezicht. 'Ik zal je warmen.'

Hij trok haar mee naar de bank en ze hoefde zich niet onhandig meer te voelen. Goddank was ze niet naar de slaapkamer gelopen! Ze zou proberen zich te ontspannen en hem de leiding gunnen. Al zijn bewegingen waren zo sierlijk en vloeiend als van een danser. Hij hielp haar op een kussen en terwijl hij dat deed, trok hij haar blouse zacht van haar schouders, zodat haar nieuwe witte beha zichtbaar werd. Hij boog zich over haar heen en gleed met zijn tong van haar hals naar het gleufje dat door de ongemakkelijk zittende beugelbeha werd veroorzaakt. Claire vroeg zich af wat hij zou denken als hij haar beha uittrok en het gleufje verdween, maar ze dwong zichzelf rustig te blijven. Zijn tong voelde zo heerlijk aan op haar huid dat ze wel hardop moest kreunen. 'O, vind je dat lekker?' vroeg de Kanjer.

Ze kon geen woord uitbrengen, dus knikte ze maar. Michael kwam naast haar liggen en trok haar tegen zich aan. Ze legde haar hoofd op zijn borst. Hij pakte haar hand en legde hem op zijn overhemd om aan te geven dat ze hem moest helpen de knoopjes open te maken. Al was ze in trance, het lukte Claire moeiteloos. Zijn borst was vlak en in het midden zat een streep zacht dons. De geur van zijn huid bracht haar in een roes. Ze deed haar ogen dicht, ademde diep in en legde haar wang op de blote huid. Met haar wijsvinger trok ze langzaam een lijntje naar zijn buik. Ze voelde hoe glad en warm hij was. 'Kun je tegen kietelen?' vroeg ze.

'Ik was iets anders van plan dan kietelen,' zei hij. 'Tenzij het een eufemisme voor vrijen was.' Hij keek haar aan. 'Maar ik wil je niet opjagen. Jij mag het zeggen.' Hij schoof zijn hand onder haar hoofd en liet haar heel zachtjes achterover zakken terwijl hij haar kuste. God, dacht Claire. Dit is echt... magisch.

Ze was verbaasd maar dankbaar toen hij opstond en haar naar de slaapkamer droeg. Hij legde haar op het dekbed, trok zijn schoenen uit en ritste haar rok los. Claire rilde van opwinding en van de kou. Toen pakte hij de sprei van het voeteneind en legde hem over haar heen.

Hij deed zijn bovenkleding uit, ging op de rand van het bed zitten om discreet zijn ondergoed uit te trekken en schoof naast haar. Hij sloeg zijn armen om haar heen en ze bleven even stil liggen. Haar hart bonsde en ze voelde elke klop tussen haar benen. Het bed was glad, de lakens koel en de sprei licht. Claire hield haar adem in. Ze voelde Michaels heup op haar dij. Hij begon langzamer te ademen en ze begreep dat hij zijn ademhaling aan de hare aanpaste. Zonder een woord rolden ze naar elkaar toe en kusten elkaar hartstochtelijk.

'Heb je het nog koud?' vroeg hij tussen het kussen door.

Ze schudde haar hoofd zonder dat haar lippen de zijne loslieten.

'Je bent een engel,' fluisterde hij.

Claire voelde haar spieren verstrakken. Die woorden had ze altijd willen horen, maar ze wist dat ze ze niet mocht geloven, hoe groot de verleiding ook was. Ze glimlachte en probeerde elke gedachte uit haar hoofd te bannen. Michael streelde haar wang en ze zuchtte genietend. Daar lag ze dan, in de armen van de Kanjer. Of, nog beter, in bed met Michael Wainwright.

Hij rolde haar op haar rug en kwam op haar liggen. Ze vond zijn behendigheid niet verbazend, maar zijn kracht en tederheid wel. Kon het komen doordat ze zelf zo graag wilde? Zijn tederheid was oprecht. Hij omvatte haar gezicht, bracht het naar het zijne en kuste haar innig. Toen streelde hij haar haar. 'Je bent een engel,' zei hij weer zacht. Hij duwde zijn neus in haar nek. 'Hm, je ruikt zalig.'

Claire kuste hem vurig terwijl zijn handen moeiteloos van haar dijen naar haar borsten bewogen en toen weer naar haar mond, steeds dwingender, intiemer en opgewondener.

Claire had alleen nog maar met Bob geslapen, en dat was gênant en onbevredigend geweest, maar met Michael was het anders. Hij wist wat Claire wilde zonder dat ze iets hoefde te zeggen, en aangezien ze niet graag om iets vroeg, was dat ideaal. Hij was geduldig en speels, maar ze voelde ook zoveel gedeelde emoties dat ze zichzelf verloor. Michael hield zijn lippen op de hare en hij leek wel duizend variaties op een kus te kennen, die allemaal synchroon liepen met hun bewegingen. Hij haalde zijn mond alleen van de hare om haar aan te kijken of om haar tepels en de rest van haar lichaam te kussen.

Michael bracht haar eerst met zijn tong en daarna met zijn vingers tot een orgasme. Claire was ademloos. Het was een heerlijke ervaring. Dit had ze met Bob nooit meegemaakt. Claire had geen idee hoeveel tijd er was verstreken toen hij ten slotte voor het eerst bij haar binnendrong. Ze keek gefascineerd naar zijn krachtige bewegingen. Zijn concentratie, beheersing en coördinatie waren verbijsterend.

Uiteindelijk, toen ze bezweet en uitgeput waren, viel hij met Claire in zijn armen in slaap. Claire genoot nog even na en zakte toen weg in een diepere slaap dan die van Doornroosje.

De volgende ochtend vroeg schrok Claire spontaan wakker, zonder kus van een prins. Het was nog halfdonker en ze was gedesoriënteerd. Waar was ze? Het was niet haar plafond. Toen keek ze opzij en zag Michael, die nog sliep. Alle gebeurtenissen van die nacht kwamen terug. Claire glimlachte en voelde dat ze bloosde.

Ze keek naar Michael; naar zijn arm op het laken, zijn borst onder het dekbed en zijn gezicht, dat door het licht van buiten werd beschenen. Ze voelde zich geborgen, ontspannen en gelukkig, iets waar ze niet aan gewend was.

Claire zuchtte diep. Een zo intens geluk kon je niet vasthouden, zeker niet met Michael, maar ze was tenminste verstandig genoeg om het te beseffen. Ze dacht niet aan de seks, al was die exquise geweest. Naar Michael kijken was puur geluk.

Langzaam, om hem niet te wekken, richtte ze zich op om naar zijn gezicht te kijken. Zelfs in rust hadden zijn trekken een schoonheid en animatie die haar aan het denken zetten. Uit hun gesprek van de vorige avond had ze opgemaakt dat Michael Wainwright niet alleen knap was, maar ook inhoud had. Bob was ook knap geweest, maar tot Claires grote verrassing leek Michael over de diepe gevoelens, het meeleven en begrip te beschikken die bij Bob hadden ontbroken.

Alsof hij voelde dat ze keek, deed Michael zijn ogen open. 'Hallo,' zei hij zelfverzekerd. Claire voelde dat ze weer bloosde, en nu schaamde ze zich ervoor. Ze liet zich op het kussen zakken. Michael hees zich op zijn ene elleboog en gaf haar een kus. 'Ga maar weer slapen, engel,' zei hij, en hij stopte haar in.

17

Toen Claire weer wakker werd, stond Michael al aangekleed met zijn rug naar haar toe bij het bureau. Hij stopte zijn kam in zijn borstzakje en deed zijn horloge om. Hij ging weg!

Ze richtte zich op en hij moest haar in de spiegel hebben gezien, want hij glimlachte. 'Goedemorgen,' zei hij. Ja, hij vindt me leuk, dacht Claire. Zijn glimlach is zo warm. Hij hoeft toch niet te glimlachen?

Michael liep naar haar toe, pakte haar hand en drukte er een kus op. 'Ik wilde je niet wakker maken,' zei hij. 'Laat ten minste één van ons beiden lekker uitslapen, dacht ik.' Hij streek een lok haar van zijn voorhoofd. 'Ik ben bekaf.'

Claire keek op de wekker. 'O, ik sta ook zo op,' zei ze.

Hij was al op weg naar de deur. 'Slaap toch lekker uit,' raadde hij haar over zijn schouder aan. 'Laat ontbijt op bed brengen en ga dan je haar laten doen.' Claire wilde vragen wat er aan haar haar mankeerde, maar hij pakte zijn regenjas en liep door. 'Ik mag niet te laat komen,' zei hij. 'Ik denk dat ik voor zevenen wel terug ben.'

Ze sprong uit bed, holde naar de deur en haalde hem nog net in. 'Tot vanavond,' zei ze, en ze gaf hem snel een zoen op zijn wang. Hij glimlachte, maar ze zag dat hij in gedachten al met zijn werk bezig was.

'Dag,' zei hij, en hij trok de deur achter zich dicht.

Ze leunde tegen de deur en zag zichzelf in de spiegel. Van veraf leek ze wel een vrouw in een film, of op tv. Ze vroeg zich af waarom je ín een film en óp tv was en glimlachte. Michael was zowel in als op haar geweest, dat was wel duidelijk. Haar haar was warrig, maar op een sensuele, weelderige manier, en het decor achter haar was al even sensueel en weelderig. Het prachtige houtwerk, de stof op de muur, de zachte vloerbedekking en de stoel in de hoek: het leek allemaal bij een ander leven te horen, het soort leven waar zij zelfs nooit aan had gedacht. En toch is het zo, dacht ze. Dit overkomt mij, dankzij hem. Toen schoot haar iets te binnen. Ze rende naar de balkondeuren om Michael te zien weglopen.

Ze zag een rij keurig geklede zakenmensen bij de portier staan. Ze stapten een voor een in een taxi. Claire telde drie vrouwen in de rij. Ze waren ongetwijfeld allemaal even gecultiveerd als Katherine Rensselaer, maar Claire voelde trots en triomf omdat die vrouwen op een taxi en een dag kantoorwerk stonden te wachten, terwijl zij op Michael wachtte.

Michael dacht natuurlijk niet aan haar. Als hij opkijkt, vindt hij me echt leuk, dacht ze. Toen huiverde ze van angst. Als hij nu eens niet opkijkt? Het was een onheilspellend idee. Kijk nou even, dacht ze. Het leek uren, nee, dagen te duren voordat ze hem het hotel uit zag komen. Hij ging niet in de rij staan, maar liep naar Knightsbridge. Hij had tegen haar gezegd dat de ondergrondse het enige geschikte vervoermiddel was in Londen en om de een of andere reden was ze trots op hem omdat hij de luxe van een taxi verwierp.

Maar hij moest opkijken, even maar. Hij was al overgestoken toen hij zijn pas even inhield, en haar hart bonsde in haar keel. Toen zag ze dat hij alleen maar op zijn zak klopte, om te controleren of hij zijn portemonnee wel bij zich had, natuurlijk.

Hij liep zonder om te kijken door. Toen Claire hem om de hoek had zien verdwijnen, liep ze de slaapkamer in. Doe niet zo stom, vermaande ze zichzelf. Er zijn geen bewijzen, er zijn geen slechte voortekens. Ze stelde zich aan. Daarnet was ze nog zo blij geweest, en nu had ze zichzelf verdrietig gemaakt. Bespottelijk. Ze wilde geen moment van haar kostbare tijd meer verspillen.

Ze liep naar het bed en begon het gedachteloos op te maken. Toen drong het tot haar door hoe dom ze was. Er moest een heel leger kamermeisjes zijn dat de bedden opmaakte.

'Ik ga een bad nemen,' zei ze hardop. Ze begon de dag nooit met een bad, dat nam ze voor het slapengaan, maar de badkamer was zo uitnodigend en het leek zo'n verwennerij dat ze besloot het nu wel te doen. En nu ze zichzelf toch ging vertroetelen, durfde ze de roomservice ook wel te bellen. 'Kunt u me een kop thee brengen?' vroeg ze.

'Een kopje of een pot, mevrouw?' vroeg een stem.

'Een pot,' zei ze. 'En wat toast,' voegde ze eraan toe, verbluft over haar lef.

'Wit of bruin?' vroeg de mannenstem.

'Bruin, graag,' zei ze.

'Wilt u ook een mandje croissants en broodjes?'

Ze bedankte, maar het aanbod van een glas versgeperst sinaasappelsap sloeg ze niet af. Ze hing op en liet het bad vollopen. Een ober kwam haar ontbijt brengen en zodra hij weg was, ging ze met een kop thee naar de badkamer. Ze zette de thee op de rand van de marmeren badkuip, liet zich in het water zakken en genoot van de luxe. Ik ben de gelukkigste vrouw van Londen, stelde ze vast.

Terwijl ze in bad lag, maakte ze plannen. Ze wilde vandaag de ondergrondse uitproberen, maar waar zou ze naartoe gaan? Ze had al in Abigails gids gebladerd, maar ze wilde niet de hele dag in musea lopen. Ze wilde onder de mensen zijn en zien hoe ze hier leefden.

Ze stapte uit het bad, trok de dikke witte ochtendjas van het hotel aan, at een paar happen en schonk nog een kop thee in. Ze spreidde de kaart van de ondergrondse op het bed uit en besloot gewoon een halte te kiezen. Clapham, Earl's Court, South Kensington... Toen zag ze het: Angel. Ze dacht aan Michael, die haar een engel had genoemd. Ze moest zien wat die halte te bieden had.

Toen ze zich had aangekleed en haar gemakkelijke schoenen had aangetrokken, pakte ze haar regenjas en ging naar buiten. Ze was een tikje nerveus, maar de ondergrondse was veel prettiger dan in New York. Ze hoefde zich niet eens opgesloten te voelen. Ze liep een trap af en kwam in een groot, schoon, betegeld station met kaartautomaten en een kassa. Toen daalde ze een ellenlange roltrap naar haar perron af. De meeste mensen leken de andere kant op te gaan, maar de verschillende lijnen en tunnels waren duidelijk aangegeven. Claire stapte in de trein en kwam langs Green Park, Piccadilly, Leicester Square en King's Cross, waar ze moest overstappen. Het was druk, maar de mensen leken veel beleefder en kalmer dan in Manhattan.

Bij Angel aangekomen zag ze dat het station naar een pub was vernoemd. Volgens haar plattegrond was ze in Islington. De hoofdstraat heette Upper Street, er waren wat pleinen en er was een buurt die 'Camden Passage' heette. Dat klonk boeiend, en ze besloot erheen te lopen.

In Upper Street krioelde het van de bussen, winkelende mensen en vrachtwagens, maar het leek meer het gewone leven, minder toeristisch dan Knightsbridge. Claire sloeg af en belandde in een kleine straat met een stuk of tien antiekzaken en twee pubs. Toen ze langs de eerste liep, zag ze op een bord dat je er kon lunchen. Ze was benieuwd wat een 'boerenlunch' was en besloot dat ze erachter zou komen.

Ze dwaalde van de ene straat naar de andere. Alles leek anders en onbekend. Zelfs het licht was anders, diffuser; zelfs felle kleuren werden zachter en helderder.

Ze kwam bij een klein plein met een kerk en een gazon in het midden. Het gras was knalgroen en er stonden oude bomen. Kleine rijtjeshuizen keken over het grasveld uit. Een oude vrouw met een zware boodschappentas liep langzaam over de stoep en een moeder met twee kinderen stak over naar het speelpleintje naast de kerk. Op dat moment brak de zon door de wolken en werd het toneeltje voor haar ogen waterig beschenen. Claire werd overspoeld door blijdschap. Ik ben hier, dacht ze. Ik maak deel uit van dit tafereel, de oude vrouw, de kinderen, de jonge moeder en ik. We zijn allemaal hier. Ze glimlachte.

Ze bleef lopen tot ze moe was en ging toen terug naar de pub die ze had uitgezocht, maar daar aangekomen werd ze verlegen. Ze duwde schuchter de deur open. Hoewel het een uur was, zat er vrijwel niemand binnen. Er stonden lege glazen op een paar tafels, maar afgezien van een paar oudere mannen aan de bar was er geen mens.

Claire koos een schone tafel in de hoek uit. Het was prettig om even te zitten, maar na een paar minuten begon ze zich af te vragen wanneer, en óf er wel een serveerster zou komen. Ze liep naar de bar. 'Kan ik hier lunchen?' vroeg ze.

De oudere mannen keken naar haar om, maar de jongen achter de bar niet. 'Je moet aan de bar bestellen. Doordeweeks wordt er niet aan de tafels bediend,' zei hij zonder naar haar op te kijken. Claire durfde niets te zeggen. 'En, wat zal het zijn?' vroeg de jongen.

'De boerenlunch,' dwong ze zichzelf te zeggen. Als het iets afschuwelijks was, liet ze het gewoon staan.

'Iets drinken?'

Claire had geen idee. 'Bier,' zei ze.

'Wat voor bier?'

'Ik weet het niet,' bekende ze. Ze hadden hier zeker verschillende merken. Ze was niet zo'n bierdrinker, maar in een pub hoorde je vast bier te drinken.

Haar onwetendheid werkte in haar voordeel. Twee van de mannen aan de bar glimlachten. 'Neem een bitter,' zei de kalende met de bril.

'Kul,' zei de man met de pet. 'Ze komt uit Amerika. Die lust geen bitter.' Zijn glimlach werd breder. Onder zijn borstelige wenkbrauwen had hij knalblauwe ogen. 'Ik zou een lichte ale nemen.' Hij richtte zich tot de barkeeper. 'Geef haar een kleintje Courage van me, Mick.'

'O, net iets voor jou,' zei de eerste man. 'Een kleintje. Alles aan jou is klein.'

Nu zei de derde man voor het eerst iets. 'De dame wil lunchen. Mick, wees een heer en bedien haar aan tafel.'

De andere twee lachten. 'Dank u,' zei Claire tegen de derde man, en ze trok zich in haar hoek terug.

Toen de verveelde Mick haar de boerenlunch en het bier kwam brengen, was Claire aangenaam verrast. Het was een vreemde lunch, maar wel een die haar goed uitkwam. Twee grote hompen brood, een klont boter, een stuk kaas en wat bruine saus waren als een soort landschap met sla en komkommer op een bord gerangschikt. Claire brak een stuk brood af, sneed wat kaas, deed er saus op en nam een hap. De smaken spatten in haar mond uiteen. De kaas was veel smakelijker dan die in Tottenville. Het brood was stevig en de saus, die zalig zoet en zuur tegelijk was, paste perfect bij het brood met kaas. Alleen het bier viel tegen. Het was lauw en smaakte veel sterker dan Amerikaans bier. Toch dronk ze het meeste op, uit beleefdheid, en ze bedankte de mannen aan de bar overdadig voordat ze wegging. Hoe komt het toch, vroeg ze zich af, dat alles hier, ook de simpelste dingen, meer smaak, meer diepte en meer geur lijkt te hebben?

18

Die avond toen ze het hotel uit liepen, pakte Michael Claires arm. Ze was in een reflex in de richting van Knightsbridge gelopen, maar hij stuurde haar de andere kant op. 'Ik neem je mee naar een bijzonder restaurant,' zei hij, alsof niet elke plek die ze hier tot nog toe had bezocht bijzonder was geweest.

Ze sloegen linksaf, en nog eens, en toen waren ze in een laantje dat op een filmdecor leek. Rechts zag Claire een met klimop begroeide muur en twee kleine huisjes, en daarnaast stond de schattigste pub die ze tot nog toe had gezien. De charme van de kleine, zestiende-eeuwse ramen, de oude houten trap, de klimop langs de zijmuur en de zachte gloed en het geroezemoes door de open deur waren onbeschrijflijk uitnodigend.

Michael bleef staan en keek van de pub naar haar. 'Lijkt het je leuk?' vroeg hij. 'Het eten is hier beter dan in de gewone pubs. Hier geen boerenlunches.'

'Super,' zei Claire. Ze vond het te kort en te enthousiast klinken. 'Het ziet er perfect uit,' voegde ze eraan toe.

Michaels gezicht werd ernstig. Hij tilde haar kin op en kuste haar teder op haar voorhoofd. 'Jij ook,' fluisterde hij, en Claire voelde zich volmaakt gelukkig.

Er stonden een paar mensen met grote glazen bij de deur. Michael leidde haar de kleine, lage hal in die aan de ene kant uitkwam op een donkere bar en aan de andere kant op een eetzaaltje.

'Ik heb een tafel voor twee gereserveerd,' zei hij tegen de lange jongeman bij de deur van de eetzaal. 'Wainwright.'

'Ja, ik zie het.' De jongeman keek op uit de agenda en glimlachte. 'We hebben uw tafel voor u vastgehouden.'

Ze liepen de kleine eetzaal in. Claire verwonderde zich erover dat je om een speciale tafel kon vragen. Het leek haar hier extra moeilijk, omdat de tafels en stoelen helemaal niet bij elkaar pasten. Het was een gevarieerde collectie antiek, net als sommige eters. Mensen met oude vlezige en jonge verfijnde gezichten zaten over borden gebogen. Er pasten maar zes tafels in het zaaltje, maar achterin zat een deur naar nog een kleine zaal. Misschien is het een eindeloze reeks zaaltjes, dacht Claire.

Toen ze zaten, kon Claire om zich heen kijken. Het eerste wat haar opviel, was gek genoeg het plafond, dat met bankbiljetten van over de hele wereld was beplakt. Er hingen donkere olieverfschilderijen aan de muren en het rook heerlijk naar eten.

Michael reikte haar het menu aan en glimlachte. 'Vroeger werd er niet gegeten in deze zaaltjes. Het waren de enige plekken waar vrouwen mochten komen. Niet aan de bar.'

Claire bekeek de kaart. Er stond niet alleen biefstuk en kip op, maar ook wild en korhoen. Claire wist niet wat een korhoen was en besloot geen wild te nemen.

'De paté van het huis is erg lekker,' zei Michael. Claire geloofde hem graag, maar zij nam asperges en in citroen en venkel bereide kip. Als je kip nam, wist je tenminste wat je kreeg. 'Zal ik de wijn bestellen?' vroeg Michael. Claire was zo blij en opgewonden dat ze in de lach schoot.

'Dat is je geraden,' zei ze. 'Anders zitten we straks aan de Roemeense rode.'

'Altijd nog beter dan Waalse witte,' kaatste hij terug.

Michael, die zelf konijn bestelde, koos uiteindelijk een beaujolais.

Onder het eten praatten ze voornamelijk over hun werk. 'Hoe lang zit je al bij Crayden?' vroeg Michael.

'Iets meer dan een jaar. En jij?' Ze was erachter gekomen dat het slim was hem een vraag te stellen zodra ze er zelf een had beantwoord.

'O, al sinds mijn afstuderen. Ik had niet gedacht dat ik er zo lang zou blijven, maar ze waren tevreden over me.'

Claire knikte. 'Jij ook over hen?' vroeg ze.

'O, Jem junior is te gek.' Claire begreep dat hij de jonge meneer Crayden bedoelde, die net als zijn vader Jeremy heette. 'Dat zat er eigenlijk wel in,' vervolgde Michael. 'De enige verrassing is dat ik het zo goed doe. Dat had mijn vader nooit verwacht.' Michael lachte met een zekere verbittering. 'Wat heeft jou naar Crayden gevoerd?'

'Tina. We zijn al vriendinnen sinds de middelbare school. Ik heb op de bibliotheekacademie gezeten, maar er is geen werk voor bibliothecarissen. Ik heb mijn boekhouddiploma gehaald en toen vertelde Tina dat ze bij Crayden iemand zochten.' Claire legde haar vork neer. 'We zaten krap na de dood van mijn vader.' Ze lachte. 'Niet dat het daarvoor veel beter was.'

Michael knikte. 'Ja, wij waren ook altijd blut thuis. Mijn ouders konden amper het lidmaatschap van de golfclub betalen. Ik werkte er als caddie en ik mocht van mijn moeder nooit iets op de rekening laten zetten.'

Claire dronk haar tweede glas wijn leeg en knikte. Ze wist dat er een groot verschil was tussen haar geldgebrek en dat van Michael. Hoe hoog haar vader ook altijd opgaf van het geslacht Bilsop, hij zou er niet van hebben gedroomd ooit lid van een golfclub te worden. 'Je hebt ook nog een broer, hè?' vroeg ze. 'Wat doet die tegenwoordig?'

Michael bette zijn mond met zijn servet. 'Die heeft het heel druk met schizofreen zijn,' zei hij. Claire dacht dat hij een grapje maakte, maar hij meende het. 'Hij leeft op straat. Hij wil zijn medicijnen niet slikken. Het gebruikelijke verhaal.' Michael schokschouderde.

'Wat erg voor je,' zei Claire. 'En voor je moeder.'

'We hebben het er nooit over,' zei Michael. 'Voor Leigh zelf is het het ergst, maar hij schijnt geen hulp te willen.'

Claire had er geen woorden voor. Ze schaamde zich voor haar omgekeerde snobisme jegens de golfclub. Alle gezinnen leken hun tragedies en verdriet te hebben. Geld bood geen bescherming tegen ziekte of dood.

'Heb jij broers en zussen?' vroeg Michael.

'Een jongere broer, Fred. Hij zit in het leger. Hij is hier ergens.'

'In Engeland? Is hij hier gestationeerd?'

Claire schudde haar hoofd. 'Nee, hij zit in Duitsland. Met "hier ergens" bedoelde ik...' Ze zweeg gegeneerd. Ze had 'in Europa' willen zeggen, en ze besefte hoe onnozel dat klonk.

Gelukkig kwam op dat moment de ober met het dessertmenu. 'Hm,' zei Michael, 'ik denk dat ik de appeltaart neem. De dame neemt lammetjespap.'

Claire schudde haar hoofd, keek Michael in de ogen en zei: 'Ik neem hetzelfde als hij.'

19

Tot Claires blijdschap gingen ze die avond weer met elkaar naar bed. Het was heerlijk, en voordat ze insliep, vroeg ze zich af of Michael daarom die bijnaam had, en of er meer vrouwen op kantoor...

Ze werd gewekt door de zon die de kamer in stroomde. Michael lag met zijn rug naar haar toe te telefoneren. 'Ja. Twee potten koffie, alstublieft, en tweemaal een compleet Engels ontbijt. Met gerookte haring graag.' Hij draaide zich om, zag dat ze wakker was en glimlachte. 'Wil jij ook gerookte haring bij het ontbijt?' vroeg hij. Hij draaide zich terug. 'Eenmaal haring. En toast. Een portie bruin brood en een portie wit.' Hij hing op, maar voordat hij zich op zijn rug kon draaien, begon ze hem te strelen. Die volmaakte rug. Breed en vlak, met maar een flauwe aanduiding van de spieren onder de huid. Ze voelde ze onder haar vingers bewegen. 'Als je zo doorgaat, juffertje, kan ik je niet meer van Londen laten zien dan dit bed.'

Ze giechelde. Hij draaide zich om, zoende haar op haar voorhoofd en aaide over haar wang. 'Je bent een lieve meid,' zei hij. Om de een of andere reden vond Claire het geen prettig compliment. Ze dacht opeens aan Katherine Rensselaer en het blauwe briefje. Michael zou Katherine nooit een 'lieve meid' noemen en Claire had het gevoel dat hij vrouwen leuker vond dan meisjes; minder lief. Voordat ze iets kon zeggen, begon hij plannen voor hun zaterdag te maken. 'We zouden na het ontbijt naar Portobello Road kunnen gaan. Het is zo'n mooie dag. En daarna het reuzenrad misschien? De National Portrait Gallery is niet zo ver van het hotel. We kunnen laat lunchen. En als je van Trafalgar Square naar Westminster wilt lopen, kunnen we thee gaan drinken bij mijn vriend Neville.'

Wat is het voor hem toch allemaal eenvoudig, dacht Claire. Een heel schema, een hele dag plezier, in een paar zinnen opgesomd. Hij was snel en zij, nou ja, ze was niet echt sloom, maar ook zeker niet goed op de hoogte, zelfverzekerd en beslist. 'Klinkt goed,' zei ze.

Michael glimlachte, trok het bovenlaken over haar schouder en gaf er een kneepje in. 'Is het goed als ik eerst ga douchen?' vroeg hij. Ze knikte, ook al wilde ze dat hij in bed bleef. 'Doe jij open als het ontbijt komt?' vroeg hij op weg naar de badkamer. 'O, en denk erom dat ik vanavond niet met je kan eten,' vervolgde hij voordat hij de deur van de badkamer sloot. 'Het is balen, maar ze laten me wel werken voor die suite.'

Claire probeerde haar teleurstelling te bedwingen. Dan ging hij maar niet met haar uit eten. De wereld verging niet. Heel Londen wachtte op haar, en als ze in het hotel terugkwam, wachtte hij ook. En dan gingen ze weer met elkaar vrijen en hij zou haar vasthouden en...

Er werd geklopt. Ze trok haar ochtendjas aan, maar kon de ceintuur niet vinden en moest hem met haar handen dichthouden.

Achter de deur stond een ober van een jaar of zestig met een karretje waarop zo ongeveer een heel restaurant was uitgestald. Koffiepotten, melkkannetjes, een vaas bloemen, borden en bestek. Van alles, maar geen eten. Ze vroeg zich af of het niet onfatsoenlijk was de deur in haar ochtendjas open te doen, maar de ober glimlachte alsof het de gewoonste zaak van de wereld was en rolde het karretje de kamer in.

'Wilt u hier eten, of liever in de slaapkamer?' vroeg hij.

'Hier,' zei Michael vanuit de deuropening van de badkamer. Hij had een hotelbadjas aan, een handdoek om zijn nek en druipend haar.

'Zoals u wilt, meneer,' zei de ober.

Claire vroeg zich af hoe hij het vond om zo onderdanig te moeten doen tegen mensen die maar half zo oud waren als hij, maar hij leek er geen moeite mee te hebben.

'Zal ik het hier maar neerzetten?' De ober zette het karretje bij het raam en klapte het uit tot een ronde tafel, waar hij de bureaustoel en een stoel uit het zitgedeelte bij zette.

Waar het eten was, bleef een raadsel, maar Claire nam aan dat hij het nu ging halen. Maar nee, de ober knielde onder de tafel. Claire gluurde tegen wil en dank. Onder in het karretje leek een soort ingebouwde kluis te zitten. De ober haalde er twee schalen met stolpen uit. Michael liep naar de tafel en tilde een stolp op. Daaronder lagen eieren, bonen, tomaten, spek, worstjes... en schoenveters, daar vond Claire het in ieder geval op lijken. Er kwam nog een schaal met toast, een bord met visjes en een mand croissants tevoorschijn.

Claire genoot van de botervlootjes, de suikerklontjes en de potjes met jam en marmelade. Het smaakte goed en ze at veel meer dan ze gewend was.

Michael, die tegenover haar zat, deed niet voor haar onder. Ze proefde de haring, die zilt en boterzacht was. De toast was warm en de koffie verrukkelijk. Toen ze klaar waren, pakte Michael de *Financial Times* (een roze krant die Claire iemand in het vliegtuig had zien lezen). Ze ging naar de badkamer, douchte en kleedde zich aan.

Een halfuur later kwam Terry weer met zijn Mercedes. Hij reed met hen door Hyde Park en toen naar het noordwesten en stopte. 'Zal ik wachten, meneer?'

Michael knikte. 'Een taxi vinden is hier een ramp,' zei hij tegen Claire.

Ze vroeg zich af hoe hij zoiets kon weten, maar toen dacht ze aan alle stempels in zijn paspoort.

Ze stapten op een hoek uit en Claire stond opeens tussen honderden, of misschien wel duizenden, mensen die door twee straten slenterden waar de ene winkel na de andere antiek en curiosa leek te verkopen. Michael pakte haar bij de arm en begon met haar te lopen. 'Het meeste is troep,' zei hij. 'Allemaal imitaties en toeristenrommel. Maar in sommige passages hebben ze mooie dingen.'

Hij leidde haar door de mensenmassa naar een grote ingang. Erachter was een gang met allemaal winkeltjes aan weerszijden. Ze hadden allemaal een toonbank en planken vol oude sieraden, porselein, bric-à-brac, beeldjes, klokken en allerlei andere dingen. Ze liepen door de ene passage na de andere en Claire keek haar ogen uit. Al die spullen. En al die mensen die ze zochten en wilden kopen.

'O, kijk eens?' zei Michael. Hij wees naar een vitrine op een toonbank. 'Een Battersea-blikje.' Hij richtte zich tot de verkoopster. 'Mogen we dat even zien?' vroeg hij. Ze knikte en maakte de vitrine open.

'In goede conditie,' zei ze. 'Heel mooi.' Ze pakte iets uit de vitrine en gaf het aan Michael, die het op zijn beurt aan Claire gaf.

Het was een metalen doosje, beschilderd met een soort email. De onderkant was blauw-met-roze gestreept en de bovenkant was roze met een blauw ovaal met een krans minuscule roosjes en blaadjes eromheen. In het ovaal stond het opschrift: *When this you see, remember me.* Vergeet mij niet. 'Vind je het mooi?' vroeg Michael. 'Ze werden eind achttiende eeuw als souvenir gebruikt.'

'Deze is waarschijnlijk iets jonger,' zei de vrouw. Ze keek Claire aan. 'Soms werden ze als snuifdoos gebruikt, en soms om mouches in te bewaren, schoonheidsplekjes die vrouwen op hun gezicht plakten om littekens van de pokken te verbergen. En soms, zoals in dit geval, was zo'n blikje een blijk van liefde.' De vrouw lachte haar lange, gele tanden bloot.

'Mooi, hè?' vroeg Michael.

'Prachtig,' beaamde Claire.

'Kan er nog iets af?' vroeg Michael aan de verkoopster.

'Tja, ik kan er veertig pond af doen, maar meer ook niet. Dit is een gewild object.'

Michael nam het blikje van Claire over en bekeek het aandachtig. 'Vierhonderd,' zei hij.

De vrouw leek bezwaar te willen maken, maar bedacht zich. 'Contant?' vroeg ze.

'Ja,' zei hij. Toen ze knikte, stopte hij haar het geld al toe.

'Zal ik het voor u inpakken, meneer?' vroeg ze.

'O, het is niet voor mij, maar voor haar.'

'Bof jij even?' zei de vrouw, en Claire was het in stilte met haar eens.

20

Het was een sprookjesachtige dag. Claire wilde haar cadeautje zelf dragen, hoewel Michael een paar keer aanbood het van haar over te nemen. Het gaf haar het gevoel dat ze meer voor hem was gaan betekenen, maar om dat uit haar hoofd te zetten, luisterde ze naar Terry's gezellige gebabbel.

Michael ging met haar lunchen in de National Portrait Gallery, waar hij een tafel bij het raam wist te bemachtigen. Het restaurant op de bovenste verdieping bood een ongelooflijk uitzicht over pannendaken, de National Gallery, de kerktoren van St.-Martin-in-the-Field en de rug van admiraal Nelson op zijn zuil.

'Je luncht niet elke dag met uitzicht op de kont van Nelson,' zei Michael. Claire lachte en maakte niet eens bezwaar toen Michael witte wijn bestelde. Thuis dronk ze zelden bij het avondeten, laat staan bij de lunch.

Na het eten wilde Michael tot haar verbazing nog geen blik werpen op de portretten van vorsten en vorstinnen, schrijvers en staatslieden aan de muren. 'Welnee,' zei hij. 'Daar is het leven te kort voor. Laten we zelf geschiedenis schrijven.' Hij nam haar weer mee in de auto, door Whitehall, langs de Horse Guards, waar de tijd onnatuurlijk stilstond, over Westminster Bridge en naar de andere kant van de Theems.

'Als je het uitzicht daarnet mooi vond, heb ik nu iets nog beters voor je.' Ze waren bij een enorm reuzenrad aangekomen. De dichte gondels leken op grote plastic eieren en boden plaats aan hele groepen mensen. Het rad leek zowel broos als veel te hoog. Er stond natuurlijk een lange rij te wachten, maar ook hier gedroegen de mensen zich beleefd. Michael slaagde erin voorrang te krijgen, en ze hoefden hun gondel met niemand te delen. Het uitzicht was echt ongelooflijk, en het deed Claire denken aan Wendy uit *Peter Pan* toen ze uit de kinderkamer Londen in vloog.

'Had ik maar een verrekijker meegebracht,' zei Michael.

'Gek eigenlijk, dat mensen de hoogte opzoeken om dan met een verrekijker naar dingen op de grond te kijken.'

Michael keek haar even aan. 'Je bent een rare,' zei hij. En ze vond het niet erg, want toen kuste hij haar.

Het duurde bijna een halfuur voordat ze weer op de grond stonden, en Claire kwam rood en verfomfaaid van het zoenen weer buiten. Michael gaf haar een hand en leidde haar terug naar Terry. 'Jammer dat we niet samen kunnen eten,' zei hij. 'Je bent echt verrukkelijk.'

Terry hield het portier voor hen open en Claire voelde zich een kostbaar pakketje, een edelsteen in een weelderige zetting. Ze kroop tegen Michael aan op de achterbank. 'Theetijd,' verkondigde Michael. 'We gaan naar een zakenvriend van me. Hij is een beetje saai, maar hij heeft terrasprivileges.'

Claire durfde niet te vragen waar of waarom, maar toen de auto voor de parlementsgebouwen stopte, begreep ze het. Neville Chanbley-Smythe was bijna zo lang als zijn naam, en hoewel hij niet veel ouder was dan Michael, had hij een dikke buik, een vlezig, rood gezicht en een hoog voorhoofd met zweetdruppeltjes in plaats van haar. Hij was dus uitgesproken onaantrekkelijk, maar heel vriendelijk, en hij leidde hen door de gotische regeringshallen naar een terras aan de rivier.

Het was zo zonnig dat Claire haar regenjas uit kon doen, en terwijl Neville en Michael over de euro praatten, at zij kleine sandwiches en cakejes. Ze maakte onopvallend de knoop van haar broek los en nam zich voor iets minder te eten. Als ze doorging met die enorme ontbijten, zalige lunches, thee met lekkers en diners met dessert, zou ze maat 44 hebben voordat ze terug naar huis ging.

Toen de tafel was afgeruimd en het koud begon te worden, namen ze afscheid van het parlementslid en lieten zich door Terry terug naar het hotel brengen. In hun suite aangekomen nam Michael haar gezicht in zijn handen en gaf haar nog een kus. 'Ik zou best een vluggertje willen maken, maar eigenlijk geloof ik niet in vluggertjes.' Hij glimlachte naar haar en ze glimlachte terug. 'Ik moet zo weg,' zei hij. 'Het spijt me. Red je je wel?'

'Natuurlijk.' Claire voelde zich beter dan ooit.

'Je zou op het dak kunnen gaan zwemmen. Het is een overdekt bad, en het is een van de mooiste van de wereld. Je kunt je er ook laten masseren. Laat het maar op rekening van de kamer zetten,' zei hij.

Claire had geen bikini bij zich en het idee dat ze zich bloot door een onbekende moest laten kneden trok haar niet echt aan. 'Ik vermaak me wel,' zei ze, en toen Michael ging douchen, strekte ze zich op het bed uit. Ze moest in slaap gevallen zijn, want opeens drukte hij een zoen op haar voorhoofd.

'Ik moet ervandoor,' zei hij. 'Laat maar eten op de kamer brengen. Ik kom laat terug.'

Ze knikte slaperig, draaide zich om en viel weer in slaap. Pas toen er een kamermeisje aanklopte dat het bed open wilde slaan, stond ze op.

Het was pas halfzeven en ze was niet van plan een hele avond in een hotelkamer te verdoen, al was die nog zo luxe. Ze trok haar andere broek, haar trui en gemakkelijke schoenen aan. Met Abigails gids in de ene zak van haar regenjas en haar ponden veilig in de andere ging ze naar buiten om Londen bij avond te verkennen.

Het uitgaansleven trok haar niet, maar ze maakte een wandeling door de straten en over de pleinen aan weerskanten van Knightsbridge met hun balkons en tuinen vol bloemen en planten en volmaakt gras.

De winkels aan Walton Street waren dicht, maar de verlichte etalages lokten met verleidelijke waren. Schilderijtjes, kasjmieren truien en krokodillenleren tassen waren uitgestald in stillevens die haar deden smachten, al wist ze dat ze niets nodig had. Het werd donkerder en stiller, maar Claire voelde geen greintje angst. Londen leek haar nog veiliger dan Tottenville.

Na een paar uur was Claire al helemaal in Fulham Road en begon ze honger te krijgen. Geen vet, geen saus en geen toetjes, hield ze zichzelf voor, maar ze moest wel iets eten. Ze liep door naar de volgende hoek, waar een klein, uitnodigend restaurant zat dat 'De bouillonketel' heette. Op het schoolbord bij de ingang stonden de dagschotels, en de prijzen waren bijna verdacht laag. Claire gluurde naar binnen. Het zag er sober, maar schoon uit.

Ze bestelde schol en erwten, at ongehaast en keek niet eens naar het verleidelijke dessertmenu, maar bestelde nog een kop thee voordat ze weer naar buiten ging. De wandeling naar het hotel leek erg lang.

Ze hoopte maar dat ze veel calorieën verbrandde. Het was pas elf uur, maar de straten waren uitgestorven.

Bij het hotel werd ze door een attente portier begroet. Ze vertelde hem dat ze haar sleutel was vergeten. 'U kunt een andere bij de balie vragen, mevrouw.' Ze verwonderde zich erover hoe makkelijk het was om fouten recht te zetten wanneer je rijk was. De receptionist, die aan de telefoon zat, gebaarde dat ze even moest wachten. Ze had het liefst haar schoenen uitgetrokken, maar ging netjes in een kuipstoeltje zitten. Ze keek naar rechts, door de open deuren naar de hotelbar. Toen sloeg haar hart over.

Daar stond Michael, met zijn rug naar haar toe, maar ze zag zijn profiel. Zijn arm lag over de schouders van een vrouw die op een barkruk naast hem zat. Ze had lange, volmaakte benen en al net zo volmaakte voeten en schoenen. Het is maar een zakelijke bespreking, stelde Claire zichzelf gerust. Hij had toch gezegd dat hij een bespreking had? Ze wist dat Michael een flirt was, en hij deed zeker zaken met vrouwen. Maar toen sloeg de vrouw haar armen om Michael heen en liet haar handen heel suggestief over zijn rug naar beneden glijden.

Alsof dat nog niet erg genoeg was, legde ze haar hoofd op Michaels schouder, en toen zag Claire vanuit de lobby dat het Katherine Rensselaer was, en dat ze hem in zijn hals zoende. Hoe was dat mogelijk? Claire dacht aan de vernietigende afscheidsbrief waarin Katherine hem meer dan eens een kikker had genoemd. Hoe haalde ze het in haar hoofd bij hem terug te komen?

Toen herinnerde Claire zich levensecht hoe Michael in bed was. Ja, dacht ze, dat kan zelfs een Rensselaer moeilijk voorgoed opgeven. Wanneer hij naar je glimlachte, je kuste of je hand vasthield, was hij een prins. Pas als hij je de rug toekeerde, werd hij een kikker.

Hij stond nu met zijn rug naar haar toe, maar Claire wist dat ze weg moest. Ze zou het besterven als hij haar zag. Waarom geneerde ze zich eigenlijk? Híj was degene die zich misdroeg. Maar misschien verdiende ze het wel. Ze was zo ontzettend stom.

De receptionist hing op. 'Wat kan ik voor u doen?' vroeg hij.

Ja, wat kon hij voor haar doen? Hij zou een dubbele moord in de bar kunnen plegen, maar ze vermoedde dat zelfs een zo dienstbaar iemand dat zou weigeren. Misschien kon hij haar wel een overdosis slaappillen geven. Ze bleef als verdoofd in de kuipstoel zitten. De receptionist wachtte geduldig. 'Ik heb mijn sleutel niet bij me,' zei ze ten slotte, en ze hoorde de oude schroom en verslagenheid weer in haar stem.

Ze stelde zich voor wat Tina zou zeggen als ze haar hierover vertelde. Hoe ze ook smeekte, Tina zou het aan iedereen op kantoor vertellen. En Tina zou hoe dan ook zien dat Michael weer bij Katherine Rensselaer was en dat Claire op haar nummer was gezet. Rood van schaamte nam ze de sleutel van de receptionist aan en liep zo snel mogelijk naar de lift. Dat Michael en Katherine haar zouden zien, leek haar nog erger dan dat zij hen had gezien.

Ze wist niet hoe snel ze in haar kamer moest komen, en eenmaal daar, deed ze de kast open, pakte haar koffer en stopte al haar spullen erin. Toen ze klaar was, borg ze de koffer weer in de kast op. Ze kleedde zich uit en trok haar nachtpon en ochtendjas aan. Ze vroeg zich af of Michael nog wel terug zou komen, maar bedacht dat zelfs als Katherine en hij een kamer namen, hij zijn kleren zou moeten komen halen.

Ze kroop in bed, maakte zich zo klein mogelijk en schoof naar de rand van de matras. Het idee dat Michael die nacht nog met haar zou willen vrijen was afschuwelijk, maar het werd steeds later en uiteindelijk wist ze dat ze veilig was. Kapot, misschien, maar veilig.

Ze huilde wat, maar bleef voor zichzelf herhalen dat ze niets had verwacht en toch iets had gekregen. De rest deed er niet toe.

Natuurlijk deed de rest er wel toe. En als hij maar had gewacht tot hij weer in New York was voordat hij weer met zijn vriendinnen begon, had ze er vast wel tegen gekund, maar dit... dit was te onverwacht, te grof. Ze vroeg zich af of zijn zakelijke besprekingen op donderdag en vrijdag ook op 'herdersuurtjes' met Katherine waren uitgelopen. Het was een walgelijk idee. Michael Wainwright mocht slapen met wie hij wilde, maar niet met iedereen tegelijk.

Ze was nog wakker toen hij binnenkwam, maar hield zich slapend. Hij kleedde zich stilletjes uit en ze moest al haar wilskracht inzetten om niet te gillen toen hij naast haar kwam liggen. Hij viel snel in slaap, maar zij lag wakker, ongelukkiger en dieper vernederd dan ooit. Niemand wist waar ze was en hoe ze zich voelde, en ze wist zeker dat niemand het kon begrijpen, of er iets om zou geven. Toen ze naar haar eigen gevoel een eeuwigheid in het donker had liggen staren, kreeg ze een inval: als het niemand iets kon schelen dat ze ongelukkig was, kon ze net zo goed proberen gelukkig te zijn. Die gedachte scheen als een ster in het donker, en naarmate het lichter werd, kreeg het idee vastere vormen.

21

Claire zorgde dat ze zich had gewassen en aangekleed voordat Michael wakker werd. Het idee dat hij haar naakt of zelfs maar gedeeltelijk ontkleed zou zien, was ondraaglijk. Terwijl ze haar tanden poetste, keek ze naar zichzelf in de spiegel. Haar grijze ogen keken verdrietig terug, maar verder leek ze heel beheerst. 'Je hebt nergens spijt van,' zei ze tegen haar spiegelbeeld.

En het was waar. Michael had haar een kostbaar geschenk gegeven. Londen had haar de ogen geopend. Het had haar duidelijk gemaakt dat er meer te beleven was. Door de boeken die ze had gelezen had ze ook veel andere oorden en manieren van leven leren kennen, maar nu deed ze zelf echt mee. Die nacht had ze beseft dat ze niet terug hoefde te gaan. Londen had iets opwindends en tegelijk ook heel rustgevends. De levendige straten, de pubs en het prettige openbaar vervoer trokken haar. De schitterende architectuur en de prachtige parken maakten het... Ze kon het woord niet vinden. Behaaglijk? Nee, het was wel knus, maar ook prikkelend. En niet alleen boeiend. Wanneer ze op straat liep, of over een markt, voelde het... goed. Het klopte.

Ze hoorde iets achter de dichte badkamerdeur. Ze deed wat lipgloss en mascara op en voelde zich dapper genoeg om hem onder ogen te komen. Ze pakte haar toilettas in en nam tot haar eigen verbazing een flaconnetje badschuim van het hotel mee. Het kon toch geen kwaad? Ze vermande zich. Er zou geen ruzie komen, geen verwijt. Michael Wainwright was haar niets verplicht, en hij had niet eens tegen haar gelogen. Zijn ontmoeting met Katherine Rensselaer had deels van zakelijke aard kunnen zijn. En hij mocht doen wat hij wilde.

Ze keek nog een keer tevreden in de spiegel. Ze droeg de zelfgebreide wapenrusting van haar trui met de oorhangers met parels; ze had blosjes van het bad of van de zenuwen, en ze zag er prima uit. Ze kon zich niet zelfbewuster voelen. Ze liep de badkamer uit.

Michael zat te telefoneren. Hij glimlachte en knikte naar haar. Ze liep naar haar nachtkastje en controleerde of ze niets had laten liggen. Ze had alles zorgvuldig ingepakt, maar ze wilde het zeker weten.

'Goed, doe ik,' zei Michael in de hoorn. Het bleef even stil. 'Ja, leuk je gesproken te hebben.' Claire vroeg zich af met wie hij op zondag een zakelijk gesprek zou kunnen voeren, maar besloot dat het haar niets aanging.

'Ik ga ontbijt bestellen,' zei Michael tegen haar. 'Waar heb je zin in?'

'Ik hoef niets,' zei ze.

'Echt niet? Waarschijnlijk krijgen we pas in het vliegtuig weer iets te eten, en we hebben niet veel tijd. We moeten hier om twaalf uur weg. Je zult moeten inpakken.'

'Dat heb ik al gedaan,' zei Claire.

'O? Mooi.' Hij zette zijn koffiekop neer, keek in de kast en zuchtte. 'Ik haat inpakken,' zei hij, 'maar op de terugreis is het minder erg. Alles is toch vies, dus je kunt het gewoon in je koffer stouwen en thuis iets schoons aantrekken.'

Claire dacht aan de keurig opgevouwen kleren in haar koffer en haar kast thuis, waar niets in hing dat ze nog zou willen dragen. Michael legde zijn koffer op het bed.

'Dus je kunt zó naar het vliegveld?' vroeg hij.

'Ik ga niet mee,' zei ze.

Hij zweeg even, draaide zich om en keek haar aan. 'Hoe bedoel je?' vroeg hij. 'We moeten om twaalf uur weg.'

'Nee, ik ga niet mee,' zei ze nog eens.

'Waar heb je het over? De vlucht vertrekt om drie uur. We moeten ons toch al haasten.'

'Ik ga niet met de vlucht mee,' zei Claire, 'maar heel erg bedankt voor alles.'

Michael zakte naast zijn open koffer op het bed en voor het eerst die ochtend keek hij haar echt aan. Als hij al een vermoeden had van wat ze die nacht had doorstaan, liet hij er niets van blijken. 'Voel je je wel goed?' vroeg hij.

'Ja, hoor. Maar ik ga niet mee.'

'Vandaag niet?'

Claire pakte haar jas uit de kast. Ze was blij dat ze hem had gekocht. Ze trok hem aan. 'Misschien ga ik wel nooit meer terug,' zei ze. 'We zullen zien.'

'Hoe bedoel je?' vroeg Michael geërgerd. Claire zette zich schrap. Hij mocht in New York dan de baas zijn, hier was hij dat niet. Ze had niets van zijn buien te vrezen. 'Claire, ben je gek geworden?'

Ze schudde haar hoofd. 'Ik was gek,' zei ze, 'maar nu ben ik bij mijn volle verstand.'

'Claire, er wacht een baan op je.'

Claire schudde glimlachend haar hoofd. 'Ik ben niet zoals jij, Michael. Die baan stelt niet zoveel voor.'

Hij stond op, liep naar haar toe en legde zijn handen op haar schouders. 'Maar je familie...'

'Die stelt ook niet zoveel voor,' zei ze, en ze schudde zijn handen van zich af.

Zijn gezichtsuitdrukking veranderde, en even zag ze het schuldbewuste jongetje dat hij vroeger had kunnen zijn.

'Is er gisteren iets gebeurd?' vroeg hij omzichtig.

Ze zou haar trots zoveel mogelijk bewaren. 'Hoezo?' vroeg ze, en voordat hij iets kon zeggen, vervolgde ze: 'Je weet dat we niet echt iets hebben. Het was een heerlijk weekend. Heel erg bedankt. Ik wil alleen graag blijven.'

Ze zag de opluchting op zijn gezicht toen hij tot de verkeerde conclusie kwam dat hij niet aan de dijk was gezet. Hij sloeg zijn armen over elkaar en torende boven haar uit. 'Ik heb nu geen tijd voor die flauwekul,' zei hij. 'We eten op het vliegveld wel wat.'

Claire liep naar het woongedeelte, waar haar koffer op wieltjes klaarstond. Michael liep achter haar aan. 'Je snapt het niet,' zei ze. 'Ik blijf hier.'

Hij keek haar ongelovig aan. 'Dat kan niet,' zei hij. 'Hoeveel geld heb je bij je?'

'Zevenhonderdachttien dollar,' zei ze.

'Jezus. Deze suite kost al meer per nacht.'

'Nou, dan kan ik beter ergens anders naartoe gaan, hè?' Claire hoorde dat ze vals klonk en vermande zich. Ze moest erom denken dat ze Michael alleen maar dankbaar mocht zijn. Hij had haar hierheen gebracht, en dat hij haar totaal niet kende, was geen reden om lelijk tegen hem te doen.

'Waar wil je van leven?' vroeg hij.

'Ik zoek wel werk.'

'Je hebt geen werkvergunning. Die zijn moeilijk te krijgen.'

Claire schokschouderde. 'Dan zoek ik een baan waar ik geen vergunning voor hoef te hebben.' Ze keek hem glimlachend aan. 'Ik heb veel minder geld nodig dan jij.' Ondanks haar glimlach vond ze het moeilijk om vriendelijk te blijven, en zijn betuttelende toontje flatteerde hem niet. 'Ik red me wel,' zei ze. 'Bedankt voor alles. Het was fantastisch.' Ze gaf hem een kus op zijn wang.

Hij knipperde met zijn ogen en deinsde bijna achteruit. Ze draaide zich om en liep de gang in, met haar piepende koffer achter zich aan. 'Is het niet gek dat we al naar de maan reisden voordat we hadden bedacht dat je wieltjes onder koffers kunt zetten?' vroeg ze vlak voordat ze de hoek omsloeg en zijn leven uit liep, voorgoed, dacht ze.

22

Claire kwam uit de ondergrondse en trok haar koffer door Camden High Street. Het was die nacht tot haar doorgedrongen dat ze niet met Michael mee terug hoefde te gaan. Ze kon in Londen blijven. Ze wist niet hoe lang ze het vol zou houden, maar in de donkere hotelkamer was het idee balsem voor haar gekwetste ziel geweest. Alleen was haar moed ergens in de ondergrondse achtergebleven. Ze was de weg kwijt, letterlijk en figuurlijk. Hoe moest ze terugkomen? Misschien had ze, net als Klein Duimpje, een spoor broodkruimels achter zich moeten strooien, maar net als hij was ze thuis niet echt welkom. Wat zou de toekomst brengen? De hongerdood in de kooi van een heks?

De achteloze manier waarop Michael haar had afgedankt, verschilde weinig van de manier waarop haar moeder, Fred en zelfs haar vader haar hadden behandeld. Haar moeder wilde haar weg hebben, Fred was zelf vertrokken en nam de moeite niet haar te schrijven en hoeveel haar vader ook had gezegd van haar te houden, hij had haar geen enkele voorziening voor de toekomst nagelaten.

Ze had gelezen dat er een grote zondagsmarkt in Camden was, dus was ze daar uiteindelijk maar uitgestapt. Op de markt kon ze zich in elk geval vermaken tot ze wist hoe het verder moest.

Even raakte Claire in paniek: haar stoere daad was eigenlijk krankzinnig geweest. Toen voelde ze de warme zon op haar gezicht en fleurde op van de drukte om zich heen. Ze was tenslotte in een nieuwe stad, en het leek hier beslist niet op Staten Island, Manhattan of zelfs de markt in Portobello Road.

Het wemelde van de mensen op de markt, en ze waren bijna allemaal jong. Ze droegen leer en kasjmier, zijde, denim en flanel. Claire had nog nooit zoveel verschillende leeftijden, nationaliteiten, stijlen en types bij elkaar gezien.

En de winkels waren met niets te vergelijken. Veel zaken hadden hun waren op straat uitgestald. Schoenen, tassen, nieuwe goedkope kleren en dure tweedehands kleren aan rekken, op tafels en in dozen versperden de weg bijna, maar het was wel heel dynamisch. Er werd levendig gelachen, gepraat en onderhandeld. Venters riepen, maakten grappen en lokten mogelijke klanten. Hoewel Claire geen onderdak had, geen baan, geen bankrekening en geen vrienden of familie bij wie ze kon aankloppen, kon ze zich niet heugen ooit zo vrolijk en tevreden te zijn geweest. Ze liep door de zon en had voor de verandering eens het gevoel dat ze deel uitmaakte van het kleurige schouwspel. De rest kwam later wel.

Maar ze was wel alleen, zoals gewoonlijk. Ze dacht aan Michael, die nu waarschijnlijk op het vliegveld was. Ze zou hem niet missen, en hij haar zeker niet. Ze wist dat hij niets voor haar voelde, dus waarom zou zij dan iets voor hem voelen? Ze knoopte haar regenjas dicht en schokschouderde. Ze had het koud en haar maag begon te knorren. Het was stom om aan Michael te denken. Ze had haar keus gemaakt en ze zou er blij om zijn. Ze had haar waardigheid nog, net als Abigail Samuels. En ze had de kans een avontuur te beleven, en dat was meer dan ze ooit had gehad.

Claire zag dat ze bij Chalk Farm Road was aangekomen, liep de straat in en besloot door te lopen tot ze een plek vond waar ze kon ontbijten. Ze had al eerder zonder Michael gegeten en dat was leuk geweest. Ze stak een brug over en zag een enorm pakhuis met winkels en mensen op elke verdieping. Ze liep er voorbij en kwam in een chique winkelstraat met galeries, boetieks en restaurants.

Daar werd het eindelijk minder druk, en toen vond ze precies wat ze zocht: een café met een schoolbord buiten waarop stond dat er de hele dag ontbijt werd geserveerd. Hongerig en vermoeid, maar ook opgetogen duwde Claire de deur open en trok haar koffer achter zich aan naar binnen.

Het zat er vol mannen. Ze rook bacon en het water liep haar in de mond, maar toch aarzelde ze. Er stonden alleen vier lange tafels, en ze zou naast een van die onbekende mannen moeten gaan zitten. Net toen ze rechtsomkeert wilde maken, hoorde ze een vrouw roepen: 'Wil je ontbijten?'

Ze keek om en zag een mollige, blonde vrouw van middelbare leeftijd in een pillende trui en een ontzettend vies schort. De vrouw gebaarde glimlachend naar een stoel. Claire liep er gehoorzaam naartoe. 'Schuif eens op, Burt,' zei de vrouw tegen de kleine man op de stoel naast die van Claire, die met zijn arm beschermend om zijn bord geslagen zat te eten. 'Ze komt echt niet aan je eten, malloot,' zei de serveerster. Ze keek naar Claire. 'De dorpsgek,' zei ze. 'Ongevaarlijk als hij zijn gebit niet in heeft.' De mannen in het café lachten. Burt keek op.

'Je kunt beter een gebit uit de winkel hebben dan van die paardentanden als jij,' zei hij, en er werd weer gelachen.

'O, hou op.' De serveerster keek weer naar Claire. 'Het is schorriemorrie, maar ze bedoelen het goed.'

Claire ging zitten en bedankte de serveerster. 'Het gewone ontbijt?' vroeg die. Claire wist niet wat het was, maar knikte. 'Thee?' vroeg de serveerster. Claire knikte weer. 'Met of zonder?'

Claire dronk haar thee het liefst met alleen een schijfje citroen erin, maar ze dacht niet dat ze hier fruit hadden. 'Zonder,' zei ze. Tot haar verbazing zette de serveerster even later een kop thee met veel melk voor haar neer. Voor Claire kon klagen, was ze alweer weg, en ze kwam terug met een bord als een wagenwiel dat beladen was met twee gebakken eieren, gebakken tomaat, dikke plakken bacon, champignons, patat en... gebakken bonen! Claire keek er ontdaan naar. Als ze nu begon, zou ze het bord tegen etenstijd leeg hebben. Toen bedacht ze dat ze juist blij moest zijn. Ze had zo weinig geld dat ze misschien binnen de kortste keren nog maar twee keer per dag zou kunnen eten. Ze pakte haar mes en vork en at zo goed mogelijk om de bonen heen. Alles was ongelooflijk vet, maar verbazend lekker.

Misschien ben ik gewoon een boerentrien, dacht ze. Het ontbijt in het hotel was exquise geweest, maar ze vond dit lekkerder. Ze nam een hap ei en keek om zich heen. Nee, het eten was het probleem niet. Michael en de luxe kon ze ook wel missen, maar het was naar dat ze helemaal geen gezelschap had. Het maakte haar verlegen dat ze afgezien van de struise serveerster de enige vrouw en de enige buitenlandse in het café was. Er waren wel meer mensen alleen, maar iedereen leek elkaar te kennen, al was het maar oppervlakkig. Ze zuchtte. Waarom leek de eenzaamheid altijd haar lot te zijn? Als Michael er nu was geweest, wat ze zich moeilijk kon voorstellen, had ze iemand gehad om mee te praten, iemand die ze op dat gekke mannetje in de hoek had kunnen wijzen. Ze zuchtte weer en nam voorzichtig een hapje bonen. Tja, dacht ze, ik zal me ermee moeten verzoenen.

Ze at een tijdje zwijgend door. Burt hield zich ook koest, tot haar opluchting. Claire luisterde naar de gesprekken over Arsenal aan de tafels. Aan haar eigen tafel werd een man door twee anderen geplaagd omdat hij ging trouwen, of net was getrouwd. Of misschien ook niet. Ze kon het moeilijk volgen.

'Nog een kop thee?' vroeg de serveerster, die naast Claire was opgedoken. Ze knikte en vroeg zich af hoe ze kon voorkomen dat ze melk kreeg. 'Met of zonder?' vroeg de serveerster weer, en toen durfde Claire het te vragen.

'Met of zonder wat?'

'Suiker,' zei de vrouw op een toon alsof alleen een debiel zoiets zou vragen.

Claire pakte haar kopje. Het porselein was zo dik als haar vinger. 'Graag zonder suiker en zonder melk, alstublieft.'

'Zonder melk? Idioot. Drinken jullie het allemaal zo?' vroeg de serveerster. Claire knikte. 'Geen wonder dat jullie van die geschifte presidenten kiezen. Jullie drinken je thee helemaal verkeerd.'

'Tja, ik heb me altijd afgevraagd waarom we vijftig kandidaten voor Miss America hebben en maar twee voor het presidentschap,' zei Claire. De serveerster lachte, evenals de meeste mannen.

'Dus je komt uit Amerika?' zei de serveerster. 'Niet uit Canada of Australië?'

'Nee, ik kom uit New York.'

Dat maakte de tongen los. Broers, kinderen, moeders of vrienden waren ooit in New York en Orlando geweest. Burt, die zijn bord leeg had, glimlachte met zijn tanden uit de winkel naar haar. 'Mijn vrouw is in Orlando geweest. Met haar zus. Hoe vond jij het daar?'

'Ik ben er nooit geweest,' zei Claire. 'Ik woon in New York.'

'Nooit in Orlando geweest? Terwijl je er woont?' Hij schudde zijn hoofd. 'Hoe kom je anders in Disney World?'

'Ik ben er nooit geweest,' herhaalde Claire, maar ze verzweeg wijselijk dat ze er niet naartoe wilde. Burt keek haar aan en ze glimlachte verontschuldigend. 'Ik ben niet zo gek op Mickey.'

'Ze houdt niet van Mickey Mouse!' zei Burt luid.

'Ik dacht dat dat verboden was in Amerika,' merkte een jongere man met rode bakkebaarden op. Er werd gelachen en Claire bloosde.

'Dat is het ook,' zei ze. 'Ik ben uit de gevangenis ontsnapt. Daarom zit ik nu hier. Ik ben voortvluchtig.'

Er werd hartelijk om gelachen. Daarna keek Claire naar haar bord en werd ze met rust gelaten. De gesprekken aan tafel gingen door. Het waren duidelijk arbeiders, maar Claire hoorde tot haar verbazing niet één van de schuttingwoorden waar Jerry en zijn maten zo kwistig mee strooiden.

Claire at zoveel ze kon, afgezien van de bonen. Toen ze bedankte voor de volgende kop thee die de serveerster haar aanbood, kreeg ze een stukje papier waar wat getallen op gekrabbeld waren. Het was een verbazend goedkope maaltijd. Nog geen vijf dollar, voorzover Claire het kon berekenen. Ze legde geld op tafel, en toen de serveerster het kwam halen, raapte Claire al haar moed bij elkaar en vroeg of ze misschien een goedkoop hotel of pension in de buurt wist.

'Goh, het is hier niet zo toeristisch,' zei de serveerster. 'De meeste mensen komen hier alleen in het weekend, voor de markt.' Ze draaide zich om en riep: 'Hé, Jacko, weet jij hier ergens een goed pension?'

Er werd van alles geroepen waar Claire niets van verstond, maar toen er een diepe stem uit de deur achter de bar klonk, werd het stil. 'Madge, de schoonzus van mijn broer, heeft een pension,' zei de stem, die mogelijk van Jacko was. 'Die vrek. Ze doet niet aan ontbijt en ik weet dat ze telkens hetzelfde theezakje gebruikt, maar het is geen slons, dus het zal er wel netjes zijn.'

Het maakte Claire niet enthousiast, maar de serveerster gaf een klopje op haar schouder. 'Lijkt het je wat?' vroeg ze. 'Ik kan je het adres wel geven.' Claire knikte, want ze had geen andere keus.

Toen de serveerster weg was, legde Claire stiekem nog wat geld bij haar fooi. Misschien had ze niet alleen een plek om te eten, maar ook een slaapplaats gevonden. De serveerster kwam terug, weer met een stukje papier, nu met een vrijwel onleesbaar adres erop gekrabbeld. *Chamberley Terrace 238A*. Claire las het hardop om zich ervan te verzekeren dat ze het goed had gelezen.

'Dat klopt, kind. En die vrouw heet Watson.' Toen legden de serveerster en een paar klanten haar uit hoe ze er moest komen. Ze leken elkaar allemaal tegen te spreken. Claire pakte haar plattegrond en Burt wees Chamberley Terrace aan. Het leek niet al te ver.

Claire bedankte iedereen en ging weer op pad, nu met een volle maag en nog optimistischer. Hoezo, afstandelijke Britten?

23

Hoe langer Claire liep, hoe naargeestiger de omgeving werd. De naam klonk duur, maar er waren geen balkons en tuinen met bloemen aan Chamberley Terrace. Er waren niet eens tuinen. Alleen een rij kleine huizen aan de straat en aan de andere kant een lang, lelijk nieuw gebouw. De verf bladderde van de meeste kozijnen. Claire vond het geen aantrekkelijke bestemming.

Mevrouw Watson, een magere oude heks met een permanent, deed de deur open en loodste Claire de schemerige gang in. Het huis bleek veel groter te zijn dan het vanbuiten had geleken. De vrouw ging haar voor een stel trappen op, en Claire zag dat elke verdieping minstens tien kamers telde. Aangekomen bij de piepkleine, donkere kamer die nog vrij was, vertelde mevrouw Watson dat ze achttien pond per nacht rekende, en dat het een koopje was, maar: 'Denk erom, er wordt niet gepoft. Er is wel thee en toast, maar geen warm ontbijt.' Claire was zo moe dat ze maar knikte en mevrouw Watson een biljet van twintig pond gaf.

'Dank je.' Claires nieuwe hospita tastte in de zak van haar schort (Claire had in New York al vijftien jaar geen schort meer gezien, maar dit was vandaag haar tweede al), gaf Claire zo'n grote munt van twee pond en liep weg.

Claire ging de kamer in, ritste haar koffer open en keek om zich heen. Ze was zowel blij als nerveus. Het was beslist het Berkeley niet, maar het was niet zomaar een kamer: het was háár kamer. De eerste kamer die ze ooit had gehuurd. Hij was klein. Het bed paste precies onder het raam, en langs de muur ertegenover stond een kast. Er was niet eens een nachtkastje. In plaats daarvan stond er een keukenstoel met een lamp erop naast het bed. Er was een kleine, gehavende wasbak, en in de gang was een badkamer die Claire blijkbaar met de andere bewoners van de verdieping moest delen. Het uitzicht was troosteloos: een muur vol lelijke, nieuwe ramen in een lelijk, glimmend gebouw.

Claire deed de kast open, waarin alleen een zielig samenraapsel hangers van hout, metaal en plastic hing. Op de plank boven de hangers lagen twee dunne handdoeken. Claire legde ze op het bed en begon haar koffer uit te pakken. Ze vond het heel kalmerend. Ze zette haar schoenen op de vloer van de kast. Daarboven hing ze haar broeken, haar jurk en haar blouses. Ze vouwde haar truien op en legde ze op de plank bovenin, samen met haar ondergoed, want er was geen ladekast. Haar nachtpon en ochtendjas hing ze aan de haak op de kastdeur. Nu lagen alleen haar make-upspullen en toilettas nog in de koffer, en die zette ze op de wastafel.

Net toen ze de koffer onder het bed wilde schuiven, zag ze het in krantenpapier verpakte pakje. Het was het blikje dat ze van Michael had gekregen. Langzaam, bijna onwillig, pakte ze het uit de koffer en haalde het papier eraf. De prachtige kleuren en het tweehonderd jaar oude vakwerk lagen stralend in haar hand, volmaakt mooi in de sjofele kamer. *Remember me*, stond erop. Alsof ze hem ooit kon vergeten. Hoe had ze ook maar even kunnen denken dat Michael iets om haar gaf? Waarschijnlijk zat hij nu in zijn werk verdiept in de vertrekhal. Misschien had hij al een afspraakje met Katherine of een van zijn andere vriendinnen gemaakt.

Toegegeven, de tekst was oprecht. Er stond dat ze hem niet moest vergeten, niet dat hij altijd aan haar zou blijven denken. En dat had ze ook nooit verwacht, hield ze zichzelf streng voor. Ze kon wrokkig en verdrietig blijven, maar ze kon ook blij zijn met het mooie blikje en de heerlijke dagen die ze had gekregen.

Toch bleef het feit dat ze nooit aan Katherine Rensselaer zou kunnen tippen. Haar vader was een mislukkeling geweest, haar moeder had zelfs nooit een boek gelezen, haar broer was soldaat in het leger en zijzelf had haar studie niet afgemaakt. Haar kleren, haar lichaam en haar opleiding lieten te wensen over. Het was niet helemaal haar schuld, maar deels wel. De gedachte aan Michael en haar als stel was lachwekkend.

Ze keek weer naar het blikje. Ze wilde het houden. En telkens wanneer ze het zag, zou ze aan Michael denken. Dat hij haar niet zag staan, deed er niet toe. Maar ze zou niet sentimenteel worden. Het was een mooi blikje, ze zou er met plezier naar kijken en nooit denken dat het een geschenk uit liefde was. Ze pakte het in, legde het in haar koffer en dwong zichzelf te glimlachen.

Nu het blikje verstopt was en ze haar spullen had uitgepakt, voelde Claire zich zo trots alsof ze de kamer niet alleen maar gehuurd, maar zelf gebouwd had. Ze pakte haar breiwerk en het boek en legde ze op het bed, naast het platte kussen. Toen ging ze zitten, trok haar schoenen uit en dacht na.

Ze had nog nooit zoiets krankzinnigs gedaan, maar op de een of andere manier was ze niet angstig of bezorgd meer. Ze haalde haar aantekenboekje uit haar tas en begon te rekenen. Als de kamer achttien pond per nacht kostte, en een goed ontbijt met fooi viereneenhalf, en ze nam voor een paar pond de bus of de ondergrondse en liep terug, was ze tegen de vierentwintig pond per dag kwijt. En dat was nog afgezien van andere maaltijden, de was en toegangsprijzen van bezienswaardigheden. Thee met cake op het terras van het parlementsgebouw zat er niet meer in. Claire glimlachte bij de herinnering, maar bleef er niet te lang bij stilstaan. Niet bij de seks, de luxe en de vernedering. De Kanjer stapte op dit moment in zijn vliegtuig, en vanavond zouden ze bijna vijfduizend kilometer van elkaar verwijderd zijn. Het gaf niet, want de afstand tussen hen bij Crayden Smithers was nog groter. Claire wilde Michael niet missen. Ze waren nooit samen geweest.

Ze keek weer naar haar rekensommen. Als ze zichzelf nog vier pond per dag gunde voor boodschappen, kwam ze uit op achtentwintig pond. Ze pakte haar portemonnee en telde haar geld. Ze moest binnen drie weken een baan zien te vinden. Het idee joeg haar geen angst aan. Ze was altijd bereid geweest de handen uit de mouwen te steken. Ze glimlachte. Op de een of andere manier was ze er moeiteloos in geslaagd dit te doen, en ze voelde zich avontuurlijker en moediger dan Columbus zich ooit kon hebben gevoeld. Ontdekkingsreizigers waren van nature dapper, en zij niet. En toch deed ze dit.

Ze dacht even aan haar moeder. Ze had tegen haar gezegd dat ze een paar dagen wegging. Naar Atlantic City. En ze had tenslotte nog een ticket voor de terugreis in de zak van haar koffer zitten. Bij die gedachte sloeg de paniek toe en moest ze controleren of ze haar paspoort en ticket nog wel had. Ze waren er natuurlijk nog, en haar hartslag kwam tot bedaren. Als alles mis liep, kon ze over drie weken altijd nog teruggaan. Maar het loopt niet mis, hield ze zichzelf voor. Claire beloofde zichzelf dat ze nooit meer naar Staten Island en Crayden Smithers terug hoefde.

Ze wist het zo zeker als ze wist dat haar paspoort en ticket veilig in haar koffer zaten, maar zodra ze daaraan dacht, moest ze nog een keer controleren of ze er nog waren. Dit is de laatste keer, dacht ze, en toen besloot ze zelfverzekerd de rest van haar dag uit te stippelen. Op weg naar buiten botste ze bijna tegen een vrouw op. Ze was jonger, bleker en slanker dan zijzelf.

'O, sorry,' zei de vrouw, hoewel het duidelijk Claires schuld was. 'Woon je hier?' vroeg ze. Claire knikte en stelde zich voor. 'Kom je uit Amerika?' vroeg de vrouw, en Claire knikte weer. 'Ik ben Maudie O'Connor. Ik wil dolgraag naar Amerika.' Op hetzelfde moment stormden er twee kinderen de trap op die hun armen om Maudies slanke benen sloegen.

'Ben je aan het oppassen?' vroeg Claire. Maudie keek haar stomverbaasd aan. 'Ben jij hun kinderjuf?' vroeg Claire voor de duidelijkheid.

'Ik ben hun moeder,' zei Maudie. Claire kon bijna niet geloven dat zo'n jong meisje al twee kinderen had. Ze glimlachte naar het tweetal. 'Woon je hier?'

Maudie knikte. 'Tot we eruit worden geschopt, dat is een probleem,' zei ze. 'Sst, stil, deugnieten. Geen streken. Moet die heks van een Watson weer komen klagen?' Ze duwde de twee blonde jongetjes de gang in. 'Tot ziens,' riep ze over haar schouder. Claire knikte en liep naar buiten.

Ze slaagde erin de brug aan Camden High Street te vinden zonder op de plattegrond te kijken, wat haar trots maakte. Ze had even getwijfeld in een straat met veel bochten, maar toen had ze een kruidenierszaakje herkend en de goede keus gedaan door erlangs te lopen.

Het was inmiddels halfdrie en drukker dan ooit op de markt. Claire dacht even aan Michael Wainwright, die nu waarschijnlijk in de eersteklas van het vliegtuig zat, maar toen dacht ze aan wat Tina altijd zei: dat doet er allemaal niet toe. Het monterde haar op. Ze had al in het vliegtuig gezeten, maar hier was ze nog nooit geweest, dit deed er allemaal wél toe.

Claire volgde het pad langs het kanaal, waar geen eind aan leek te komen. Langs de kade stonden hoge pakhuizen, die zowel romantisch als industrieel leken, als een kruising tussen Venetië en Pittsburgh (al was Claire in geen van beide steden geweest).

Het werd steeds stiller en Claire begon zenuwachtig te worden. Op zo'n verlaten plek kon van alles gebeuren. Hoeveel lijken waren er al uit het kanaal gevist? Ze liep terug naar het overdadige rumoer en de mensenmassa van de markt voordat ze morbide kon worden. Er waren veel toegangen tot de markt en ze koos een boogdeur in een muur. Ze kwam uit op een beklinkerd plein waar honderden, of misschien wel duizenden schragentafels stonden met alle denkbare waren. Tibetaanse sieraden lagen naast een kraam met opgestapelde houten schalen uit Zuid-Amerika. Ze liep langs Afrikaanse maskers en houtsnijwerk naar een tafel met T-shirts, en in de volgende kraam verkocht een ontwerper zijn eigen zilveren sieraden.

Ze sloeg een hoek om en stuitte op een muur van wierookgeur. Het stel in de kraam had meer piercings dan Claire op heel Staten Island bij elkaar had gezien. De verkopers in de kraam ernaast hadden veelkleurige punkkapsels. En hoewel ze geen piercings hadden, althans niet op zichtbare plekken, was er een met een tatoeage van een spinnenweb op zijn gezicht.

Hier, in die middeleeuwse marktsfeer, leek niemand echter uitgesproken gek of afwijkend. De man met het spinnenweb pakte een aankoop in, gaf een oudere vrouw met een gehaakt hoedje een tas en wisselgeld en zei: 'Veel plezier ermee, meid.'

Iedereen leek heel beleefd te zijn. Wanneer ze door iemand werd aangestoten, maakte die zijn excuses. Met haar tas stevig onder haar arm geklemd drentelde ze van kraam naar kraam, kijkend naar Peruaanse truien (erg los gebreid), met de hand geborduurde Indiase sari's en alles daartussenin.

Na meer dan een uur slenterde ze naar buiten, en op de terugweg door Chalk Farm Road vond ze een ingang naar een andere markt, die nog boeiender was. Deze zat in een pakhuis, en er werd het soort rommel verkocht dat Claire van de bazaars bij Tina op school kende: asbakken, beeldjes en borden, maar alles leek veel ouder en curieuzer. Er waren kramen met souvenirs uit de jaren vijftig, met antieke poppen en speelgoed en kramen en nog eens kramen met oude nepsieraden, en ineens vond Claire tot haar aangename verrassing een tafeltje in een hoek met alleen maar breitassen, naalden en patronen. De gedachte aan haar kluwens en naalden thuis was geruststellend, alsof er iemand op haar wachtte, maar die nieuwe, of eigenlijk oude naalden waren heel verleidelijk.

'Ze zijn echt,' vertelde een jonge vrouw die haar haar in een ouderwets netje droeg. 'Deze zijn van bakeliet. Verzamelobjecten, eigenlijk.'

Claire keek naar de tientallen kleurige naalden – geel, groen, roze en lichtblauw – met weer ander kleuren knoppen met het nummer erop. Het zou heerlijk zijn om nog wat naalden te hebben, en toen Claire aan de handen dacht die tientallen jaren geleden met die naalden hadden gebreid, werd haar verlangen zo sterk dat...

'Wat kosten ze?' Claire was op elk bedrag voorbereid, al kon ze niet veel betalen.

'Twee pond per paar,' zei de vrouw. 'Je mag drie paar voor vijf pond nemen.'

Claire geloofde haar oren niet. Het leek een gunstig voorteken. Ze viste vijf munten van een pond uit haar portemonnee en zocht drie paar naalden uit. Terwijl die werden ingepakt, keek ze begerig naar een cretonnen breitas met een kluwenhouder, maar ze mocht niet eens aan nog een aanschaf dénken.

'Ben je een verzamelaar?' vroeg de vrouw. Claire glimlachte. Het was nooit in haar opgekomen dat je zulke praktische dingen als breinaalden zou kunnen verzamelen.

'Nee,' zei ze, 'ik ben een breister. Weet je of ik hier ergens wol kan kopen?'

'Geen idee, vrees ik,' zei de vrouw. Ze reikte Claire het tasje met de naalden aan. 'De meeste mensen kopen ze voor het mooi.' Toen richtte ze haar aandacht op een volgende klant en Claire liep weg.

Het begon fris te worden en Claire werd moe. Ze begon ook honger te krijgen. Tja, ze zou moeten leren haar ogen goed de kost te geven in plaats van haar maag. Ik heb voor vandaag genoeg geld uitgegeven, hield ze zichzelf streng voor. Ze zou teruggaan naar Chamberley Terrace.

Het werd al donker, en de wandeling leek nu heel vermoeiend. Hoe donkerder het werd, hoe meer de moed haar in de schoenen zakte.

Ze had maar een paar dagen met Michael Wainwright doorgebracht, maar daar had ze zich een week op verheugd, en ze had een jaar over hem gefantaseerd. Nu besefte ze dat ze niets meer had, want zelfs haar fantasie was belachelijk gebleken. De Kanjer had haar alleen de tijd gegund die Katherine Rensselaer hem niet had gegund.

Alleen, in de avondschemering van een stad die ze niet kende, omringd door vreemden, werd Claire weer overspoeld door een eenzaamheid die bijna net zo tastbaar was als de koude mist boven de stoep. Ze rilde. Wat had ze in vredesnaam gedaan? Ze had in een opwelling alles wat ze kende de rug toegekeerd. Ze keek naar de donkere straat, de huizen waarin een voor een lampen aanfloepten. Geen mens op aarde wist waar zij nu was, en nergens werd ze achter verlichte ramen door iemand opgewacht.

Toen ging er vlak voor haar een deur open. Twee vrouwen, duidelijk vriendinnen, kwamen kletsend naar buiten en een van de twee lachte. Ik kan ook vrienden maken, dacht Claire. Ze rechtte haar rug, knoopte haar regenjas dicht en nam zich voor een nieuw leven voor zichzelf op te bouwen.

24

De volgende ochtend werd Claire begroet door het ritselen van de wind in de takken van de bomen aan Chamberley Terrace. Ze vroeg zich af of het de magische oostenwind was die Mary Poppins had laten aanwaaien.

Ze kleedde zich aan. Ze voelde zich uitgehongerd en opgewekt tegelijk. De vorige avond had ze Abigails gids geraadpleegd, en ze wist al wat ze vandaag zou gaan doen. Toch waren het niet de plannen die haar leven veranderden. Het was het toeval.

Claire liep door een knusse winkelstraat en net toen ze langs een portiek liep, trok een kat haar blik. Als hij niet op dat moment met zijn staart had gezwaaid, had Claire de man die zo belangrijk voor haar zou worden nooit ontmoet.

De kat zat in de vensterbank van een onopvallende tweedehands boekwinkel. Claire zou beslist niet de enige zijn geweest die erlangs liep zonder hem te zien. De deur zat iets lager dan de straat, tussen twee etalageruiten. Claire zag het bordje op de deur met de handgeschreven tekst 'boeken te koop' en liep de treden af.

De deurbel klingelde. De winkel was verrassend groot, maar gek genoeg was er geen toonbank of kassa te bekennen. Claire vroeg zich af wat een winkeldief ervan zou weerhouden alles te pakken wat hij hebben wilde en weg te lopen.

Het was vrij donker in de winkel, maar terwijl ze aarzelend bleef staan, ging er een lamp aan die een van de zeven rijen boeken verlichtte. Claire dacht aan Mary Poppins en de bezoekjes die ze met de kinderen aan vreemde, magische winkels bracht, die verdwenen waren als Jane en Michael er alleen naartoe wilden.

'Hallo,' riep een stem, wat Claire de moed gaf door het schemerig verlichte gangpad tussen de boeken naar achteren te lopen. Daar was een soort kleine woonkamer die haar ook aan Mary Poppins deed denken, met twee leunstoelen, een bureau, een tafeltje en een vitrinekast. Het tot op de draad versleten Perzische tapijt lag vol boeken, maar dat maakte het voor Claire alleen maar aantrekkelijker.

Het leukst was de lange, dunne man die bij de tafel thee uit een zwart uitgeslagen theepot stond te schenken. 'Hé, hallo,' zei hij. 'Kopje thee?' Hij leek op een inkttekening van Modigliani: hangende schouders, lange armen en benen en een lang, maar knap gezicht met een heel lange neus. Als de Rattenvanger van Hameln een boekwinkel had gehad, had hij er zo uitgezien. Zijn haar, dat bijna dezelfde donkerblonde kleur had als dat van Claire, was vlassig en had het merkwaardige bloempotmodel dat Claire nooit bij iemand van boven de vijf jaar had gezien, maar het paste bij hem. De man keek haar met zijn ronde ogen vanonder zijn pony aan alsof hij haar verwachtte.

'Ja, graag,' zei Claire. Er stonden een stuk of vijf kopjes met niet bijpassende schotels op het dienblad. De man nam haar vriendelijk op en keek toen weer naar het serviesgoed. Claire dacht even aan de theevisite bij de Maartse Haas, maar deze man zag er veel te zachtaardig uit om gek te zijn. En de kopjes leken schoon.

'Zal ik de honneurs waarnemen?' vroeg de man, en hij pakte het melkkannetje en schonk melk in twee kopjes. Claire vroeg zich weer af hoe je thee zonder melk moest bemachtigen, maar het was nu al te laat om erom te vragen. De man schonk thee bij de melk, legde een zilveren lepeltje op elke schotel en reikte haar haar thee aan. Toen vouwde hij zijn lange lijf in een van de stoelen. 'Zoek je iets speciaals?' vroeg hij.

Claire keek naar haar theekop, waarop vogels met guirlandes in hun snavel op een azuurblauwe ondergrond wiekten. Op het schoteltje wisselden rozen en lelietjes-van-dalen elkaar af tot aan het gouden randje. 'Niet echt,' antwoordde ze.

'Mooi zo. Ik vind het vreselijk als mensen een bepaald boek of een auteur zoeken. Er zijn hier duizenden boeken, en het zijn niet bepaald kostbare eerste drukken.'

Claire, die er niets op te zeggen wist, nam een slok sterke, warme thee. Ze merkte dat het niet alleen schemerig, maar ook kil was in de winkel. De man droeg een trui, een blazer en handschoenen zonder vingers. Ze rilde en hoopte haar sjaal snel af te hebben.

'Ga toch zitten,' zei de winkelier. Ze ging behoedzaam op het puntje van een oude, leren fauteuil zitten en keek om zich heen. Er stonden niet alleen boeken in de gangpaden, maar ook tegen de muren, helemaal tot aan het plafond, dat minstens drieëneenhalve meter hoog was.

'Hoe orden je zo'n winkel?' vroeg de bibliothecaresse in haar.

'Nogal slordig, vrees ik,' antwoordde hij terwijl hij met een zilveren suikertang een klontje in zijn thee liet vallen. 'Ik had een plan en daar heb ik me jaren vroom aan gehouden, maar ik ben van mijn geloof gevallen.' Hij gebaarde met zijn lange handen naar rechts. 'Oorspronkelijk was het fictie links en non-fictie rechts. De fictie alfabetisch op auteur gerangschikt en de non-fictie op onderwerp. Maar dat begon me te vervelen. Het is praktisch, maar het was moeilijk om consequent te blijven. Toen besloot ik dat de tijd ook een rol moest spelen en heb ik alles op periode gesorteerd. Je weet wel, Georgian, Victoriaans, vóór de Eerste Wereldoorlog, het Interbellum...' Hij zweeg.

Claire keek verlegen naar haar schattige, niet bij elkaar passende kop en schotel en zag opeens dat de steel van haar theelepel een palmboom was met een aapje in de kruin.

'Natuurlijk,' vervolgde de man, 'begreep ik vrijwel meteen wat er aan dat systeem schortte. Denk aan de verschillende landen. De Eerste Wereldoorlog betekende voor de Amerikanen iets heel anders dan voor ons. En Flaubert kun je geen Victoriaan noemen. Dus toen dacht ik...' Hij maakte zijn zin niet af. 'Neem me niet kwalijk,' zei hij. 'Wil je suiker in je thee? Verveel ik je?'

'Twee keer nee,' zei ze. 'Ik wilde vroeger bibliothecaresse worden.' Ze verwachtte een goedkeurende opmerking, maar de man rilde.

'O, die bibliotheekwetenschap. Wat een monsterlijke onzin is dat toch,' zei hij. 'De SISO-catalogus? Absolute subjectiviteit die voor objectiviteit moet doorgaan. Het rangschikken van boeken is geen wetenschap, maar een kunstvorm. Ik heb verschillende systemen voor mijn non-fictie uitgewerkt die allemaal beter zijn. Trouwens, ik ben Toby Stanton.' Hij zette zijn kopje neer en reikte haar de hand.

'Claire Bilsop,' zei Claire, en ze schudde de half gehandschoende hand.

'Bilsop? Dat klinkt Engels, maar volgens mij kom je uit Amerika. New York?'

'Ja,' zei ze. 'Ik vond het SISO-systeem ook maar niks. Ik vond het tijdens mijn studie al subjectief.'

'Een vrouw met verstand!'

Hoe langer Claire naar Toby keek, hoe beter hij haar beviel. Hij droeg een vormeloze ribbroek en zat met zijn ene been nonchalant over het andere geslagen, zodat er een bruine sok met borduurwerk zichtbaar was. Zijn ogen waren hemelsblauw en zijn wangen en het puntje van zijn neus waren roze.

'Het probleem van een nieuw systeem is natuurlijk dat het nooit volmaakt is, en uiteindelijk wordt het altijd uiterst persoonlijk en willekeurig.' Hij glimlachte en zuchtte toen. 'Ik denk dat een ander hier alleen een boek kan vinden als hij me óf tientallen jaren in psychoanalyse heeft gehad, óf mijn brein heeft ontleed.'

'Het lijkt me allebei nogal ver gaan,' zei Claire. 'Je zou kunnen beginnen met een kaartcatalogus.'

Toby lachte. 'O, wat logisch. Daar hou ik van.' Hij keek weer om zich heen. 'Alleen heb ik het zo druk met rangschikken dat ik niet aan catalogiseren toe kom. En als er iets wordt verkocht, wordt de onderlinge relatie tussen de boeken op een plank weer heel anders. Blijf je lang in Londen?'

Het overrompelde Claire. Ze nam aan dat het geen persoonlijke vraag was, aangezien de meeste mensen hun antwoord klaar hadden: een week vakantie, een semester studeren, een kort familiebezoek. 'Ik weet het niet,' zei ze. 'Ik ben hier voor het eerst. Ik kijk of het me bevalt.'

'En hoe lang ben je er al?' vroeg Toby.

'Vijf dagen.'

'En hoe bevalt het je tot nu toe?'

'Fantastisch,' zei Claire. 'Ik vind alles prachtig. Tot nu toe, tenminste.'

'Tja, die mening zou nog kunnen veranderen, maar je hoeft je hier in elk geval niet te vervelen.'

'Beslist niet,' zei Claire, en ze vertelde hem wat ze al had gezien en gedaan.

Toby knikte en glimlachte. 'Op het gevaar af dat je het een cliché vindt, citeer ik Johnson: "Wie Londen moe is, is levensmoe." Nog thee?' Claire had geen dorst, maar ze had het zo naar haar zin dat ze knikte. 'Hoe ben je hier verzeild geraakt?' vroeg hij.

'Door de kat,' vertelde ze.

'Ach, ja. Daar gaat mijn hele reclamebudget aan op. De kat. Hou je van katten?'

Claire schudde haar hoofd. 'Niet dat ik ze niet leuk vind,' zei ze, 'maar ik vind ze gewoon niet, hoe zal ik het zeggen...'

'Kun je niet uit je woorden komen?'

Het had beledigend kunnen zijn, maar daarvoor zei hij het te grappig. 'Heel goed,' zei ze, 'maar ik wilde je niet beledigen, want het is wel duidelijk dat je een...' – ze zweeg even – '...kattenmens bent.'

'Ik? Welnee. Ik bedoel, er is niks mis met George, maar hij is niet van mij. Hij kwam op een dag aanzetten en is nooit meer weggegaan.' Alsof hij op zijn naam reageerde, dook George op en begon kopjes te geven tegen Toby's been. 'De mensen denken dat ze dat uit genegenheid doen, maar in feite markeren ze gewoon hun territorium. Ze denkt dat ik van haar ben.'

'Ze?' Toen begreep ze het. 'O, ze is naar George Eliot vernoemd.'

'O, ik ben te doorzichtig geweest.' Hij schonk thee in haar kopje. 'Ik probeer altijd zo mysterieus mogelijk te zijn, wat niet meevalt voor iemand uit Dorset.'

Claire wist niet waar Dorset was, maar ze was nog nooit zo gecharmeerd geweest van een man. Hij was natuurlijk geen Michael Wainwright en ze verlangde misschien niet lichamelijk naar hem, al waren zijn slungelige armen en benen best sexy, maar zijn charme was ongeevenaard.

'Weet je wat?' zei hij. 'Sta me toe mijn wichelspel te spelen.'

'Goed,' zei ze.

'Oké, het gaat zo: ik vang je vibraties op, of bekijk je aura of wat dan ook, en dan zoek ik een boek voor je uit, wees maar niet bang, onder de twee pond, en dan lees je het en kijkt of het een speciale betekenis voor je heeft.'

Claire schoot in de lach. 'Ga je mijn toekomst voorspellen?'

'Nee, zo maf ben ik niet. Zullen we dan maar?'

Claire knikte. Ze wilde gewoon hier in de warmte blijven, theedrinken en naar die bijzondere man kijken.

Toby kwam voor haar staan, hield zijn handen bij haar hoofd en wapperde ermee, waardoor hij nog bespottelijker leek. 'Ik heb het, lammetje van me.' Hij liep naar het meest rechtse gangpad, trok aan het koordje van het licht en draafde weg.

Ze hoorde hem neuriën en besloot gewoon te blijven zitten genieten, maar hij kwam binnen de kortste keren met een boek terug. 'Ta-dá! Een goed boek,' zei hij, en hij grijnsde bijna net zo breed als zijn uitgestoken arm lang was. 'Voor jou,' zei hij. Het was een klein, beduimeld, in rood leer gebonden boek met verhandelingen van Charles Lamb. Claire hield niet zo van verhandelingen, maar ze was niet van plan het boek te weigeren en zocht haar portemonnee.

'Nee, nee,' zei Toby. 'Deze krijg je van George Eliot.' Hij ging zitten en de kat sprong op zijn schoot.

'Nee, dat kan ik niet aannemen,' zei ze confuus.

'O, jawel,' zei Toby. 'Dat bezorgt je een schuldgevoel, en daardoor voel je je gedwongen terug te komen en iets te kopen. Eind goed, al goed.' Hij grinnikte. 'Je zou de eerste niet zijn,' zei hij.

'Goh, bedankt,' zei Claire. Hoe was dit alles haar overkomen? Ze had in New York vaak genoeg een boek gekocht, maar zo'n avontuur had ze nog nooit beleefd. De verkopers wisten meestal zelfs minder van de boeken dan zij. Ze vroeg zich af of Toby een verkoopster nodig had, maar zo te zien kreeg hij niet veel klanten. Alsof ze er met die gedachte een had opgeroepen, klingelde de bel.

'Hallo,' riep Toby, en hij haalde een lichtschakelaar over. Kennelijk deed hij alleen licht aan als het nodig was. Een gezette man in een tweedjasje voegde zich bij hen.

'Hallo, Stanton, ben je weer dames aan het verleiden?' zei de bezoeker.

Toby glimlachte. 'Op mijn eigen bescheiden wijze.'

Claire wist niet of ze zich gevleid moest voelen of gegeneerd, al zag ze de ontmoeting met Toby niet als puur zakelijk. Misschien was ze al te lang gebleven. Het was een charmante afleiding geweest, maar ze mocht zich niet opdringen. Dat zij niets anders te doen had, wilde niet zeggen dat anderen het niet druk hadden. 'Ik moet maar eens gaan,' zei ze, en ze stond op, pakte haar tas en knoopte haar jas dicht.

'Ga toch zitten, Harold,' zei Toby tegen de gezette man, en Claire ging opzij zodat hij haar stoel kon overnemen.

Toby stond op. 'Vergeet je boek niet,' zei hij tegen Claire.

'O, ja. Dank je.' Ze wilde het in haar tas stoppen, maar de naalden zaten in de weg. 'Dank je wel.' Ze had graag nog even naar de boeken gekeken, maar nu zou het de indruk kunnen wekken dat ze misbruik maakte van de gastvrijheid. Het licht in het gangpad ging uit en alle boeken waren in het halfduister gehuld. Het was zeker een hotelschakelaar. Claire bleef weifelend staan, maar Toby haalde de schakelaar van het middenpad over.

'Kom je gauw terug?' zei hij. 'Ik ben benieuwd wat je van Charlie vindt.'

Claire dacht heel even dat Toby het over de dikke man had, maar toen herinnerde ze zich dat hij Harold heette. 'Ik kom het je vertellen,' zei ze, en vervolgens liep ze langs alle heerlijk uitziende oude boeken, de treden op en de deur uit.

Eenmaal buiten werd ze weer omhuld door de drukke, opwindende Londense sfeer, en ze voelde zich er meer bij horen dan ooit tevoren. Ze had met iemand gepraat die net zoveel van boeken hield als zij, of zelfs meer. Iemand die minstens zo boeiend was als Michael Wainwright. En hoewel hij op een andere manier aantrekkelijk was, had hij... charme. Hij zag er leuk uit en het was leuk om met hem te praten. Claire voelde een onverwachte pijnscheut bij de herinnering aan al het plezier dat ze met de Kanjer had gehad, maar toen keek ze naar het boek in haar hand en glimlachte. Ze kon bijna niet geloven dat het allemaal echt was gebeurd. Voor de zekerheid liep ze terug en noteerde het adres van de winkel voor in haar gids. Ze zou zeker teruggaan.

De rest van de dag bezocht ze bezienswaardigheden, en ze vond ze bijna allemaal even mooi. Natuurlijk krioelde het overal van de toeristen, maar Claire koesterde de bevredigende gedachte dat ze niet zomaar een toerist was. Ze was op reis, en ze wist niet hoe lang ze zou blijven. Ze logeerde niet in een toeristenhotel en ze reed niet in een toeristenbus. Ze bracht de dag door als een ontdekkingsreiziger, haar koers uitzettend in de ondergrondse en de bus. Ze volgde haar kaart en keek overal. Ze besloot de Tower en Madame Tussaud links te laten liggen. Ze wilde door gewone straten lopen, gewone winkels aandoen en zien hoe de gewone mensen hier leefden. Het werd een lange dag, maar ten slotte liep Claire voldaan terug naar Camden.

25

Claire besefte niet hoe weldadig al dat lopen voor lichaam en geest was. Aan het eind van de middag wist ze alleen dat ze uitgehongerd was; Toby's thee en koekjes waren geen echte maaltijd geweest.

Ze besloot thuis te eten, om geld uit te sparen. Ze herinnerde zich dat er een kleine, armetierige kruidenier in de buurt van Chamberley Terrace zat en liep erheen. Toen ze er bijna was, zag ze het bord achter het raam: DE SCHERPSTE PRIJZEN VAN CAMDEN.

Het was geen echte supermarkt, maar ook geen avondwinkel. Het was een pijpenla met van alles wat. Claire liep door de drie gangpaden en verwonderde zich over de andere merknamen, de kleine verpakkingen en de vreemde rangschikking van de artikelen. De blikjes leken piepklein in vergelijking met de Amerikaanse, en het sap en de frisdrank zaten in minuscule pakjes, zes bij elkaar. Het deed Claire een beetje denken aan haar speelgoedwinkeltje van vroeger met dozen waspoeder, flessen ketchup en potjes augurken. Hier waren de augurken vacuümverpakt, in plasticfolie, net als de knakworstjes. En in de koeling ernaast lagen belegde broodjes, diagonaal doorgesneden, in driehoekige plastic bakjes. Ze keek naar het beleg: tonijnsalade met maïs, kaas en tomaat, ei met waterkers. Het waren vreemde combinaties voor haar en ze wilde ze allemaal wel proeven, maar ze vond dat ze zelf brood moest smeren. Een brood was genoeg voor drie of vier avondmaaltijden. Tot haar blijdschap vond ze de bruine saus die ze ook in het café had gekregen.

Ze bleef rondkijken en lachte hardop om sommige combinaties. Ze wist niet of het hier gangbaar was, maar zij vond het gek dat de bonen naast het waspoeder stonden. Claire kocht uiteindelijk een brood, de bruine saus, een stuk kaas en een fles frisdrank. Terwijl ze aan het neuzen was, waren er klanten geweest, maar toen ze ging afrekenen, was er niemand meer.

De vrouw achter de toonbank was klein en compact en ze had een zwarte, glanzende vlecht die tot over haar middel reikte. Ze droeg een blauwe sari met een schort erop en tuurde door haar brilletje naar Claire. 'Dat was het?' vroeg ze, en hoewel ze onmiskenbaar uit India kwam, was haar Engels onberispelijk.

'Ja.'

'We hebben brood in de aanbieding, en het is nog biologisch ook.'

'Dank u wel,' zei Claire, en toen moest ze vragen waar ze het brood kon vinden. Voordat ze haar brood had geruild, kwam er een tienermeisje met twee kinderen in haar kielzog uit de ruimte achter de winkel.

'Mam, ze luisteren niet,' zei het meisje.

Claire kon een glimlach niet onderdrukken. Het meisje klonk precies zoals Wendy in *Peter Pan.*

'Dat is heel stout van jullie,' zei de vrouw tegen het jongetje en het meisje. 'Jullie moeten doen wat je zus zegt.'

'Maar ik wil tv-kijken,' zei het jochie.

'Jullie krijgen nog vierkante ogen,' zei de vrouw hoofdschuddend.

'Mam, ze hebben hun huiswerk nog niet af.'

'Wat moet ik met jullie beginnen?' vroeg de moeder. 'Als jullie geen huiswerk maken, krijgen jullie geen lekkers.' Het jongetje stribbelde tegen. 'Je kunt niet alles hebben,' zei zijn moeder. Ze keek naar Claire. 'Zie je nou? Ik ben hard aan het werk, maar die kinderen hebben geen respect. Ze storen me. Het spijt me.' Claire wilde zeggen dat het niets gaf, maar de vrouw richtte zich weer tot haar kroost. 'Zie je nou wat je doet? Zeg tegen die mevrouw dat het je spijt.'

'Nee, dat hoeft...' begon Claire, maar de kinderen boden al zangerig hun excuses aan en hun moeder dreef hen terug naar het achterhuis.

Ze schudde haar hoofd. 'Safta zit voor haar eindexamen en ze heeft geen tijd om te lummelen, maar wie moet er anders 's avonds op de kinderen passen?'

'Ik wil het met alle plezier doen,' zei Claire zonder erbij na te denken. De vrouw kneep haar ogen tot spleetjes.

'Waarom?' vroeg ze.

'Nou, ik ben nieuw hier en ik dacht, nou ja, ik hou van kinderen.'

'Je bent Amerikaanse, hè?' zei de vrouw. Claire knikte, al wist ze niet of het gunstig of ongunstig was. 'Waarom zou een Amerikaanse bij mij willen werken?'

'O, het hoeft niet echt werken te zijn,' zei Claire. 'Ik bedoel, ik hoef er geen geld voor.'

De Indiase vrouw kneep haar ogen nog verder dicht. 'Wat moet een rijke Amerikaanse met mijn kinderen?'

Claire bloosde. 'Ik ben niet rijk,' zei ze. 'Ik dacht gewoon, nou ja, het lijken me leuke kinderen. En als u me niet wilt betalen, is het ook goed. Misschien kan ik een beetje op ze passen en dan kunt u...' Ze keek om zich heen. 'U zou me dingen uit de winkel kunnen geven.' De blik van de vrouw werd steeds nieuwsgieriger.

'Heb je honger?' vroeg ze.

Claire glimlachte. 'Nou, ik zou wel een broodje lusten.' Ze haalde diep adem. 'Maar ik ben niet dakloos of zo. Ik heet Claire Bilsop en ik ben net aan Chamberley Terrace komen wonen en ik moet de kost verdienen, dus...'

De vrouw onderbrak haar. 'Ik ben mevrouw Patel,' zei ze. 'Kom morgen maar om dezelfde tijd terug, dan praten we erover.' Ze keek om zich heen. 'Zou je de winkel ook willen vegen?' vroeg ze.

'Ja, natuurlijk,' zei Claire.

Mevrouw Patel nam haar nog even op vanachter haar dikke brillenglazen. Toen sloeg ze Claires aankopen aan. Claire gaf haar een bankbiljet en kreeg haar wisselgeld. Pas toen mevrouw Patel haar boodschappen had ingepakt, zag Claire de ronding onder het schort. Mevrouw Patel was zwanger. Misschien had ze echt hulp nodig. Claire kon haar geluk niet op.

Mevrouw Patel reikte haar de tas aan. 'Tot morgen dan maar.' Claire knikte en liep het donker in. Ze had een baan gevonden, al stelde het niet veel voor. Ze was geen toerist, maar wanneer moest ze terug naar huis? Ze was nu vijf dagen in Londen en ze wilde graag blijven. Ze wist dat ze een keer terug zou moeten gaan, maar de weelde aan avonturen van die dag – de boekwinkel, haar verkenningstocht en nu deze onverwachte ontmoeting – gaf haar het gevoel dat vijf weken, of misschien vijf maanden, nog niet lang genoeg zouden zijn.

26

Claire zat in bed en zette in het schemerige licht van mevrouw Watsons lamp de zestigste steek voor een simpele sjaal op. Toen legde ze de naalden op de stoel bij haar bed. Sommige mensen zetten met de hand op in plaats van met de tweede naald, maar dat was Claire te min. Met de naald opzetten duurde langer, maar de steken werden gelijkmatiger.

Ze was naar huis gegaan, had een sobere broodmaaltijd gegeten en een bad genomen. Ze had het niet prettig gevonden om in haar nachtpon en ochtendjas naar de badkamer te lopen, maar ze was na haar ontmoeting met Maudie die ochtend niemand meer tegengekomen. Toch moesten er andere kamerbewoners zijn, want ze zag hun souvenirs: een rand in de badkuip en baardharen in de afvoer. Ze durfde pas in de badkuip te stappen nadat ze alles goed had schoongemaakt, en toen voelde het nog vreemd om in een bad te zitten waar een onbekende voor haar in had liggen weken. Fred en zij hadden thuis een badkamer gedeeld en ze had vaak zijn rommel moeten opruimen, maar het vuil van een vreemde was op de een of andere manier veel viezer dan dat van je broer. Maar het water was lekker warm, en dankzij het flesje badschuim dat ze uit het hotel had meegenomen had de hele badkamer naar seringen geroken.

Geuren kunnen soms verbijsterend levendige herinneringen oproepen. De seringengeur herinnerde Claire aan de schitterende badkamer in het Berkeley. Ze had zich vertroeteld gevoeld in het hotel, en volmaakt gelukkig, al was dat schijn gebleken. Heel even voelde ze Michaels armen om zich heen en hoorde ze hem 'engel' fluisteren, maar ze verdrong de herinnering voordat de tranen haar in de ogen konden springen en dacht snel aan haar ontmoeting met Toby, die arme Maudie en mevrouw Patel met haar kinderen. Claire kon zich heel goed redden zonder die leugenaar.

Nu, in haar bed, voelde ze zich vreemd tevreden. Ze besloot de boorden van de sjaal in de ribsteek te breien, maar in de lengte een kabelsteek te gebruiken, met de pas gekochte, iets dikkere naalden. Een in Londen op Engelse naalden gebreide sjaal, zelfgemaakt, die ze in de ondergrondse of een rode dubbeldekker kon dragen. Claire glimlachte. Dit had ze zich een week geleden niet kunnen voorstellen, en toch voelde het heel natuurlijk.

Al breiend maakte ze plannen voor de volgende dag. Terwijl ze in bad lag, had ze in haar gids gebladerd. Ze wilde eerst met de ondergrondse naar St.-Paul's Cathedral gaan om de koepel en de grafkelder te zien, en daarna zou ze door Mayfair naar Leicester Square lopen. Tot ze een bron van inkomsten had, wilde ze geen musea bezoeken waar entree werd geheven, maar ze zou een uitzondering maken. En als ze werk kreeg, al was het maar als oppas, kon ze misschien net genoeg geld bij elkaar scharrelen om nog een tijdje te blijven. En morgen zou ze een andere baan kunnen vinden. Het zelfvertrouwen waarmee ze mevrouw Patel had aangesproken, had haar verbaasd. Misschien kon ze het nog eens proberen. Ze had tenslotte niets te verliezen.

Ze legde haar breiwerk weg en pakte het boek dat ze van Toby had gekregen, maar de lamp gaf te weinig licht om de kleine letters te lezen. Ze pakte haar gids weer. Morgen zou ze een bord en een mes gaan kopen. En een sterkere gloeilamp. De gedachte aan het geld dat ze moest uitgeven maakte haar een tikje nerveus, maar ze had nog nooit een eigen bord gehad en het zou leuk zijn om precies het goede voor zichzelf uit te zoeken.

Ze keek om zich heen. De deur van de kleerkast stond open, en ze besefte dat elk voorwerp, elke bezitting, door haarzelf was uitgekozen en perfect bij haar paste: haar schoenen, de zijden blouse, de paar sieraden en zelfs de regenjas. Op de een of andere manier had ze die paar gekoesterde spullen verzameld en alle ballast achter zich gelaten. Ze dacht aan haar kast en de laden thuis, vol kledingstukken die ze niet wilde, niet nodig had, die haar niet pasten of haar niet stonden. Het was heerlijk om te weten dat ze precies had wat ze nodig had en dat het allemaal in de koffer onder haar bed paste. Dit moet ik onthouden, dacht ze. Ze dacht aan Tina's eeuwige gewinkel en de tassen vol 'koopjes' die de vrouwen bij Crayden Smithers 'niet konden laten lopen'. Claire had zich nooit bezondigd aan winkelen om het winkelen zelf, maar zelfs zij was uiteindelijk met allerlei overbodige, niet bij haar passende dingen blijven zitten.

Ze keek nog eens om zich heen en trok de dunne deken om haar schouders. Ongelooflijk dat ze gisterochtend naast Michael Wainwright wakker was geworden, tussen lakens van Egyptische katoen in de meest luxueuze kamer waar ze ooit had geslapen. De gedachte aan Michael verdrong het plezier om de kleine belevenissen. Waarom was ze zo blij met een kop thee in een tweedehands boekwinkel en de kans dat ze een morsige kruidenierswinkel mocht aanvegen? Ze hoefde zich alleen maar voor te stellen waar Michael nu was en wat hij deed om weer te beseffen hoe nietig en onbelangrijk zij zelf was. Ze was niet echt jaloers op hem, maar vergeleken bij hem leek zij zo onbetekenend.

Maar er was toch iets veranderd, wees ze zichzelf terecht. Ze had iets heel bijzonders gedaan: ze had hem de rug toegekeerd en was weggelopen, en het was alsof ze met Michael Wainwright haar oude leven achter zich had gelaten. Ze had een nieuwe stad verkend, misschien een vriend gemaakt en mogelijk zelfs een baantje gevonden.

Crayden Smithers! Claire schoot overeind. Ze had vandaag op haar werk moeten zijn, ze moest doorgeven dat ze meer vakantiedagen opnam. Maar aan wie? Ze had geen zin om Joan te spreken en het was niet netjes om het nieuws door Tina te laten brengen. Toen viel haar blik op de gids en dacht ze aan Abigail. Die kon ze bellen.

Claire sloeg haar ochtendjas om, pakte haar gids en liep op haar tenen door de gang naar de telefoon. Ze hoopte maar dat mevrouw Watson al in bed lag. Ze sloeg de gids open en vond het nummer van Abigail. Ze zou collect moeten bellen, want ze had geen idee hoe het anders moest. En dan was het tijdsverschil er nog. Het zou daar nu een uur of vijf, zes 's middags zijn. Misschien was Abigail al terug van haar werk. Het duurde even voordat Claire snapte hoe je collect moet bellen, maar uiteindelijk hoorde ze Abigails telefoon in New York overgaan.

'Hallo?' zei een stem. Het was Abigail.

'Mevrouw Samuels? U spreekt met Claire. Neem me niet kwalijk dat ik u thuis opbel, maar...'

'Ik ben juist heel blij iets van je te horen. Ik verwachtte het ergste.'

'Het ergste?'

'Nou, niet het allerergste, maar toen meneer Wainwright vandaag wel op het werk verscheen en jij niet, kwam het in me op dat mannen niet voor niets ladykillers worden genoemd. Ik dacht niet dat Wainwright je echt had vermoord, maar, nu ja, emotioneel...'

'Ik voel me goed,' zei Claire, en op dat moment was het waar. 'Ik wilde gewoon nog even blijven. Het is fantastisch in Londen.'

'O, fijn. Ik ben blij dat je ervan geniet.'

'Ja, met volle teugen. Morgen ga ik naar St.-Patrick's.'

'St.-Patrick's?'

'O, St.-Paul's, bedoel ik. Maar goed, wilt u mijn vakantiedagen voor me afstrepen? Ik weet dat ik gisteren al had moeten bellen, maar...'

'Maak je geen zorgen. Geniet er maar van dat je het gesprek van de dag bent op kantoor en neem de tijd.'

'Ik denk dat ik volgende week terugkom. Ik raak snel door mijn geld heen, maar ik heb onderdak gevonden.'

'Echt? Geef me het adres maar, voor de zekerheid.' Toen Claire haar adres had doorgegeven, zei Abigail iets heel merkwaardigs: 'Ik ben trots op je. Moedig voorwaarts.'

Claire had er geen beter antwoord op dan: 'Dank u. Dat zal ik doen.' Ze namen afscheid. Claire sloop terug naar haar kamer, deed de deur dicht en klom weer in bed.

Het klinkt ongelooflijk, maar toen Claire het licht uitdeed en haar hoofd op het ruwe polyester kussensloop legde, glimlachte ze in het donker. Ze verheugde zich op het ontbijt in een café de volgende dag, een lange wandeling, een bezoek aan de boekwinkel en misschien een manier om geld te verdienen. Ze neuriede een liedje dat haar vader vroeger op de piano had gespeeld en dat zij op de blokfluit had leren spelen, en zo viel ze in slaap.

De volgende dag wist Claire toen ze wakker werd dat ze lange, ingewikkelde dromen had gehad, maar ze herinnerde zich er niets van. Het zag er buiten koud en mistig uit, dus begon ze haar dag met weer een warm bad, waarna ze haar zwarte broek, het nieuwe T-shirt en haar zelfgebreide trui aantrok. Ze keek naar haar breiwerk, besloot het mee te nemen en wenste zodra ze buiten kwam weer dat ze de sjaal al af had. Ze knoopte haar regenjas tot bovenaan dicht en liep naar het café en de ondergrondse.

Tegen de tijd dat ze bij het café aankwam, was alle warmte van haar bad in de mist verdampt en had ze het ijskoud. Een kop thee en een stevige maaltijd, dat had ze nu nodig. Het raam van het café was beslagen. Claire ging naar binnen en belandde weer in een wereld vol arbeiders. Deze keer wuifde ze naar de serveerster en ging ongevraagd zitten. Toen ze bestelde, dacht ze erom te zeggen dat ze geen bonen hoefde, maar ze at de eieren, de patat, de bacon, de champignons en tomaten allemaal op. Ze veegde haar bord met een korst bruinbrood schoon en dronk drie koppen thee.

'Jij kunt heel wat op, hè, voor zo'n klein ding als jij,' zei de serveerster. Claire bette haar mond en knikte. 'Heb je al onderdak gevonden?'

'Ja, dank je.'

'Hopelijk is het niet al te erg?'

Claire schudde haar hoofd. 'Ik ben Claire.' Ze gaf de serveerster een hand.

'Nou, leuk je weer te zien,' zei de oudere vrouw, en ze ging weer aan het werk.

Claire was een beetje teleurgesteld omdat de serveerster zich niet had voorgesteld, maar ze rekende af en liep weer warm de nevel in.

De wandeling door Camden High Street was vandaag volkomen anders, en dat kwam niet alleen door het weer. De meeste winkels waren dicht en er liep geen mens op straat, alsof de mensen hier alleen in het weekend gingen winkelen.

Ze kocht een kaartje voor de ondergrondse, stapte een halte voor St.-Paul's uit en liep het laatste stuk. Ze had er geen spijt van, want het uitzicht op de heuvel met de koepel van de kathedraal erboven was... nu ja, het was verbijsterend.

Toen Claire de vele treden naar de kathedraal beklom, dacht ze aan alle koninklijke trouwstoeten die hier hadden gelopen.

Tot haar verbazing was het heel druk binnen, en er was een dienst gaande. Er zaten weinig mensen in de banken, maar langs de zijpaden van de kerk werden grote groepen rondgeleid. Claire wist niet of je voor een gids moest betalen, maar ze werkte zich steels van de ene groep naar de andere en hoorde zo van alles over de kathedraal.

Na afloop van de dienst durfde Claire ook door het midden van de kathedraal te lopen. De muren waren behangen met plaquettes, vaak met een borstbeeld, bloemguirlandes en afgebroken Griekse zuilen. De Latijnse en Oud-Engelse teksten waren vreemd, maar bekoorlijk.

Aan de linkerkant van de kerk zag ze een onopvallend modern bordje dat de weg wees naar de grafkelder. Het klonk griezelig, maar ze daalde de trap toch af en dwaalde rond en keek naar namen, data en beeldhouwwerk. Toen liep ze een hoek om, langs een pilaar, en werd verliefd.

Daar stond de mooiste man die ze ooit had gezien. Hij had een adembenemend profiel, met een hoog voorhoofd, een volmaakt rechte, smalle neus, volle, maar toch mannelijke lippen en de volmaaktste kaaklijn die ze ooit had gezien. Hij had een staartje in zijn achterovergekamde haar. Ze liep naar de voorkant van het standbeeld om hem recht in zijn gezicht te kijken. Hij leek in een onmetelijke verte te turen. Hij was van marmer, maar de beeldhouwer had zijn schepping leven en spanning weten in te blazen, en de spieren en pezen waarmee hij naar haar toe wilde komen, waren goed zichtbaar onder zijn nauwsluitende achttiende-eeuwse uniform.

Claire dacht aan het verhaal van Pygmalion. Zij had dit beeld niet geschapen, maar toch was ze er verliefd op. Hij stond op een verhoging, een soort schip dat op het punt stond te zinken. Ze keek naar de naam langs de rand – kapitein Wentworth – en de overlijdensdatum. Tranen welden in haar ogen op. Die beeldschone man was meer dan tweehonderd jaar geleden gesneuveld in een onvoorstelbare zeeslag. Wat had hij vlak voor zijn dood gezien? Zijn ouders, zijn vrouw of geliefde en zelfs zijn honden en paarden (want die moest hij hebben gehad) moesten ontroostbaar geweest zijn. Claire keek naar zijn mond en wilde hem kussen. Kon ze hem zo maar tot leven wekken.

Toen dacht ze aan Michael, en zijn lippen. Michael mocht nog zo aantrekkelijk zijn, hij had nooit een offer voor iemand gebracht, laat staan voor zijn land of zijn overtuigingen. Niet alleen had hij haar met Katherine Rensselaer bedrogen, hij had Katherine Rensselaer ook bedrogen door daarna naast Claire in bed te kruipen, al had Katherine het vermoedelijk geweten. Ze keek weer naar kapitein Wentworths gezicht en kon zich niet voorstellen dat hij zich ooit had misdragen.

Ze wist niet hoe lang ze daar in gedachten verzonken had gestaan toen er een groep toeristen de hoek omkwam. Claire repte zich weg, want ze wilde niets horen dat haar droom aan scherven kon gooien.

Ze liep de kathedraal uit, wierp een blik op het massieve standbeeld van koningin Anne en haastte zich naar Fleet Street onder aan de heuvel. Ze wist dat hier veel kranten hadden gezeten en dat de pers nog steeds zo werd genoemd, al waren ze allemaal verhuisd.

Ze wandelde een tijdje met ingetrokken schouders tegen de kou. Wat doe ik hier eigenlijk? dacht ze. Dit is waanzin. Ze was alleen en zou dat waarschijnlijk altijd blijven. Als ze nu midden in Fleet Street dood neerviel, hoe lang zou het dan duren voordat ze erachter kwamen wie ze was? En wie zou er om haar rouwen? Zij zou zeker geen standbeeld van diepbedroefde naasten krijgen.

Opeens voelde Claire zich zo moe dat ze het liefst was gaan liggen. Uiteindelijk belandde ze op een groot plein waar duiven fladderden. Er stond een hoge zuil met leeuwen aan de voet, en erbovenop stond weer een standbeeld. Ze herkende Nelson en begreep dat ze op Trafalgar Square was, waar ze op haar eerste dag in Londen langs was gereden. Het was net een filmdecor, alleen had zij nu ook een rol in de film. Het maakte haar gelukkig en happig op nieuwe avonturen.

27

Claire zakte op een bank en keek op naar admiraal Nelson. Ze herinnerde zich hoe Michael en zij vanuit de National Portrait Gallery op hem hadden neergekeken, maar nu kon ze alleen nog maar naar hem opkijken. Ze mocht niet meer aan Michael denken. Al was ze dan alleen, ze wás hier tenminste. Ze keek op haar horloge. Thuis was het nog heel vroeg. Tina kwam nu net onder de douche vandaan en begon aan haar opmaakritueel. Zou ze zich afvragen waar Claire bleef? Had ze Michael ernaar gevraagd? Straks, op kantoor, zouden Tina, de Maries, Joan en zelfs Abigail haar afwezigheid bespreken. Zou Tina aan Claires moeder vertellen waar ze echt zat? Ze betwijfelde het. Zou haar moeder ongerust zijn? Dat betwijfelde Claire ook. Over een paar dagen, misschien.

Het idee dat wanneer zij na een dag vol bezienswaardigheden en ontmoetingen weer op haar kamer bij mevrouw Watson zat, de vrouwen van Crayden Smithers net aan weer een saaie lunch begonnen, bezorgde haar een huivering, ondanks de warme zon. Haar afwezigheid maakte geen enkel verschil, alleen hadden ze nu een nieuw gespreksonderwerp: Claire zelf. Ze glimlachte en keek naar een zwerm duiven in de lucht. Ze was nooit eerder een bron van vermaak geweest, maar nu zou ze hoogst interessant zijn.

Haar glimlach verdween toen ze aan de Kanjer dacht. Hij zat nu in zijn perfecte colbert de *Wall Street Journal* te lezen. Waarschijnlijk dacht hij niet eens meer aan haar, tenzij met een lichte wrevel. Ze zette hem uit haar gedachten.

Ze stond op. Ze zou naar de National Gallery gaan, wat rondlopen en nog een kop thee drinken. Ze begon trek te krijgen, maar vertelde zichzelf dat ze geen lunch kreeg en geen geld aan de bus ging uitgeven. Ze zou naar 'huis' lopen. Ze was nog geen week in Londen, maar had al meer gelopen dan in Tottenville in een heel jaar. Hier voelde het op de een of andere manier niet als een inspanning, maar als een verkenning.

En sinds ze Michael in het hotel had achtergelaten, had ze minder gegeten. Geen bagel meer van Sy, geen broodje om elf uur, geen lunch na het ontbijt en bijna geen avondmaal. Ze dacht aan het brood en de kaas op haar kamer. Ze had een broodje voor onderweg kunnen maken, maar daar was het nu te laat voor. Ze zou eten als ze weer thuiskwam, en om acht uur ging ze naar mevrouw Patel om over een baan te praten. Zo zag haar dag eruit.

Het was verbazend vol in de National Gallery. Claire had al heel lang geen museum meer bezocht en wist eigenlijk niet goed hoe je naar een schilderij moet kijken. Ze zag de Maagd Maria op het doek voor zich en de lichtstraal met een engel erin, maar wat betekende het, afgezien van de mooie kleuren? Ze besloot erachter te komen en ging op een bank tegenover *De annunciatie* zitten. Ze wachtte geduldig tot er een gids met een groep bejaarde vrouwen bij het schilderij stopte.

'Dit vijftiende-eeuwse schilderij is een klassieke Maria Boodschap. De Maagd luistert geknield naar de engel die over de aanstaande geboorte van Jezus vertelt. Wat we hier zien, is de beeldtaal van de schilders uit die tijd. Aangezien het publiek analfabeet was, moesten ze een manier bedenken om duidelijk te maken dat dit Maria was en niet Sint-Anna of Sint-Katherine, om maar iets te noemen. Daar bedachten ze aanwijzingen voor. Omdat Maria Christus zou baren, en dus zijn draagster was, staat er een vaas aan de rechterkant. De lelie is ook een symbool van de Maagd omdat ze vrij was van de oerzonde en dus, net als de lelie, onbezoedeld was in de ogen van God en de mensheid. Sint-Katherine van Alexandrië zou worden afgebeeld met het rad waarop ze de marteldood is gestorven.' De gids keek glimlachend naar haar groep. 'Er waren nog geen gidsen in die tijd, dus het schilderij moest zichzelf verklaren. Fra Filippo heeft dat veel duidelijker gedaan dan ik ooit zou kunnen,' zei ze. De groep protesteerde beleefd en liep naar het volgende schilderij.

Claire bleef op de bank naar het schilderij zitten kijken. Door al die aanwijzingen waar ze niets van had geweten, was het schilderij heel anders geworden. De goudkleurige vaas die ze eerst niet had opgemerkt, sprong er nu uit. De volmaakt afgebeelde lelie leek licht uit te stralen. Claire stond op en liep langs alle middeleeuwse schilderijen van de annunciatie, en nu zag ze dat ze bijna allemaal van lelies en vazen waren voorzien. Het zijn niet echt puzzels, dacht Claire, het is meer een andere taal. De volgende keer dat ze bij Toby was, zou ze een boek over middeleeuwse kunst kopen. Ze zou die taal leren verstaan. Toen ze het museum verliet, was ze vastbesloten niet alleen de symboliek van schilderijen, maar ook die van het dagelijkse leven te ontdekken.

De wandeling terug naar huis was boeiend, maar erg lang. Toen Claire terugkwam, was ze bekaf. Ze at de rest van de kaas en het brood, dronk wat water en viel in slaap.

Toen ze wakker werd, was het bijna tien uur. Ze wist even niet waar ze was en schrok toen: ze was veel te laat voor de afspraak met mevrouw Patel. Ze sprong uit bed in haar gekreukte kleren en vergat haar sleutel bijna van de zenuwen. Net toen ze bij de kruidenierswinkel aankwam, deed mevrouw Patel de deur open.

'Daar ben je dan,' zei mevrouw Patel. Claire, die buiten adem was van het rennen, knikte.

'Het spijt me heel erg,' zei ze. 'Ik ben...'

'Je bent te laat. Veel te laat. Ik heb nu geen hulp meer nodig.'

Claire boog haar hoofd. Haar excuses aanbieden had waarschijnlijk geen zin meer. Ze schaamde zich en voelde de tranen in haar ogen springen. Stel je niet aan, dacht ze. Zo'n goede baan was het niet. Ze wilde weglopen, maar bedacht zich en keek op. 'Kan ik toch iets voor u doen? Ik hoef er geen geld voor,' zei ze met haar blik op de bolle buik van mevrouw Patel.

'Nou, je zou het rolluik naar beneden kunnen draaien,' zei mevrouw Patel. 'Maar je krijgt er niets voor.' Claire knikte en gehoorzaamde gedwee. 'Tot de helft,' zei mevrouw Patel vinnig. 'En loop dan maar mee naar binnen.' Mevrouw Patel dook onhandig onder het rolluik door en toen ze allebei binnen waren, gaf ze Claire een bezem. 'Begin maar achterin,' zei ze. 'En veeg het stof niet onder de schappen,' voegde ze eraan toe.

Claire pakte de bezem, liep naar het eind van het eerste gangpad en begon. Binnen de kortste keren moest ze niezen. De vloer was kennelijk al een tijd niet meer geveegd. Mevrouw Patel was achter de toonbank bezig. Claire richtte haar aandacht op de bezem, maar toen ze bij het midden van het eerste gangpad was moest ze mevrouw Patel wel om een glas water vragen.

'Heb je nu al dorst?'

'Nee, niet voor mezelf, maar om het stof te laten neerslaan.'

Mevrouw Patel dacht even na en pakte een emmer vanonder de toonbank. 'Achterin, naast de vuilnisbak, is een gootsteen.' Ze zag Claires tranende ogen en werd iets milder. 'Het is wel een beetje een troep,' gaf ze toe.

Het kostte Claire bijna drie kwartier om de winkel aan te vegen, en toen nog eens een kwartier om het vuil weg te gooien en de vloer af te nemen.

'Er zou weleens gedweild mogen worden,' zei mevrouw Patel toen ze het resultaat bekeek. Claire knikte in de hoop dat ze dat ook zou mogen doen.

'Ik doe het graag,' zei ze.

'Nu niet meer,' zei mevrouw Patel. 'Het is te laat.'

Claire voelde zich weer overmand door schuldgevoelens en spijt omdat ze haar kans had verspeeld. 'Waar zal ik de bezem opbergen?' vroeg ze.

'In de kast achterin. Morgen kun je hem weer gebruiken en daarna mag je dweilen.' Mevrouw Patel trok haar wenkbrauwen op. 'Als je tenminste op tijd komt.'

'Ik kom op tijd,' zei Claire. 'Toevallig heb ik veel verantwoordelijkheidsgevoel.'

'We zullen zien,' zei mevrouw Patel.

Claire waste haar handen bij de gootsteen en liep terug naar de voorkant van de winkel. De bibliothecaresse in haar kon de lukraak gerangschikte blikken en dozen bijna niet aanzien. Ze herinnerde zich een vrouw in een roman van Anne Tyler die al haar blikjes op alfabet zette. Ze glimlachte erom en mevrouw Patel, die niets van haar binnenpretje wist, dacht dat ze achterlijk was. En anders wel geschift. Waarom zou een Amerikaans meisje lachen bij werk waar zelfs een onaanraakbare niet van hield? 'Hier,' zei ze, en ze gaf Claire een tas. Claire wilde niet onbeleefd zijn, maar wierp er toch een blik in. Ze zag brood, chips, kaas, twee blikjes cola en een rol koekjes. Mevrouw Patel wuifde haar bedankje weg. 'Heb je een koelkast?' vroeg ze. 'En een gasstel?' Claire schudde haar hoofd. 'Tja, ik wilde je een pakje thee en een blikje vis geven, maar ik wist niet of je er iets aan had.' Mevrouw Patel liet de kassa openspringen, pakte een biljet van tien pond uit de la en wilde het aan Claire geven.

'Nee, nee,' zei Claire. 'Ik was te laat. Het spijt me. Ik had toch gezegd dat ik gratis zou werken?'

'Niemand werkt voor niets,' zei mevrouw Patel.

'Nou, ik heb hiervoor gewerkt.' Claire klopte op de tas en liep naar de deur voordat mevrouw Patel nog iets kon zeggen. 'Verder nog iets?' vroeg ze.

'Ja, je kunt die in de container stoppen. Hij staat buiten.'

Claire pakte de loodzware vuilniszak, dook onder het rolluik door en gooide de vuilniszak weg.

Toen ze thuiskwam, stond haar hospita haar op te wachten. 'Je moet vooruitbetalen,' zei ze. Mevrouw Watson begon steeds meer op een heks te lijken. Claire bloosde. Ze wist niet of ze eten op haar kamer mocht hebben en wilde niet op een overtreding betrapt worden.

Ze zette de tas op de vloer en pakte haar portemonnee. Ze haalde er een briefje van twintig pond uit en kreeg twee munten terug. 'En, hoe lang blijf je?'

Claire glimlachte. 'Ik weet het nog niet,' zei ze, 'maar het zou vrij lang kunnen worden.'

28

Toen Claire de volgende ochtend wakker werd, was ze zo blij als een kind op de eerste vakantiedag, al was het haar zevende al. Ze sprong uit bed en zag zowaar de zon door het raam schijnen. Het was haar eerste zonnige dag. Ze nam een bad en trok haar zwarte broek en het nieuwe T-shirt aan. Ze deed ook haar oorbellen met parels in.

Toen ging ze op het bed zitten en pakte haar notitieboekje. Mevrouw Patel had haar de avond tevoren tien pond willen toestoppen. Als ze elke avond tien pond kreeg, wat hield dat dan in? Ze maakte een paar berekeningen. Als ze kruidenierswaren en tien pond kreeg, kon ze bijna twee keer zo lang in Londen blijven. Een luxe die ze echter niet meer wilde opgeven, was het warme ontbijt. Dat moest, samen met een kop thee 's middags en een snack met veel koolhydraten en vet 's avonds, genoeg zijn om overeind te blijven.

Vandaag wilde ze echter met brood ontbijten. De chips kon ze tussen de middag opeten. Ze stopte het eten bij haar breiwerk in de tas. Pas nu zag ze dat ze ook een klein pakje koekjes had gekregen, en dat nam ze ook mee. Ze wilde met de ondergrondse naar Piccadilly Circus gaan en dan door Regent Street en Mayfair lopen. Abigail had de thee bij Claridge's onderstreept en 'verplicht!' in de kantlijn geschreven. Claire wist niet wat het zou kosten, maar als ze tijd had, werd dat haar traktatie van deze dag.

Terwijl ze naar de ondergrondse liep, dacht ze aan Toby. Ze had nog niet eens naar het boek gekeken! Gelukkig had ze het bij zich, dan kon ze er vandaag in lezen. Ze voelde zich natuurlijk tot de boekwinkel aangetrokken, maar als ze er te vaak kwam, was ze misschien niet meer welkom.

Op Piccadilly Circus verbaasde ze zich over alle afzettingen en over het standbeeld van Eros, dat erg nietig leek. Ze had ook nog nooit zoveel toeristen bij elkaar gezien. De Amerikanen liepen er te vrijblijvend bij, de Duitsers te vormelijk, de Japanners waren óf te stijlvol, óf saai gekleed en alle jonge mensen, uit welk land dan ook, droegen kleren van Nike, Benetton en The Gap.

Ze ving haar eigen spiegelbeeld op in een etalageruit en zag dat ze er iets stijver, of misschien minder uitbundig, uitzag dan haar leeftijdsgenoten, maar ze vond dat ze ook meer leek op de mensen die hier woonden, en dat haar kapsel echt heel stijlvol was. Ze vroeg zich af of ze hier permanent zou kunnen wonen. Het herinnerde haar aan Tina, kantoor en haar moeder. Ze zou hen moeten bellen, maar ze zag tegen de gesprekken en de kosten op. Net toen ze dat dacht, liep ze langs rekken vol ansichtkaarten. Ze had nog nooit in haar leven een kaart verstuurd, misschien omdat ze nooit ergens was geweest waarvandaan ze een kaart kon sturen, maar nu was ze ergens. Ze keek naar de kaarten en zocht er een uit van een rode dubbeldekker, een van Trafalgar Square en een met de parlementsgebouwen en de Big Ben met het reuzenrad op de achtergrond, die haar weer aan Michael herinnerde.

Niet doen, zei ze streng tegen zichzelf, en ze keek weer naar de kaarten. Ze zou er een aan haar moeder sturen, een aan Tina en een aan Abigail op kantoor.

Ze zuchtte. Abigail hield haar mond wel, maar ze twijfelde er niet aan dat alles wat ze aan Tina schreef breed op kantoor zou worden uitgemeten. Ze dacht aan alle uren dat ze aan die lunchtafel had gezeten en naar de roddels had geluisterd. Ze waren niet echt vals (behalve Joan misschien), maar het leek nu zo zonde van haar tijd. En sinds ze in Londen was, leek haar tijd ongelooflijk kostbaar, al wist ze niet waarom. Niet omdat anderen haar zo waardeerden. Haar moeder had nu meer tijd met Jerry alleen en bij Crayden Smithers zouden ze haar ook niet echt missen, behalve Tina misschien. En de Kanjer had het weer druk met zijn werk en zijn sliert vrouwen en zou waarschijnlijk nooit meer aan haar denken. Nee, geen mens zou haar missen. Ze vroeg zich af of ze hier ook zo lang zou kunnen blijven wonen zonder ook maar een beetje indruk op iemand te maken.

Claire liep door Mayfair, een drukke buurt met veel chique winkels: prachtige kasjmier, schitterend antiek en herenkledingzaken waar alleen maatkleding werd gemaakt.

Ze liep door de ene straat na de andere tot ze bij Grosvenor Square uitkwam, een mooi stukje groen, al werd een kant bedorven door een schrikbarend lelijke betonkolos. Claire liep erheen, want ze moest gewoon weten waar dat gedrocht toe diende. Tot haar verbazing zag ze een standbeeld van president Eisenhower bij de ingang staan. Leuk, dacht ze, dat de Britten hem zo bedanken voor wat hij in de oorlog heeft gedaan.

Toen kwam ze nog dichterbij en schrok. Dit gebouw was nota bene de Amerikaanse ambassade. Ze geloofde haar ogen niet. Het moest wel het afzichtelijkste gebouw van Londen zijn. Ze liep er helemaal omheen, maar het werd niet beter. Ze zag verder niemand vol afgrijzen naar het gebouw kijken. Misschien wendt iedereen zijn blik af, dacht ze. Ze voelde zich persoonlijk verantwoordelijk en had de vreemde neiging haar excuses aan te bieden. Ze was Amerikaans staatsburger. Dit was haar ambassade. Hoe was die architectonische tragedie tot stand gekomen? Ze liep doelbewust de treden naar de ingang op.

Ze was nog maar halverwege toen ze staande werd gehouden door een jonge man in uniform. 'Mevrouw, wilt u me uw naam, nationaliteit en het doel van uw komst vertellen?'

Claire stond versteld, en ze was woedend. 'Ik ben Amerikaanse,' zei ze. 'En ik wil iemand van de ambassade spreken.'

'Waarover?'

Hoe kon ze het uitleggen? Ze keek naar de wilskrachtige kin van de soldaat en dacht aan Fred. Fred had haar uitgelachen, maar ze liet zich niet kleineren en zou haar verontwaardiging niet inslikken. 'Dat is mijn zaak,' zei ze. Ze dacht het begin van een glimlach te zien.

'Dat zou kunnen, maar ik moet u toch om uw paspoort vragen.'

'Maar dat heb ik thuis laten liggen. In mijn hotel, bedoel ik,' zei ze.

'Het spijt me, maar dan mag u niet naar binnen, mevrouw. U zult later met uw paspoort moeten terugkomen.' Hij zweeg even. 'Het spijt me echt. Het zijn veiligheidsmaatregelen. Hebt u een probleem?'

Ze schudde haar hoofd en haalde diep adem. 'Ik wil alleen maar weten wie dit heeft gebouwd, en wanneer.'

'Wie wat heeft gebouwd, mevrouw?' vroeg hij.

'Dit gebouw,' zei ze korzelig. 'Dit verschrikkelijke gebouw.'

Hij keek over zijn schouder en omhoog alsof hij het voor het eerst zag. 'Weet ik niet,' zei hij schouderophalend. 'Wij, denk ik.'

'Nou, maar ik niet,' zei Claire streng. 'En als ik hier belasting voor heb betaald, wil ik mijn geld terug.'

Hij lachte, maar niet gemeen, niet zoals Fred had gedaan. 'Tja, ik had er nog nooit over nagedacht,' zei hij, 'maar het is inderdaad geen Buckingham Palace.'

Claire kwam tot bedaren. Misschien was ze uit haar slof geschoten. Ze bloosde zonder te weten hoe aantrekkelijk het haar maakte, en hoe eenzaam een jonge Amerikaan ver van huis kon zijn. 'Ben je hier al lang? Met vakantie?' vroeg hij.

'Ik weet het niet,' zei ze, en ze zag dat hij haar onderzoekend aankeek, alsof ze toch een bedreiging zou kunnen vormen. 'Ik bedoel,' legde ze uit, 'dat ik zo lang mogelijk wil blijven. In elk geval tot mijn geld op is.'

Hij glimlachte weer. 'Ik wil juist zo snel mogelijk terug,' zei hij. 'Waar kom jij vandaan?'

'New York, maar niet de stad zelf.' Ze vertelde hem over Staten Island.

'Een leuk stadje, zo te horen. Misschien doe je me daarom aan thuis denken.' Hij zweeg en keek zoekend om zich heen. Toen hij zeker wist dat ze niet afgeluisterd konden worden, vervolgde hij: 'Hé, zullen we een keer een biertje gaan drinken? Ik weet een café waar we Amerikaans Budweiser kunnen krijgen. Nog koud ook.'

Claire nam de jongen op. Hij was aantrekkelijk op een frisgewassen, Amerikaanse manier, maar bier hijsen met een brave borst die niet eens zag waar hij werkte, was het laatste waar ze zin in had. Ze had zelf natuurlijk ook nooit goed op de architectuur in New York gelet, bedacht ze, maar daar waren ook geen volmaakte pleinen met aansluitende gevels. Ze aarzelde.

'We kunnen naar de bioscoop gaan,' probeerde hij haar te overreden. 'En misschien kan ik uitnodigingen voor ambassadefeestjes voor je regelen.'

Ze snoof niet minachtend, al wilde ze niet naar feestjes, want de jongen leek aardig en hij had een leuke lach. En hoewel ze het nooit zou bekennen, zelfs niet aan zichzelf, gaf het haar een goed gevoel dat een onbekende een afspraakje met haar wilde maken. 'Ik hou niet van feesten,' zei ze, 'maar we zouden eens uit eten kunnen gaan.'

'Waar kan ik je bereiken?'

'Ik heb geen telefoon, maar je zou me jouw nummer kunnen geven.'

'Bel je dan echt?' vroeg hij.

'Ja.' En terwijl hij zijn naam (hij heette korporaal Adam Tucker) en telefoonnummer noteerde, besloot ze dat ze het zou doen.

29

Het was zo'n heerlijke dag dat Claire om een uur, toen ze langs het kolossale smeedijzeren hek van Green Park liep, besloot te gaan zitten. Ze zou in het park lunchen en een stukje in Toby's boek lezen. Het was warm, en er liepen veel mensen te wandelen. Anderen zaten in het gras of in strandstoelen. Claire vond het vreemd dat iedereen dezelfde onhandige stoelen bij zich had. Werden er soms geen andere verkocht in Londen? Toen begreep ze dat het stoelen van het park waren. Ze koos er een uit en ging zitten. De stoel zat prima en de zon scheen op haar gezicht, en ze kreeg bijna zin om een dutje te doen. Hoe kregen ze dat in Londen voor elkaar? In New York waren de banken aan de stoep verankerd. Ze zaten niet lekker, maar ze konden niet gejat worden. Wat een weelde, een stad waar niemand stal en niet elke vierkante centimeter onder de graffiti zat. Ze pakte haar breiwerk en breide een tijdje. Toen werd ze loom van de zon, en haar handen werden traag...

Ze schrok op toen ze op haar schouder werd getikt door een man met een uniformpet op. 'Hebt u al betaald?' zei hij. Als hij geen uniform had gedragen, had Claire hem voor een gek aangezien. Er zwierven er genoeg door de parken van New York, dus hier zaten ze vast ook. Maar ze kreeg langzamerhand door dat ze eerst om zich heen moest kijken voor ze haar conclusies trok, want de gewoonten waren hier anders. De stoelen waren van het park en kennelijk moest je er huur voor betalen. Claire was niet teleurgesteld, maar onder de indruk van het praktische, gemakkelijke systeem. Veel handiger dan zelf een stoel naar het park sjouwen.

'Wat kost het?' vroeg ze.

'Een pond per uur,' zei de man en hoewel het weer een extra uitgave was, vond ze het meer dan de moeite waard.

Ze zag mensen over de paden slenteren en vroeg zich af hoe ze leefden. Hadden ze werk? Wat deden ze midden op de dag in dit park in hartje Londen? Woonden ze hier in de buurt? Tot het park om een uur of twee plotseling leegliep. Ze werken zeker allemaal, dacht Claire, blij dat zij geen afstand hoefde te doen van haar stoel in de zon.

Ze pakte Toby's boek uit haar tas en sloeg het zomaar ergens open. Het was geschreven in negentiende-eeuws Engels en Claire vroeg zich af of ze wel zin had om stokoude Britse verhandelingen te lezen, maar toen viel haar oog op de titel 'De afgedankte mens' en ze begon te lezen. Lamb had gelukkig een toegankelijke stijl en kon zelfs geestig uit de hoek komen. Na de eerste alinea leek het al alsof hij haar zelf toesprak, maar hij kon niet tegen de zon en de luie stoel opboksen en uiteindelijk viel Claire toch in slaap.

Toen ze opschrok, geneerde ze zich natuurlijk, al was er geen reden om niet midden op de dag siësta te houden. Ze dacht aan al die keren dat ze zo moe was geweest, of haar werk zo saai had gevonden, dat ze ernaar had gesnakt een dutje te doen. Destijds had het niet gekund.

De gedachte aan een terugkeer naar dat leven maakte haar somber. Zat ze echt pas een week in Londen? Ze telde de dagen op haar vingers af. Ze was op donderdag aangekomen, nog net geen week geleden, maar ze had al zoveel gezien en ze wilde nog zoveel doen dat ze gewoon niet terug kón gaan. Niet over een week en niet over een maand. Ze wist niet hoe ze het voor elkaar moest krijgen, maar dit werd geen vakantie van een paar weken.

Opgemonterd door die gewichtige beslissing en verkwikt na haar dutje pakte ze de drie ansichtkaarten uit haar tas. Ze moest er rekening mee houden dat Tina haar kaart op kantoor zou laten zien, ook al kreeg ze hem thuis. Haar vragen het niet te doen zou niets uithalen. Tja, er was niet veel schrijfruimte en ze hoefde geen verantwoording af te leggen. Het was maar een kaart.

Londen is super. Ik heb het zo naar mijn zin dat ik nog niet naar huis wil. Ik zie van alles en maak nieuwe vrienden.
Liefs, Claire

Ze las de tekst nog eens over en vond hem een tikje afstandelijk, maar ze kon Tina gewoon niet uitleggen hoe zalig het was dat ze het leven waar Tina zo dol op was achter zich had gelaten. Claire zuchtte. Waarschijnlijk zou ze snel genoeg terug moeten, al was ze haar baan dan kwijt. Ze haalde haar schouders op en pakte de volgende kaart. Die voor Abigail zou ze naar kantoor moeten sturen, en hoewel ze hem in de postkamer zouden kunnen lezen, dacht ze niet dat Abigail hem aan iemand zou laten zien. Toch kon ze zich maar beter op de vlakte houden.

Nog heel erg bedankt voor je hulp en de gids, die ik elke dag gebruik. Er is hier zoveel te zien dat ik nog niet terug kon komen. Ik heb een baantje gevonden en blijf misschien langer. Nogmaals bedankt voor alles.
Claire

De laatste kaart was het moeilijkst. Ze schreef haar huisadres erop en dacht na. De zon was achter een wolk verdwenen, dus het weer zou wel weer omslaan, zoals gewoonlijk. Claire begon te schrijven.

Lieve mam,
Ik kreeg via mijn werk de kans naar Londen te gaan, en ik heb die kans aangegrepen. Sorry dat ik het niet van tevoren heb gezegd, maar ik heb tot het laatste moment getwijfeld. Maak je geen zorgen. Het gaat goed. Ik schrijf je binnenkort. Groetjes aan Jerry.

Het viel niet mee, maar ze wist dat ze nog iets moest schrijven:

PS: ik heb je klantenkaart van Saks gebruikt, maar ik betaal alles terug.

Haar moeder was haar meer geld schuldig dan Claire had opgemaakt, maar daar wilde ze niet over beginnen. Haar verdwijning zou hard aangekomen kunnen zijn, al wist je het nooit. Misschien was haar moeder alleen maar blij dat Jerry en zij het rijk nu alleen hadden. Ze zou het kostgeld missen, maar misschien zou dat Jerry ertoe aanzetten eindelijk eens werk te gaan zoeken.

Omdat Claire niet nog een pond voor de stoel wilde betalen stond ze op, kocht postzegels en postte de kaarten. Toen liep ze door het park naar The Mall, ging rechtsaf en zag het grote gedenkteken voor koningin Victoria met Buckingham Palace erachter.

Ze liet de afmetingen, de garde en het goud op zich inwerken en pakte toen Abigails gids erbij, waarin ze las dat dit sinds de kroning van Victoria het hoofdverblijf van het koningshuis was geweest, en dat de vlag uithing wanneer de koningin thuis was. De vlag hing uit en Claire liep naar de hekken. Ergens binnen, niet ver weg, zat de koningin van Engeland een kop thee te drinken, een boek te lezen of met een van haar honden te spelen! Claire was nog nooit zo dicht bij het vorstenhuis geweest, en ze stond versteld bij het idee dat de oudere dame wier foto ze duizenden keren had gezien hier echt woonde. Ze las dat de wisseling van de wacht om halftwaalf werd gehouden en besloot er een keer voor terug te komen.

Ze liep langs het hek naar rechts over Constitution Hill. De linkerkant van de weg was afgezet met een oude stenen muur van meer dan drie meter hoog met rollen glimmend prikkeldraad erop. Claire liep en liep, maar er kwam geen eind aan de muur. Ze keek nog eens goed op haar plattegrond. Het was de muur om de achtertuin van de koningin! Ze zag dat de tuin, die Buckingham Palace Gardens heette, ongeveer net zo groot was als Green Park en dat er een meer met een eiland erin was. Claire schudde haar hoofd. Hoe zou het zijn om midden in een stad als deze een eigen park te hebben? Hoe zou het zijn om in 'Buck House' te wonen en uit meer dan honderd kamers te kunnen kiezen? Ze kon het zich uiteraard niet voorstellen, maar ze dacht dat ze al met al toch liever in een strandstoel in Green Park zou willen zitten dan alleen achter een muur in Buckingham Palace Gardens. Ze vroeg zich af of de koningin eenzaam was, en of ze dat zelf was. Nee, stelde ze gek genoeg vast, en ze versnelde haar tred.

Bij Wellington Arch raakte ze de weg kwijt. Ze wist dat het dicht bij Knightsbridge was, want Michael en zij waren er vaak langsgereden, maar lopend was het anders. Na twee verkeerde afslagen kwam ze op Park Lane met al de voorname hotels aan de ene kant en Hyde Park en het drukke verkeer aan de andere. Aan het eind vond ze Oxford Street, maar toen was ze afgepeigerd. Ondanks haar goede bedoelingen van die ochtend kon ze het niet meer opbrengen helemaal naar Chamberley Terrace terug te lopen. Ze had de afgelopen week zelfs zoveel gewandeld dat haar broek iets wijder leek. Misschien viel ze af. Bij Marble Arch daalde ze schuldbewust af naar de ondergrondse.

Ze kwam om vier uur thuis, friste zich op, kleedde zich om, poetste haar tanden, borstelde haar haar, at een stukje kaas en ging liggen. Aangezien ze de slaap niet kon vatten, pakte ze haar breiwerk maar. Het was rustgevend en ze liet de naalden gestaag tikken.

In een mum van tijd had ze de sjaal af. Ze legde hem languit op haar bed en keek er vergenoegd naar. Ze hoefde niets in elkaar te zetten en er zat geen steek verkeerd.

Ze hield van die volmaaktheid, maar die leek ze alleen in de kleine dingen te kunnen bereiken. Als ze naar haar eigen leven en dat van anderen keek, zag ze niets anders dan teleurstelling, geschipper, gevallen steken en geknapte draden. Ze had het leven en huwelijk van haar ouders altijd met argwaan gevolgd, en haar moeder leek het met Jerry nog slechter te hebben. Claire was nooit jaloers geweest op Tina en haar verloving met Anthony. De meeste mensen die ze kende leken een akelig leven te hebben. Het was te saai of ze stonden onder te zware druk: het was altijd te veel of te weinig. Zelfs de Kanjer, die 'de wereld bij de kloten' leek te hebben, zoals Tina het zou kunnen zeggen, leek niet gelukkig.

Claire streek de sjaal glad en borg hem op. Wat moest ze breien nu de sjaal af was? Waar vond ze een wolwinkel? Haar breiwerk was altijd als een vriendin, iets dat troost bood als ze zich verveelde of eenzaam voelde.

Ze ging op bed liggen en viel als een blok in slaap. Als ze niet wakker was geworden van Maudies kinderen, die door de gang renden, was ze te laat bij mevrouw Patel gekomen.

Ze stond verkwikt op, haalde een kam door haar haar en begroette Maudie op weg naar buiten. Maudie wilde zich verontschuldigen voor haar zoontjes, maar Claire glimlachte en zei dat het niet hoefde. Ze had haar zelfs moeten bedanken, maar Maudie was zo al dankbaar genoeg. Claire rende de trap af en de straat op.

30

Claire had gedubd of ze nu een halfuur of een kwartier te vroeg bij mevrouw Patel zou komen. Ze was de vorige dag te laat geweest, en wilde niet grillig overkomen door vandaag te vroeg te zijn, maar toch wilde ze de verloren tijd inhalen en bewijzen dat ze plichtsgevoel had.

Toen ze om kwart voor acht in haar donkerblauwe broek en zelfgebreide trui aankwam, zag ze aan mevrouw Patels goedkeurende blik dat ze de juiste beslissing had genomen. 'Zo,' zei ze, 'je kunt dus wel stipt zijn.'

Claire trok zich niets van mevrouw Patels neerbuigende toon aan. 'Ik zal nooit meer te laat komen,' zei ze. 'In feite ben ik heel betrouwbaar.'

'Mag ik er dan op vertrouwen dat jij die dozen openmaakt en de vakken bijvult? Ik heb het uitgesteld vanwege...' Ze klopte op haar buik. 'Hij zit in de weg, zie je.' Claire knikte.

Er kwamen klanten binnen. Claire liep naar de dozen en begon aan, zo hoopte ze, haar werk.

Alles in de schappen was stoffig, evenals veel nieuwe artikelen die regelrecht van de leverancier kwamen. Claire nam de tijd om alles af te stoffen. Nu ze toch bezig was, kon ze net zo goed reorganiseren, want ze kon het niet over haar hart verkrijgen de tomatensoep tussen het wasmiddel en het hondenvoer te zetten. En een schone verpakking mocht niet naast een stoffige staan. Ze merkte ook dat ze veel meer ruimte kon scheppen door dingen iets te verplaatsen, en ze nam aan dat de nieuwe artikelen achter de oude voorraad moesten staan.

Van acht tot halftien was het vrij druk in de winkel, maar toen werd het stiller en kreeg mevrouw Patel de kans Claires werk in ogenschouw te nemen. Claire had alle nieuwe voorraad uitgepakt en neergezet, en ze had ook een heel gangpad opnieuw ingedeeld en schoongemaakt. Mevrouw Patel liep het gangpad in en keek om zich heen. 'Zo, jij hebt niet stilgezeten,' zei ze. Ze liep langzaam op en neer. Claire hield haar adem in. Was ze te ver gegaan? Zou mevrouw Patel boos zijn omdat ze niet eerst had gevraagd of ze de winkel anders mocht indelen? Zou ze Claires schoonmaakwerk als bedekte kritiek opvatten?

Wat Claire natuurlijk niet wist, was dat Pakistanen in Londen vaak werden gediscrimineerd, en ze wist evenmin dat mevrouw Patel er daarom van genoot haar, een Amerikaans meisje, te kunnen commanderen. Wat ze ook niet wist, was dat mevrouw Patels echtgenoot, een nietsnut, bijna vijf maanden geleden terug was gegaan naar Pakistan en daar waarschijnlijk zou blijven. Claire wist alleen dat mevrouw Patel twee keer door het gangpad liep, haar lage, donkere wenkbrauwen optrok en haar keel schraapte.

'Dat zou je ook in de andere gangpaden kunnen doen,' zei ze, en toen klingelde de bel en liep ze terug naar de kassa.

Claire hoorde er een compliment in. Ze had de indruk dat de klanten meer aandacht besteedden aan het opgeknapte gangpad. Je verbeeldt het je, dacht ze, doe niet zo gek. Maar aan het eind van de avond, toen ze weer een half gangpad af had, leek de winkel er echt uitnodigender uit te zien.

Hoe stipt ze ook was, mevrouw Patel had vrij veel klanten en hield de winkel twintig minuten langer open, tot tien voor halfelf. Toen riep ze Claire. 'Zo,' zei ze, 'het was een mooie avond. Misschien breng je me geluk.' Ze liep langzaam door de winkel, met haar hand op de bult in haar sari, en Claire zag dat ze aandachtig naar het half opgeknapte tweede gangpad keek. 'Niet slecht,' zei ze. 'Wil je me dan nu met het rolluik helpen, en heb je nog tijd om te vegen?'

'Ik haal snel de bezem erdoor en dan dweil ik de boel. Weet u nog? Daar hebben we het gisteren over gehad.'

'Nu je 't zegt,' zei mevrouw Patel. 'Ik ga naar achteren. Trek het rolluik maar helemaal naar beneden.'

Claire dweilde en gooide de emmer leeg. Ze vond het helemaal niet erg om het vuile werk te doen, al probeerde ze haar kleren schoon te houden. Het gaf haar een zekere voldoening om het resultaat van haar werk te kunnen zien, wat haar bij Crayden Smithers nooit vergund was geweest. Ze keek naar de schone vloer en de gangpaden en glimlachte, maar toen mevrouw Patel terugkwam, wachtte ze stilletjes af.

Mevrouw Patel leek niet het type te zijn dat kwistig was met complimentjes.

Claire kreeg inderdaad geen lof van mevrouw Patel, maar wel een tas. 'Pak maar wat je hebben wilt,' zei ze, en ze liep naar voren om de kas op te maken.

Claire was bescheiden. Ze pakte afwasmiddel, een stuk zeep en een doos ontbijtvlokken. Als het er echt hopeloos uit komt te zien, dacht ze, kan ik thuis ontbijten. Ze wilde niet te veel pakken of hebberig lijken, en ze had eigenlijk alles wat ze nodig had. Ze had al van deze reis geleerd dat minder spullen ook minder zorgen betekenen. Ze liep met haar halfvolle tas naar de toonbank.

Mevrouw Patel keek met haar scherpe blik naar de tas en trok haar wenkbrauwen weer op, maar zei niets. Claire wilde alleen maar horen of ze terug mocht komen, en tot haar immense opluchting keek mevrouw Patel op van de bedragen en zei: 'Misschien kun je morgen de etalage doen. Dat is hard nodig.'

'Ja, natuurlijk.' Toen bedacht Claire dat het te nadrukkelijk had geklonken, alsof ze kritiek had op mevrouw Patel. 'Wat wilt u dat ik ermee doe?' vroeg ze snel.

Mevrouw Patel haalde haar schouders op. 'Je lijkt je wel te kunnen redden,' zei ze. 'Ik kan je niet bij elk wissewasje helpen.'

Claire knikte. Ze dacht dat mevrouw Patel een veeleisende moeder moest zijn, en alsof die gedachte kracht had, kwam het meisje dat Claire al eerder had gezien de winkel in rennen. 'Mam, Fala wil niet naar bed en ze houdt me van mijn werk. Ze heeft de tv aangezet en hij mag niet uit.'

Mevrouw Patel nam het meisje koeltjes op. 'Het is jouw taak haar naar bed te sturen. Ik kan niet alles doen, Safta.' Ze richtte zich tot Claire. 'Dit is mijn dochter Safta, die haar manieren is vergeten,' zei ze.

Safta sloeg haar ogen neer. Ze had de langste, zwartste wimpers die Claire ooit had gezien. 'Dag Safta,' zei Claire. 'Ik ben Claire Bilsop.'

Safta keek op. 'Kom je uit Amerika?' vroeg ze.

Claire knikte. Voordat ze het gesprek konden voortzetten, kwam mevrouw Patel tussenbeide. 'Met praatjes krijg je de tv niet uit,' vermaande ze haar dochter. 'En je broertje?'

'Ik heb Devi naar bed gebracht, maar hij wilde zijn tanden niet poetsen. Hij vond de tandpasta vies, zei hij.'

'Ik zal morgen tegen hem zeggen dat zeep veel viezer is. Zeg tegen Fala dat ze over vijf minuten in bed moet liggen.'

Safta wierp nog een blik op Claire, draaide zich om en rende sierlijk naar achteren. 'Ik zal het zeggen,' riep ze nog.

'Dat is dan geregeld,' zei mevrouw Patel met een zucht. 'Ik kan me niet herinneren dat ik mijn moeder ook zoveel last bezorgde. Wij deden wat ons gezegd werd.'

Claire knikte. 'Ik ook,' zei ze, maar ze dacht erbij dat die arme Safta wel erg veel moest doen. Fred zou nooit hebben gedaan wat Claire zei. Het lag niet in de aard van broertjes om hun zus te gehoorzamen. Ze bedacht dat ze Fred ook een kaart moest sturen. Had ze zijn adres wel?

Mevrouw Patel sloot de kassa af en reikte Claire een biljet van twintig pond aan. 'Voor jou,' zei ze.

Claire keek naar het geld. Twintig pond! Daar kon ze haar kamer van betalen. En als mevrouw Patel haar elke avond twintig pond gaf, kon ze hier nog maanden blijven, zeker als ze ook boodschappen kreeg.

Alsof ze Claires gedachten kon lezen, keek mevrouw Patel op. 'Denk niet dat je elke avond zoveel krijgt,' zei ze, en ze keek Claire onderzoekend aan. 'Zit je op zwart zaad?'

Claire deed er het zwijgen toe.

'Nou? Heb je geld? Nee, zeker?'

'O, ik heb nog wel iets,' zei Claire. 'Alleen, nou ja, ik was hier met vakantie, maar ik wil wat langer blijven.'

'Goed,' zei mevrouw Patel. Ze liep naar de deur en Claire liep mee. 'Ik zie je morgen om dezelfde tijd en vrijdag weer.' Claire knikte enthousiast. 'Zaterdag is een lange dag,' vervolgde mevrouw Patel, 'en dan zijn de kinderen thuis. Zou je dan eerder kunnen komen? Om een uur, als ik de kinderen hun middageten geef?'

'Geen probleem,' zei Claire, en ze ging weg met het gevoel dat al haar zorgen van de baan waren, althans voorlopig.

31

Claire wilde nog steeds de grote Victoriaanse gebouwen bekijken waar ze op weg van het vliegveld naar het hotel langs was gekomen. Het waren het Natural History Museum, het Victoria and Albert Museum en het Brompton Huppelepup.

Het was nu zaterdag en de afgelopen twee dagen waren voorbijgevlogen. Ze had in de winkel gewerkt en, tja, gewoon gelopen en gekeken. Nu had ze een ochtend vrij. Hoe zou ze hem besteden? Ze las in het boek dat ze van Toby had gekregen. Ze had hem van alles te vertellen: over haar nieuwe baan, hoe ze van Londen genoot en misschien zelfs over korporaal Tucker. Ze zou de jonge Amerikaan kunnen bellen om een afspraak te maken, maar ze was er nog niet aan toe. In plaats daarvan nam ze de ondergrondse naar South Kensington en liep vandaar in de richting van de musea.

Toen ze een hoek omsloeg op zoek naar de kortste weg naar Exhibition Road, zag ze het winkeltje opeens. 'Knitting kitting', stond er in goudkleurige letters op de gevel. Claire wist niet wat ze zag. Ze had haar sjaal net af en nu had ze al een wolwinkel gevonden, terwijl ze tijdens al haar eerdere wandelingen door Londen niet één zaak met breigerei had gezien.

Ze liep naar binnen, hoorde het belletje vrolijk klingelen en keek om zich heen.

Het was een kleine ruimte met manden waarin kluwens wol op grootte en garendikte gesorteerd lagen. Er was een tafel met stapels patronenboeken en een kleine toonbank waarachter een vrouw met wit haar in een knotje zat te breien. 'Dag kind,' zei ze, en ze keek op. 'Wat kan ik voor je doen?'

'Ik weet het nog niet,' zei Claire. 'Ik ben op zoek naar inspiratie.' Ze keek over de toonbank naar het breiwerk van de oude vrouw.

'O,' zei de vrouw, 'kijk maar niet. Mijn ogen zijn niet goed genoeg meer voor het werk dat ik vroeger maakte.' Ze schudde haar hoofd, maar hield een ronde naald op waaraan een crèmekleurig breiwerk hing.

'Maakt u een trui uit een stuk?'

'Nee, een deken voor over mijn knieën. Heel praktisch als je hier woont.'

'Nou en of,' zei Claire. Ze stak haar hand uit om de wol te voelen en naar het patroon te kijken. 'Wat zacht. Is het lamswol?'

De vrouw glimlachte naar Claire. 'Ik vertel het niet graag aan een mogelijke klant, maar ik heb altijd al een kasjmierwollen deken willen maken, en het leek me nu hoog tijd. Ik ben tenslotte al in de zeventig. Hij valt mooi uit, vind je ook niet?'

'Prachtig,' zei Claire. 'Zo te zien hebt u de rand in de boordsteek gebreid, zie ik dat goed?'

'Jij kent je breisteken,' antwoordde de vrouw. 'Zo wordt het werk sterker en komt het patroon op de deken zelf beter uit.'

Claire spreidde de deken op de toonbank uit om hem beter te kunnen zien. 'Kabels en ruiten,' zei ze, maar ze had nog nooit zulk fijn breiwerk gezien. Er moesten wel vierhonderd steken op de naald zitten.

'Ik weet dat het afgezaagd is, maar ik hou gewoon van die ruiten met kabels,' zei de vrouw verontschuldigend. 'Ook vanwege de symboliek. Het zal de leeftijd wel zijn, maar ik gebruik nu het levensboompatroon met gerstekorrels erlangs. Laten we hopen dat ik niet doodga voordat ik het af heb.'

Claire glimlachte. 'Het is heel mooi.' Als dit het werk was dat de vrouw nu deed, en ze had vroeger moeilijker patronen gebreid... Wat kon er moeilijker zijn dan dit? 'Mag ik even rondkijken? Ik weet nog niet wat ik ga maken.'

'De katoen zit in de eerste vier manden vlak voor je, de lamswol linksboven, sokkenwol bij de deur en de babywol ertegenover.'

'Dank u,' zei Claire. Ze keek naar de kleuren om zich heen. Wit, geel, beige, écru, bruin, zwart, oranje en roze. Ik krijg hier geen inspiratie, dacht ze. Ze liep naar de manden bij de deur en voelde aan de wol. Te ruw, en wat een vreselijke kleur groen. Wat zou iemand daarvan willen maken? Ze bukte zich om lager te kijken. De kleur was iets beter, maar het was ongetwijnde katoen, waar je eigenlijk alleen maar antimakassars van kon haken. Ze zag stof op de manden en de wol liggen. Dat zou wel komen doordat die oude vrouw niet goed meer kon zien. Ze keek om en door een speling van het licht, of Claires eigen stemming, leek de vrouw opeens zo sterk op Claires grootmoeder dat ze de wol bijna uit haar handen liet vallen.

Toen bewoog de vrouw haar hoofd en was de gelijkenis verdwenen. 'Ik vrees dat ik niet veel keus heb,' zei ze. 'Ik heb het assortiment verkleind. De jongelui schijnen niet graag meer te breien tegenwoordig. Ik lever vooral op bestelling.' Ze zuchtte er spijtig bij.

'O, ik vind wel iets,' zei Claire geruststellend. 'Die babywol is erg mooi.'

'Ja, er zijn gelukkig nog breiende oma's, maar dat ben jij niet. Je wilt vast geen deken breien. Misschien een bikini met een string?'

Claire glimlachte. 'Zo warm is het niet,' zei ze.

'Maar goed ook. Je lijkt me niet het type voor een string.'

Op de een of andere manier klonk alles wat de vrouw zei even goedkeurend, alsof ze Claire nu al gezond verstand en goede smaak toedichtte. 'Ik dacht aan handschoenen,' zei Claire. Daar was weinig wol voor nodig, het was veel werk en ze kon ze gebruiken. Haar regenjas beschermde haar tegen het vocht, maar ze had vaak koude handen.

'Toe maar. Als ik wanten voor mijn zoon breide, had ik al zo'n hekel aan de duimen, en handschoenen hebben vijf vingers.' De vrouw schokschouderde. 'Nu ja, sommige mensen willen zichzelf graag kwellen. Weet je, de naalden zitten je in de weg. Ik had vroeger korte naalden, maar ik weet niet of die nog gemaakt worden.'

'O, ik red me wel,' zei Claire, die nog steeds geschikte wol zocht. De oude vrouw volgde haar blik.

'Weet je,' zei ze, 'misschien heb ik precies wat je zoekt. Een paar kluwens Duitse wol in gemengde kleuren.' Ze stak haar hand op. 'Ik weet dat dat meestal oerlelijk is, maar met deze wol vormen de kleuren patronen.' Claire had geen idee waar de vrouw het over had, maar wachtte geduldig af. De vrouw diepte een grijs, bruin en lichtbruin gespikkelde bol wol uit een la op. 'Ik ben bang dat hij vrij duur is, maar het resultaat is echt prachtig. Ik geloof dat ik een voorbeeldsok heb gebreid.'

Claire nam het kluwen aan en de vrouw rommelde weer in laden.

'Ja, hebbes.' Ze gaf Claire een sok met een ingewikkelde streep, afgewisseld met een rij spikkels. 'Het komt door de wol, zie je. Joost mag weten hoe die Duitsers het voor elkaar hebben gekregen. Ik brei al zestig jaar, maar ik zou het niet kunnen.'

Claire keek nog eens naar de wol. Ze zou geen breivisjes met verschillende kleuren nodig hebben en geen nieuwe draden hoeven aan te hechten. Ze moest de wol hebben. Ze knikte naar de vrouw.

'Weet je, kind, het zijn de laatste bollen. Ze liggen hier al zo lang dat ik je best korting kan geven.'

'O, nee, dat hoeft niet,' zei Claire. Ze vroeg zich af of ze er armoedig uitzag, maar ze droeg schone, kreukloze kleren. Ze zag er zelfs beter uit dan in New York.

'Ik sta erop,' zei de vrouw. 'Je zou me een dienst bewijzen als je me die wol uit handen nam, en als je klaar bent, heb je zelf iets voor aan je handen.' Ze grinnikte.

'Ik zal ze u komen laten zien,' zei Claire.

'Enig. Daar verheug ik me op.'

Toen Claire met de wol veilig in haar tas wegliep, verheugde ze zich er zelf ook op.

32

Claire was heel moe na een middag en een avond in de winkel werken. Ze had beurtelings klanten geholpen en op de kinderen gepast. Het was haar allebei goed afgegaan, al leek mevrouw Patel het niet graag te willen toegeven.

En mevrouw Patel kon natuurlijk altijd zeggen dat Claire niet meer terug hoefde te komen. Claire betwijfelde of iemand anders haar werk zou willen geven. Het idee bezorgde haar de rillingen, maar dat kon natuurlijk ook komen doordat de verwarming niet aan was. Mevrouw Watson was heel zuinig, en na tien uur 's avonds kon Claire het alleen onder de dekens warm krijgen.

Ze besloot eerst een bad te nemen. Daar kreeg ze het doorgaans warm genoeg van om het tot de volgende ochtend behaaglijk te houden.

Toen ze in haar ochtendjas terugliep door de gang, met de geur van het laatste restje badschuim uit het Berkeley Hotel om zich heen, werd ze op haar schouder getikt. Ze keek geschrokken om.

Daar stond mevrouw Watson. Ze had een doek om haar hoofd die er niet al te schoon uitzag en droeg een oude nylon nachtpon met een trui eroverheen. 'Heb je lekker gebadderd?' vroeg ze.

'Ja, dank u.'

'En vanochtend ook?'

Claire hield vragend haar hoofd schuin. Ze voelde de warmte wegebben. 'Ja,' zei ze. 'Hoezo? Heeft er iemand geklaagd? Ik dacht niet dat er iemand moest wachten.'

'Ik klaag,' zei mevrouw Watson. 'Voor achttien pond kun je niet twee keer per dag in bad. Ik kan niet op elke gast geld toeleggen. En als het je niet bevalt, ga je maar weg. Zo denk ik erover.'

Claire was niet alleen geschrokken, maar ook boos. Waarom moest er telkens als ze zich ook maar een beetje prettig voelde zoiets gebeuren? Ze had graag tegen mevrouw Watson gezegd dat ze de volgende ochtend zou vertrekken, maar ze had er het lef niet voor. De kou trok door de vloer in haar voetzolen. Ze kreeg kippenvel over haar hele lijf. 'Het spijt me,' zei ze tegen mevrouw Watson. 'Ik had het zelf moeten bedenken.'

'Inderdaad, maar daar is het nu te laat voor. Twintig pond per nacht, en vooruitbetalen, graag.'

Claire vroeg zich af of een volle badkuip echt twee pond kon kosten, maar ze knikte, liep naar haar kamer, pakte haar portemonnee en gaf mevrouw Watson zes nieuwe briefjes van twintig. 'Alstublieft,' zei ze zo bedaard mogelijk. 'En daarna ga ik weg.' Claire was niet van plan echt te vertrekken, maar haar trots weerhield haar ervan met het mens in discussie te gaan. Ze wilde geen gevallen steken in haar sjaal zien, dus waarom zou ze hier wel steken laten vallen?

Ze trok haar kamerdeur dicht en stapte in bed, maar even later begon mevrouw Watson tegen Maudies kinderen uit te varen. Ze maakten inderdaad lawaai, maar moest die vrouw echt zo tekeergaan? Claire lag rillend onder de dekens. Dit was bespottelijk. Ze moest in elk geval schoon en warm kunnen zijn. Als ze 's avonds een bad nam, mocht ze zich dan de volgende ochtend niet wassen? Als ze zich staand in de badkuip waste, moest ze dan ook twee pond extra betalen, en hoe koud zou ze het dan krijgen?

Ze maakte zich klein, maar bleef het koud houden. Wat nu? Waarschijnlijk was ze te impulsief geweest, want waar vond ze zo'n goedkoop pension als dit?

Toen kwam het besef: het leven is als een kleine, maar volmaakte sjaal. En deze sombere kamer was verre van volmaakt. Ze wist nog niet hoe, maar ze zou een ander onderkomen vinden. Het moest betaalbaar zijn, mooier en gezelliger. Dit kon niet het enige goedkope pension van Londen zijn. Ze probeerde zichzelf gerust te stellen. Het kwam wel goed.

Ze was echter te geagiteerd om te kunnen slapen, en ze had niets te breien. Morgen zou ze steken moeten opzetten. Maar ze had Toby's boek nog, en ze trotseerde de kou om het te pakken.

Het was een teleurstelling dat het geen roman was, maar als ze het las, had ze iets om met Toby over te praten. Ze zocht de verhandeling over 'de afgedankte mens' op, waarin de auteur over zijn werkzame leven vertelde. Hij had vierendertig jaar bij een boekhoudkantoor gewerkt. Claire zuchtte. Ze kon zich niet voorstellen hoe Toby op het idee kwam dat zij over de kantoorperikelen wilde lezen van iemand die al heel lang dood was, maar Lamb schreef zo meeslepend dat Claire al snel in het boek opging.

Die arme Charles was op zijn veertiende gaan werken. Hij had zes dagen per week tien uur zo ongeveer aan een bureau geketend zitten rekenen. Hij haatte zijn dienstbaarheid. Zijn beschrijving van zijn lot was hartverscheurend, tot hij onverwacht niet alleen zijn vrijheid had gekregen, maar ook een pensioen, zodat hij nooit meer hoefde te werken. Die meevaller had hem net zo verbaasd als Claire. Hij voelde zich ziek en was bij de vennoten geroepen. Claire vermoedde dat het net zoiets was als bij meneer Crayden moeten komen. Hij was bang dat hij ontslagen zou worden, maar in plaats daarvan hadden ze gevraagd hoe lang hij al op het kantoor werkte, en toen hij zei dat het vierendertig jaar was (vierendertig!) zeiden de vennoten dat hij zijn pensioen kreeg (dat had hij met 'afgedankt' bedoeld). Hij kreeg vierhonderd pond per jaar.

Zijn vreugde sprong haar tegemoet vanuit de bladzijden van het muffe boek.

Lezer, mocht het uw lot geweest zijn de gulden jaren van uw leven, uw stralende jeugd, in de ergerlijke opsluiting van een kantoor te moeten doorbrengen; als uw gevangenisstraf is voortgezet tot uw haren grijs waren, zonder enige hoop op bevrijding of respijt; tot u was vergeten dat er zoiets als vakanties bestonden, of dacht dat die alleen aan de jeugd voorbehouden waren: dan, en dan alleen kunt u mijn bevrijding naar waarde schatten.

De tranen sprongen Claire in de ogen. Het was alsof Charles Lamb het rechtstreeks tegen haar had. Nog maar een week geleden had ze bij Crayden Smithers gewerkt, en hoewel ze nog geen grijze haren had, waren er mensen daar die er echt al zo lang werkten. Ze dacht aan de vrouwen in de kantine en aan Abigail, die ouder was, maar haar avontuur onverwacht had toegejuicht. Was het geen onuitgesproken waarschuwing? Ze moest de waarschuwing van Charles Lamb in elk geval ter harte nemen, besefte ze. Ze kon met geen mogelijkheid terug naar die baan, naar dat kantoor. Ze dacht aan de ruimte zonder ramen waarin ze werkte. Ze dacht aan Joan, en haar collega's, die allemaal dezelfde lucht inademden, allemaal meer dan twee gangen verwijderd van het daglicht. Er was niet zoveel veranderd in al die jaren sinds Charles Lamb had geleefd. Claire besloot dat zij geen vierendertig jaar in dienstbaarheid zou verspillen.

In tegenstelling tot Charles Lamb zou zij echter geen pensioen krijgen. Er zou niet regelmatig geld binnenkomen. Hoe moest ze zichzelf in leven houden? Ze sloeg het boek dicht en legde het onder haar kussen. Ze deed de lamp uit en ging liggen. Ze voelde het boek onder haar hoofd. Het herinnerde haar aan haar voornemen. Misschien kon ze werk vinden waarmee ze zoveel verdiende dat... Nu ja, ze wilde niets overhaasten, maar ze moest geld hebben.

Ze dacht aan Toby en vroeg zich af of hij had geweten hoeveel het boekje haar te zeggen zou hebben. Ze zou hem moeten opzoeken om het hem te vragen. En ze was korporaal Tucker bijna vergeten. Niet dat ze zich tot hem aangetrokken voelde, maar hij wist vast wel werk voor haar. Natuurlijk. En misschien zelfs woonruimte. Ze zou hem morgenochtend bellen.

Claire trok de dekens om zich heen en zuchtte. Ze zou moeten hopen dat ze bij mevrouw Patel kon blijven werken tot ze iets anders had gevonden. Misschien wist Toby iets of, nog beter, misschien had de oude dame van de wolwinkel hulp nodig. Claire draaide zich om, propte het kussen onder haar hoofd en viel in slaap.

33

'Back in Black' knalde zo hard uit de luidsprekers dat Claire Adam niet verstond. Ze was nooit dol geweest op AC/DC, en in dit restaurant in Londen vond ze er nog minder aan. 'Hoe lang?' vroeg ze.

'Bijna een jaar,' zei Adam, en hij pakte zijn hamburger. Zo lang zat hij nu in Londen, en toch had hij deze plek uitgekozen voor de lunch. Claire keek om zich heen. Afgezien van de vele kerels die zichtbaar militair waren, leek het wel een restaurant in New York. Er stonden steaks, hamburgers en drumsticks op het menu, er was alleen Amerikaans bier en thee werd met ijs geserveerd. Het ergste was nog dat het moeite kostte om een gesprek te voeren boven de herrie van de muziek en de mensen aan de bar uit.

Ze had hem die ochtend opgebeld en toen hij vroeg of ze met hem wilde lunchen, had ze die kans met beide handen aangegrepen. Ze had veel zorg aan haar kapsel en make-up besteed, niet alleen omdat hij aantrekkelijk was, maar ook omdat ze op een gunst hoopte, of in elk geval wat informatie. Ze was er niet trots op, maar anderzijds maakte ze geen misbruik van hem. Hij hoefde haar niet te helpen, en wie weet hadden ze toch iets gemeen, al twijfelde ze daaraan nu ze in zijn lievelingsrestaurant zat.

Claire nam een hapje salade. 'Waar woon je?' vroeg ze. Ze probeerde luchtig te klinken, maar misschien wist hij ergens in de buurt... Het nummer was afgelopen en tot Claires opluchting draaiden ze nu een rustiger (maar net zo Amerikaans) nummer van de Eagles.

'Wij zitten in een kazerne bij het vliegveld. Het is daar te gek. Lekker eten, goedkoop naar de film en een waanzinnige discountwinkel. Spotgoedkoop.'

Claire knikte en probeerde uit alle macht goedkeurend te blijven kijken, al wilde ze voor geen goud op een legerbasis met een gigantische discountwinkel wonen. Dan liever terug naar Tottenville. Intussen vertelde Adam verder over de stereo-installatie, de walkman en de laptop die hij voor een schijntje had gekocht. Ze probeerde belangstelling te veinzen, maar zijn ongecompliceerde enthousiasme maakte dat ze Michael opeens miste. Dat was geen goed teken. Korporaal Adam Tucker was knap, aardig en zelfs aantrekkelijk. Hij was groot, met brede schouders, kolenschoppen van handen en lange benen. Zijn blonde haar was gemillimeterd, maar als het iets uitgroeide, zou het prachtig zijn. En hij scheen haar leuk te vinden. Er moet toch iets meer zijn, dacht ze, dan bier en hamburgers.

'Hoe lang blijf je hier?' vroeg hij. 'Misschien kan ik je helpen de winkel binnen te komen.'

Ze had geen behoefte aan een discountwinkel; ze moest geld verdienen, niet uitgeven. 'Ik weet het nog niet,' antwoordde ze. 'Ik heb een baantje gevonden en ik probeer het zo lang mogelijk uit te zingen.'

'Heb je een werkvergunning?' vroeg hij.

'Die krijg ik nog wel,' zei ze. Wat zou er gebeuren als ze haar op illegaal werken betrapten?

'Nou, als je er een krijgt, mag je van geluk spreken. Er komen de hele dag mensen over klagen. De Britten geven geen banen weg die ze voor zichzelf kunnen houden. Hoe smaakt je salade?'

De eetlust was Claire vergaan, maar ze prikte met haar vork in een hardgekookt ei. 'Prima.'

'De saus die ze hier maken, kun je nergens anders krijgen, zelfs niet bij McDonald's,' zei Adam.

Ze knikte, al was een Happy Meal het laatste wat ze van Londen wilde. Hoe kreeg ze hem aan de praat over een werk- en verblijfsvergunning? Ze durfde het niet zomaar te vragen. 'Wie gaat er over de werkvergunningen?' vroeg ze.

Hij nam een hap uit zijn hamburger en antwoordde met zijn mond vol: 'O, dat is een enorme papierwinkel. Voorzover ik het begrijp, dient de werkgever hier een verzoek in bij de Britten, en als het wordt goedgekeurd, gaat het bij ons naar de tweede verdieping. O, man, ik ben wild van de Clash. Is dit geen te gek nummer?'

Claire zuchtte. Ondanks zijn uniform en zijn knappe uiterlijk was Adam Tucker net zo saai als de mannen aan wie Tina haar probeerde te koppelen, alleen op een andere manier. En ze had niets aan hem, behalve als gezelschap. Misschien kon ze iets met hem beginnen. Beter je best doen, hield ze zichzelf voor. 'Waar kom je het liefst in Londen?' vroeg ze.

'De discountwinkel,' antwoordde hij prompt.

'Hoort dat wel bij Londen?' vroeg ze. 'Wat vind je leuk aan de stad zelf?'

'Nou, er draaien goeie films. Van Mel Gibson, en *The Matrix*. En *X2* natuurlijk.'

'En de Britse films?' vroeg Claire.

'Zijn er Britse films?' vroeg hij. 'Ik heb iets gezien over bedienden en gasten in een landhuis, en een van de bedienden kwam terug om zijn pa te vermoorden, maar ik vond er weinig aan.'

'*Gosford Park*?' zei Claire. 'Volgens mij is hij hier gemaakt, maar geregisseerd door Robert Altman, en die is Amerikaans.'

'Nou, hij was in elk geval oersaai. Zelfs de moord was saai.'

Claire, die van de film had genoten, deed er het zwijgen toe tot Adam zijn hamburger op had. 'Wil je nog iets toe?' vroeg hij.

Claire schudde haar hoofd. Ze durfde niet te zeggen dat ze naar haar werk moest. Hij zou haar kunnen aangeven. 'Ik moet weg. Ik heb een afspraak met een kennis.'

'Een vent?'

'Nee, een Engelse mevrouw. Ik heb beloofd haar te helpen.'

'Zal ik je erheen brengen?'

'Nee, het is heel ver naar de ondergrondse.'

'Ik heb toch niks te doen,' zei hij schouderophalend.

Claire wilde niet vertellen dat ze werkte, maar ze wilde Adam ook niet kwetsen. Ze was laf. Daarom maakte ze nooit afspraakjes: als een man haar leuk vond, maar zij hem niet, was hij gekwetst en vice versa. 'Nee, ik ga maar,' zei ze.

Hij stond erop haar naar de ondergrondse te brengen en daar vroeg hij of ze hem nog eens wilde zien. Ze knikte. Toen vroeg hij of hij haar mocht kussen. Ze zei weer ja, en tot haar verbazing genoot ze van zijn handen op haar schouders en zijn mond op de hare. Hij was aandoenlijk. 'Ik bel je wel weer,' zei ze. Hij glimlachte en wuifde toen ze de trap af liep. Toen ze omkeek, stond hij nog steeds te glimlachen en te wuiven. Claire dook opgelucht en heel schuldbewust het station in.

34

Die maandagmiddag zat Claire in de comfortabele leunstoel tegenover Toby, met het boek van Charles Lamb op schoot en George Eliot (niet de schrijfster, maar de kat) naast zich. 'Ik heb het nu twee keer gelezen,' vertelde ze. Na de teleurstelling om de uitblijvende hulp van Adam Tucker en een lange avond werken bij mevrouw Patel had Claire zichzelf beloond met een bezoekje aan de boekwinkel. Toby leek het enig te vinden om Charles Lamb met haar te bespreken.

'Zijn pensioen was zo'n bevrijding. En hij was zo...' Ze zocht naar het juiste woord.

'Opgetogen?' opperde Toby.

'Ja. Perplex en opgetogen.' Ze zweeg weer, te verlegen om te zeggen dat ook zij opgetogen was over haar bevrijding. 'Het herinnerde me aan mijn werk in New York, en dat je zo druk bezig kunt zijn met rekenen dat er voordat je het weet twintig jaar weg kunnen zijn. Hoe dan ook, het zette me aan het denken.'

'Uitstekend. Daar zijn verhandelingen voor. Verhalen wekken gevoelens op, en verhandelingen gedachten.' George Eliot sprong sierlijk van Claires stoel bij Toby op schoot. Hij aaide haar en krauwde haar achter haar oren. Claire keek naar zijn handen. Hij was een boeiende gesprekspartner; veel onderhoudender en belezener dan korporaal Tucker. Ze werd bijna jaloers op de kat. Toby had mooie handen. Tegen wil en dank vroeg ze zich af hoe hij zou kussen.

Ze zette het uit haar hoofd. Ze moest hem om hulp vragen, maar kon de moed niet opbrengen. Toch had ze nog maar vier dagen en nachten bij mevrouw Watson, en ze zou het vreselijk vinden als ze haar verblijf daar zou moeten verlengen.

Ze richtte haar aandacht weer op het gesprek. 'Het gekke was dat het stuk speciaal voor mij geschreven leek te zijn,' zei ze. 'Alsof Charles Lamb me iets wilde zeggen.'

Toby knikte. 'Dat is een gave van me,' zei hij. 'Ik weet niet hoe het werkt en ik kan er geen munt uit slaan, maar ik schijn aan te voelen wat de lezer zoekt.'

Claire vond het vleiend dat Toby op haar golflengte leek te zitten, maar het was een beetje teleurstellend dat hij andere klanten dezelfde diensten bewees.

Toby rolde George op haar rug en streelde het lange haar op haar buik. 'Ik denk vaak dat ik een bord zou moeten ophangen. Je weet wel, "Medium" of zoiets. Alleen zouden daar de verkeerde mensen op afkomen. Idioten die willen weten waarin ze moeten beleggen, en wanneer ze de liefde vinden.'

'Ik zou het niet weten, maar dit klopte als een bus.' Ze vertelde hem over haar werkende bestaan in Manhattan.

'Dus dat boek kwam als geroepen?'

'Ja. En nu wil ik graag iets over middeleeuwse schilderkunst.'

Toby hield zijn hoofd schuin. 'Dat wordt duur, vrees ik. Ik heb schitterende boeken, maar ze zijn vrij kostbaar.'

'Misschien heb je er een...' begon ze, maar voor ze naar het goedkoopste boek kon vragen, glimlachte hij al. Het kon haar niet ontgaan hoe aantrekkelijk hij was.

Toby stond op, liep samen met George een donker gangpad in en kwam met een boek terug. 'Dit is prachtig, maar er zit een vlek op en er ontbreken een paar bladzijden, dus je mag het hebben. Ik kan het toch niet verkopen, en het zat bij een partij uit een nalatenschap, dus... alsjeblieft.'

Er zat inderdaad een lelijke kring van een beker op het boek, maar toen Claire het opensloeg, zette ze grote ogen op: de illustraties hadden sprekende kleuren en ze waren echt verguld. Ze keek naar Toby op. 'Nee, dat kan ik niet aannemen.'

'O, jawel. Ik zou het opnieuw kunnen laten inbinden en het dan verkopen, maar dan zou ik ook verlies maken. Neem het boek dus maar.'

'Dank je wel.' Ze stopte het in haar tas en vroeg zich af of ze hem kon vragen of hij een kamer te huur wist. Was het niet te brutaal? En als hij nu eens zei dat ze bij hem kon intrekken? Claire voelde zich sterk tot hem aangetrokken. Hij was zo anders dan Michael Wainwright dat ze niet te vergelijken waren. Toby was niet zakelijk, niet mannelijk, zoals Michael, maar hij had een scherpe geest en had onmiskenbaar meer gelezen. Ze kon zich niet voorstellen dat Michael een kat zou nemen, laat staan dat hij die zo liefdevol zou aaien. De Engelse mannen leken veel minder opdringerig, veel minder macho dan de Amerikaanse. Daar is niks mis mee, dacht ze. Korporaal Tucker keek in zijn vrije tijd waarschijnlijk naar footballwedstrijden, of hij sportte zelf. Met Toby kon ze uren over boeken praten. Hij zou het natuurlijk niet doen, maar als hij haar een kamer in zijn huis aanbood, zou ze dan ja zeggen? Ze wilde er niet aan denken.

Net toen ze probeerde een vraag te formuleren, klingelde het winkelbelletje. Toby liep naar de deur en maakte licht in het middelste gangpad. 'Hallo,' riep hij.

Claire hoorde een vrouwenstem, maar Toby en zijn klant waren zo ver weg dat ze alleen iets kon zien of horen als ze opstond. Hoewel ze nieuwsgierig was, bleef ze stilletjes zitten. Ze mocht geen misbruik maken van zijn gastvrijheid, ook al kwam ze er niet meer toe hem naar woonruimte en werk te vragen.

Ze luisterde een tijdje naar de verre stemmen en net toen ze besloot dat ze beter kon gaan, hoorde ze Toby afscheid nemen en klingelde de bel weer. Hij kwam terug, met George als een hondje naast zich. Goed zo. Misschien kon ze het hem nu vragen, voordat ze weer gestoord werden.

Toby liet zijn lange lijf in zijn stoel zakken. 'Ik heb een boek verkocht,' zei hij, 'en nu ben ik afgepeigerd. Ik moet rusten. En misschien een koekje eten. Zuiver uit medicinaal oogpunt, uiteraard.' Hij pakte een vrolijk gekleurde trommel van een plank naast zijn stoel, wipte het deksel eraf en hield Claire de trommel voor. Claire koos een chocoladekoekje en Toby zette de trommel op zijn schoot en begon gestaag te eten.

'God, wat ben ik toch een gewiekste zakenman. Ik geloof dat ik wel zestig pence aan dat boek heb verdiend. Als ik voor minder dan zestig pence aan koekjes eet, heb ik winst gemaakt.' Hij keek in de trommel en pakte weer een koekje. 'Al zit dat er niet in.' Hij glimlachte en hield haar de trommel weer voor. Claire bedankte.

'Waar waren we gebleven? Je wilt niet terug naar de paperassengoelag, of daar vierendertig jaar zwoegen, zoals die arme Charlie. Ik heb er alle begrip voor. Ik heb ook ooit gewerkt voor de kost. Ik was aankomend directielid bij een reclamebureau. Het was niet te harden. Toen stierf mijn oom en hij liet me deze puinhoop na. Ik zag het als een teken.'

'Ben je zo in het boekenbedrijf terechtgekomen?'

'Ja, en in het huis boven de winkel. Ik verdien niks, maar wie weet? Er zou opeens een stormloop op Hugh Walpole kunnen komen. Ik heb wel honderd van zijn boeken, die stakker.'

'Dus je woont hierboven?' vroeg Claire. Hij knikte en ze verzamelde moed. 'Ik kan niet blijven waar ik nu zit,' flapte ze eruit. 'Weet jij hoe ik aan een spotgoedkope kamer kan komen?'

'Tja, je zou in Croydon kunnen belanden,' zei hij, en hij wipte weer een koekje in zijn mond.

'Waar is dat?'

'In de rimboe, kind. Het hoort niet eens echt bij Londen. Het is er vreselijk en niemand wil er wonen, behalve misschien de brave burgers van Croydon zelf. Nee, je moet meer in het centrum zitten.' Hij keek peinzend naar het plafond. Dacht hij aan een kamer in zijn eigen huis? 'Even denken,' zei hij. Hij nam een hap van zijn koekje. 'Wacht eens! Heb je al in de *Evening Standard* gekeken?'

'Wat is dat?' vroeg Claire, en ineens herinnerde ze zich de kranten op de toonbank van mevrouw Patel.

'Het sufferdje van Londen. Ik geloof dat er veel advertenties voor woonruimte in staan, al weet je dan niet waar je aan begint. Ik zal eens bij mijn vrienden informeren. Misschien weet iemand iets.'

'Graag,' zei ze. Hoe had ze op een aanbod kunnen hopen? Het was al aardig van hem dat hij belangstelling voor haar toonde.

'Goed. Wat ga je vandaag doen?'

'Ik wilde door Hyde Park wandelen en dan het Victoria and Albert Museum bezoeken.'

'O, hemel. Laat dat museum maar zitten,' zei hij. 'In dat trieste keldercafé wil je niet lunchen.' Hij nam nog een koekje, en Claire vroeg zich af hoe hij zo dun bleef.

'O, ik heb mijn lunch bij me. Ik ga alleen 's middags ergens theedrinken.'

'Ja, maar waar? Mijn bijdrage aan jouw opvoeding is zorgen dat je de juiste hotels bezoekt.'

Claire dacht aan de kruisjes die Abigail bij Claridge's en Brown's had gezet. 'Dat wil ik wel,' zei ze, 'maar ik zit een beetje krap. Wat zou thee kosten?'

'Dat hangt ervan af of je een kop of een pot neemt, *cream tea*, *afternoon tea* of *high tea*. We zijn net Eskimo's. Je weet wel,' verklaarde hij zijn uitspraak, 'die hebben dertig woorden voor sneeuw.'

Claire glimlachte. Thee was in Londen zo alomtegenwoordig als sneeuw boven de poolcirkel moest zijn. Maar wat waren al die verschillende soorten thee? Voordat ze het hoefde te vragen, vervolgde Toby: 'Een kop thee is niet meer dan dat. Die bestel je in goedkope restaurants. In de betere etablissementen krijg je een pot thee, wat die lui niks extra kost, maar jou wel. Bij *afternoon tea* krijg je van die dunne boterhammetjes zonder korst. Die krijg je ook bij je *cream tea*, maar daar horen ook scones en room bij, die je samen met aardbeienjam op de scones smeert. Trouwens, wat ze ook serveren, eis altijd aardbeienjam.'

Het duizelde Claire, maar ze lachte hardop. 'En is een *high tea* nog uitgebreider? Wat krijg je daarbij? Een hele pizza?'

Toby pakte nog een koekje en glimlachte naar haar. 'Zo houden de Britten je voor de mal,' zei hij. 'Een *high tea* is een complete maaltijd met een zoete en een hartige gang.'

'Aha,' zei ze.

Toby deed het deksel op de trommel, zette hem terug en klopte de kruimels van zijn schoot. 'Echt iets voor de betere kringen,' zei hij. 'Heb je weleens iets van Nancy Mitford gelezen?'

Claire schudde haar hoofd. Dacht Toby soms dat zij uit de betere kringen kwam?

'Kindlief, bof jij even! Jij kunt nog kennismaken met de meiden van Mitford. Wat een genot!' Hij boog zich naar haar over. 'Nancy kwam uit een aristocratisch, maar ontwricht gezin. Zij schreef, haar zus Deborah trouwde met een hertog, Jessica werd een naar links neigende journaliste en Diana trouwde met de aanvoerder van de Britse fascistische partij. Unity was geobsedeerd door Hitler, en toen Groot-Brittannië oorlog kreeg met Duitsland, schoot ze zichzelf een kogel door het hoofd.' Het duizelde Claire weer, maar ze luisterde gefascineerd. 'Ik geloof dat Nancy daarover heeft gezegd: "Unity's zelfmoord is mislukt doordat ze haar minuscule breintje heeft gemist."' Toby's ogen straalden. 'Heb je *Hons and Rebels* echt nooit gelezen?' Claire schudde haar hoofd. 'Mijn hemel, kind, dat hoort ieder meisje op haar dertiende te lezen.' Hij schoot als een haas weg, op de voet gevolgd door de kat, alsof die er echt een was. Hij kwam met een klein groen boek terug. 'Laat die middeleeuwse kunst maar even wachten. Dit moet je lezen,' zei hij.

Claire nam het boekje aan en sloeg het angstig open. Het kostte gelukkig maar drieëneenhalve pond. Ze kon het betalen, maar vlak voordat ze dat kon zeggen, zei Toby: 'Voor jou twee pond. En je zult er geen spijt van krijgen, meid.'

Claire haalde een munt van twee pond uit haar portemonnee en gaf hem aan Toby, die knikte. 'Al twee boeken verkocht vandaag. Ik ben binnen. Goed, terug naar de thee. Je moet echt thee gaan drinken bij Claridge's, want dat moet je zien. Hemels. En bij het Connaught, en bij Brown's.'

'Ik weet niet of ik genoeg geld heb...'

'Wacht, daar is een truc voor. Als je om vier uur komt, wordt er een complete thee geserveerd en ben je twintig, vijfentwintig pond kwijt.'

Claire probeerde haar schrik te verbergen.

'Het is het waard, kind, als je het geld hebt, maar zo niet, kom dan tussen halfdrie en drie uur binnen. Je vraagt of de afternoon tea al wordt geserveerd, maar die begint pas tegen vier uur, en het lunchuur is ook voorbij. Dan kun je gewoon een kop thee bestellen. En dan zit je in een adembenemende zaal met linnen servetten en dat kost je maar twee of drie pond.'

Het leek veel geld, maar ze begreep wat Toby wilde zeggen; het ging meer om de belevenis dan om de thee.

'Je kunt het Lanesborough ook proberen, al is dat vreselijk tuttig. Het Berkeley is ook perfect. Als je maar zorgt dat je weg bent voordat de complete thee wordt geserveerd.'

Ze voelde een steek toen Toby het Berkeley noemde, maar nam er geen notitie van. 'Hoe weet je dat allemaal?' vroeg ze.

Toby glimlachte, trok een wenkbrauw op en zuchtte theatraal. 'Ik ben niet altijd zo'n sloeber geweest, hoor. En soms moet je contact zoeken met je innerlijke deftigheid.'

Claire kon de hele dag naar Toby luisteren, maar wilde zich niet opdringen en stond op. 'Dank je wel voor je goede raad,' zei ze. 'Ik zal Nancy Mitford lezen, de *Standard* kopen, thee gaan drinken en je verslag uitbrengen.'

'Braaf,' zei hij. 'Je ziet er ontzettend representatief uit. Maak jezelf gewoon wijs dat je in die dure tenten thuishoort. En ik ga een keer met je naar het Ritz, maar niet voor de thee. We zouden iets kunnen gaan drinken.'

Claire was in de wolken. Toby wilde met haar uit! 'Heel graag,' zei ze.

'Nou, veel succes met de huizenjacht dan maar.'

Ze knikte, bedankte hem en liep met verende tred en twee nieuwe boeken onder haar arm de boekwinkel uit.

35

De rest van de dag drentelde Claire rond in de hoop dat ze ergens woonruimte te huur zou zien staan. Na haar bezoek aan Toby verwachtte ze ook iets in de krant te vinden. Misschien lag er nog een *Standard* bij mevrouw Patel.

Het was moeilijk om alleen te zijn bij mevrouw Patel, laat staan eenzaam. Na iets minder dan een week had Claire zich de routine van de winkel eigen gemaakt. Ze was bijna klaar met stof afnemen en de winkel indelen, en ze legde een lijst aan van alles waar de klanten om vroegen. Doordat ze 's avonds iets eerder kwam, kon zij de winkel waarnemen terwijl mevrouw Patel met haar kinderen at. Het was dan gelukkig stil, want Claire mocht niet afrekenen, maar ze zat achter de toonbank, hielp de klanten en riep mevrouw Patel pas als er betaald moest worden.

Ze had een ordelijke geest, en tot haar grote voldoening stond het afwasmiddel niet meer naast de bonen. Mevrouw Patel morde soms dat ze niets meer kon vinden, maar ze verkocht meer, en Claire mocht alles zetten waar ze wilde.

Claire leerde de vaste klanten kennen, zoals mevrouw Caudrey, een oudere vrouw die altijd een stoffige regenjas droeg en een gesneden brood, een pak melk en tientallen blikjes kattenvoer kocht. En meneer Robinson, een dikke man met een snor, die schalks geweest moest zijn. Hij kocht elke avond genoeg ijs en snoep voor een hele crèche. Er waren wat jonge mensen die elke avond even kwamen binnenwippen om melk, vruchtensap of brood te halen. Claire had graag met hen willen praten, maar ze maakten een drukke, afwezige indruk. In tegenstelling tot Claire hadden zij wel een leven dat op hen wachtte. En dan was Maudie er nog, de huurster van mevrouw Watson, die elke avond wel twee of zelfs drie keer met haar onhandelbare zoontjes langskwam. 'Hou haar in de gaten, volgens mij steelt ze,' zei mevrouw Patel.

'Nee!' riep Claire uit. 'Hebt u haar betrapt?'

Mevrouw Patel schudde haar hoofd. 'Nee, maar waarom zou ze anders zo vaak komen?'

Claire wist wel waarom. Maudie had alleen haar sombere kamer bij mevrouw Watson, en ze kon nergens anders heen. Het moest hels zijn om daar met die lawaaiige kinderen en de kritiek van mevrouw Watson te zitten. Je kon er veel beter opuitgaan, zoals Claire zelf ook al had ontdekt. Maudie was misschien niet de zedigheid zelve (ze had Claire verteld dat haar zoontjes van twee verschillende vaders waren, die allebei waren vertrokken), maar een dief was ze niet.

Claire probeerde zich voor te stellen hoe het was om twee kinderen op te voeden in de wetenschap dat jij de komende vijftien of twintig jaar in je eentje de verantwoordelijkheid moest dragen. Claire kon in haar eentje al zo moeilijk vrienden en woonruimte vinden. Hoe moest het voor Maudie zijn? Ze stal niet, ze was gewoon eenzaam.

Die avond bleef Safta Patel na het eten lang bij de vrieskast naar Claire staan kijken. Eerst dacht Claire dat ze misschien van haar moeder moest controleren of Claire zelf niets meepikte, maar toen drong het tot haar door dat Safta gewoon verlegen was.

'Hallo,' zei ze. 'Heb je je huiswerk af?'

'Nog niet,' bekende Safta. 'Ik kan niet leren als mijn zusje tv zit te kijken.'

Claire dacht aan de uren op haar kamer thuis, en hoe Freds muziek haar van haar werk had gehouden. 'Ja, dat is moeilijk,' zei ze. 'Waar ben je mee bezig?'

'Wiskunde,' vertelde Safta. 'Ik kan er niks van.'

Claire legde de plumeau neer en haalde haar schouders op. 'Het zal hier wel net zo zijn als in Amerika,' zei ze. 'Een grote uitdaging.'

Safta glimlachte en weer viel het Claire op hoe lang haar wimpers waren. Claire, die zelf blond was, had altijd dikke, donkere wimpers willen hebben.

Safta leek ook iets dergelijks te denken. 'Wat heb je mooi haar,' zei ze. 'Het danst als je beweegt.'

Claire herkende het verlangen in Safta's stem. 'Het jouwe is mooier. Zo steil en glanzend.'

Safta schokschouderde.

'Moet je niet weer eens aan het werk?'

Safta zuchtte en knikte. 'Ik zit voor mijn eindexamen. Hoeveel vakken heb jij gedaan?'

Voordat Claire iets terug kon zeggen, riep mevrouw Patel vanachter de toonbank: 'Safta, wat doe je daar? Moet ik werk voor je zoeken?'

'Nee,' riep Safta terug, en ze keek weer naar Claire. 'Ik zou kort haar willen hebben,' zei ze, en toen verdween ze door de deur, met haar lange zwarte vlecht achter zich aan. Claire had een moord voor zulk haar willen doen.

Mevrouw Patel kwam naar haar toe. 'Die kinderen met hun tv altijd,' zei ze hoofdschuddend. 'Maar goed, ze gaan nu naar bed, dan heeft Safta rust.'

Claire was langer gaan werken, en mevrouw Patel bleef haar twintig pond geven, maar ze kreeg meer boodschappen. Na nog geen week had Claire al een hele verzameling blikjes en potjes. Het was haar opgevallen dat de blikjes meestal gebutst waren, en dat ze rare dingen kreeg die niemand wilde hebben, maar ze had er niets van gezegd, en ze at toch niet veel. Ze leek zelfs af te vallen. Haar broeken zaten wijder dan voorheen.

Toen mevrouw Patel haar die avond weer twee tassen wilde geven, nam Claire ze niet aan. 'Nee, dank u,' zei ze, 'ik heb meer dan genoeg.'

Mevrouw Patel keek haar argwanend aan. 'Wil je soms meer geld? Dat heb ik niet.'

Claire schudde haar hoofd. 'Nee, het is goed zo.' Ze liep naar het rolluik.

Toen ze terugkwam, stond mevrouw Patel met haar hand op haar rug achter de toonbank. 'Kom dan een keer bij ons eten,' bood ze aan.

'Maar wie past er dan op de winkel?'

'Ik hang soms het bordje "over een halfuur terug" achter het raam. Mijn klanten komen wel terug, en in noodgevallen kunnen ze aanbellen. Maar als je komt eten, mis je wel het extra geld, hè?'

Claire glimlachte bijna, maar omdat ze bang was dat mevrouw Patel het als een belediging zou opvatten, knikte ze alleen maar. Het was heel aardig van haar dat Claire mocht komen eten, en zo kreeg ze ook meer van de kinderen te zien. En misschien had mevrouw Patel wel behoefte aan volwassen gezelschap.

Alsof mevrouw Patel haar gedachten had gelezen, zei ze: 'Dan kun je me ook helpen afwassen.' Haar bitsheid leek een reactie op haar eigen gastvrijheid te zijn.

'Goed,' zei Claire. 'Mag ik nog even in de krant kijken voordat ik wegga?'

Ze spreidde de *Evening Standard* voor zich uit en zag tot haar teleurstelling dat de meeste gemeubileerde kamers meer dan driehonderd pond per week kostten, terwijl ze nu maar iets meer dan honderd pond betaalde. De advertenties stonden vol raadselachtige afkortingen. Ze omcirkelde alle aanbiedingen van minder dan honderdvijftig pond, maar het waren er heel weinig.

Mevrouw Patel, die achter de toonbank stond op te ruimen, keek naar haar. 'Wil je een flat kopen?'

Claire schoot in de lach. 'Kopen? Ik kan er niet eens een huren.'

Mevrouw Patel keek haar onderzoekend aan. 'Zeg nou niet dat je geen rijke ouders in Amerika hebt.'

'Mijn vader is vijf jaar geleden gestorven en ik ben het huis uitgegaan.'

'O, dat spijt me.' Het klonk oprecht, en even liet ze haar strengheid varen. 'Ik weet hoe het is om geen familie meer te hebben. Verdomd moeilijk, voor een vrouw alleen.' Ze zweeg even en vervolgde toen kordaat: 'Ik dacht dat je iets op stand zocht, maar als je geen geld hebt, vind je niets in de krant. Je moet het van horen zeggen hebben.' Ze dacht even na. 'We zouden hier een advertentie kunnen ophangen. Misschien weet iemand iets.' Claire vond het ontroerend dat ze het woord 'we' gebruikte.

Claire moest de winkel nog aanvegen, en om de een of andere reden lag er meer stof dan ooit. Hoewel ze die ochtend al een bad had genomen, wilde ze niet in bed kruipen voordat ze weer schoon was.

Ze maakte haar kamerdeur open, pakte haar toiletspullen en liep met haar ochtendjas over haar arm de gang in. Toen ze bij de badkamer aankwam, zag ze echter dat hij bezet was. Ze wist niet of ze zou wachten of terug naar haar kamer sluipen. Terwijl ze stond te dubben, kwam mevrouw Watson de trap af.

Ze nam Claire van top tot teen op. 'Je gaat toch geen bad nemen, hoop ik?'

Claire schudde haar hoofd. 'Ik wil me alleen even opfrissen,' jokte ze, maar ze vond de vraag en haar leugentje allebei vernederend, temeer daar ze al extra betaalde voor het voorrecht zich schoon te houden.

'Was je daar maar,' zei mevrouw Watson en ze wees naar de wc, die een fonteintje had.

'Nee, dank u,' zei Claire. 'Het is daar een beetje vies.'

'Nou, dan maak je het toch schoon?' katte mevrouw Watson. 'Het is toch ook jouw vuil?'

'Nee, toevallig niet,' katte Claire terug, en ze liep snel naar haar kamer.

Ze was van streek. Ze betaalde voor deze kamer, net als voor haar kamer thuis, maar waarom had ze dan niet het gevoel dat het haar kamer was? Ze had zich nooit ergens thuis gevoeld, niet thuis, niet in Tottenville, niet bij Crayden Smithers en ook hier niet. Ze ging op de rand van het bed zitten, sloeg haar handen voor haar gezicht en liet de tranen stromen.

Ze huilde lang. Telkens als ze tot bedaren leek te komen, dacht ze weer aan de beledigingen van Joan, de steken onder water van haar moeder, Tina's achteloze zelfingenomenheid, Michaels verraad of het gezicht van mevrouw Watson, en dan barstte ze weer in snikken uit. De herinnering aan Michael met Katherine samen was het ergst. Wat was het heerlijk geweest, die paar dagen dat ze het gevoel had gehad dat hij haar bij zich wilde hebben. En nog beter dan zijn aandacht, de seks en de luxe die hem omringde was het gevoel geweest dat ze er met hem wel bij hoorde, dat ze lid was van de club van mensen die overal welkom waren. Hier, in haar akelige kamertje, moest ze de waarheid onder ogen zien. Zij maakte deel uit van de wereld van mensen die nergens welkom waren, en dat zou wel altijd zo blijven.

Uiteindelijk was Claire zo moe van het huilen dat ze in bed kroop zonder zelfs maar het stof van haar handen of haar gezicht te wassen. Misschien zag het er morgen zonniger uit.

Toen zag ze de envelop op de stoel naast het bed liggen. Haar naam en het adres van mevrouw Watson stonden erop, zorgvuldig geschreven in Abigail Samuels' mooie, nette handschrift. Claire pakte de brief alsof het een lot uit de loterij was. Er had iemand aan haar gedacht, iemand had de moeite genomen haar te schrijven. Ze maakte de envelop voorzichtig open en pakte het vel briefpapier met Abigails initialen eruit.

Beste Claire,
Bedankt voor je kaart, en ik was blij dat je belde. Ik heb uiteraard vakantiedagen voor je opgenomen, daar hoef je je geen zorgen over te maken. Ik heb aan Personeelszaken doorgegeven dat je twee weken wegblijft. Als je eerder terugkomt, is het ook goed, maar laat het me weten als je langer blijft. Je baan wordt voor je vrijgehouden. Ik had me trouwens nooit gerealiseerd wat een tiran die Joan Murphy is. We moeten allemaal werken, maar moet het ook zo onaangenaam gemaakt worden? Me dunkt van niet. Hoe is het jou vergaan?

De jongeheer Wainwright trof bij terugkeer van zijn reis een janboel aan. Het stond los van zijn privé-leven, dat net zo'n janboel schijnt te zijn. Naar het schijnt wordt een aantal van zijn zakelijke beslissingen in twijfel getrokken. Neem maar van mij aan dat het niet prettig is om door meneer Crayden zelf aan een kruisverhoor onderworpen te worden. Onze jonge hond is met de staart tussen de benen afgedropen. Niet dat jij er iets om geeft, natuurlijk. Het is maar een kantoorroddeltje.

Over roddels gesproken: jij bent het gesprek van de dag, of beter gezegd de week. Ik hoor je naam altijd in de kantine. Je zou denken dat de politieke situatie, de kindermishandelingszaak, de broedermoord en de val van de Dow genoeg gespreksstof kunnen leveren, maar nee. Dit lijkt de nieuwe theorie te staven dat mensen niet hebben leren spreken om praktische informatie uit te wisselen, maar om te roddelen.

Maar goed, het is hier saai. Ik hoop dat jij al op audiëntie bent geweest bij de koningin, je hebt uitgeleefd in Harrods en een affaire bent begonnen met een parlementslid of een beroemde voetballer. Ikzelf vond dat de Engelse mannen jammerlijk tekortschoten als het op hartstocht aankwam, maar misschien heb ik de verkeerde keuzes gemaakt. Ik hoop dat jij meer geluk hebt.

Amuseer je op alle mogelijke wettelijk toegestane manieren. Na een lang, afwisselend leven heb ik meer spijt van de dingen die ik niet heb gedaan dan van alles wat ik wel heb gedaan. O, zorg dat je Hampton Court te zien krijgt. Het is er echt heel mooi in deze tijd van het jaar.
Veel plezier,
Abigail

Claire schoot bijna in de lach, zo blij verrast was ze met de brief met zowel filosofische als romantische adviezen. Ze las de brief nog een keer. Het sierde haar niet, maar ze vond het leuk dat Michael zich in de nesten had gewerkt. Ook de gedachte aan Joan schonk haar voldoening, want het was bij Crayden Smithers geen goed idee om Abigail Samuels tegen je in het harnas te jagen. Arme Joan. Claire vroeg zich af waarom Abigail haar wél aardig vond. Het was een raadsel dat zou moeten wachten. Haar gedachten dwaalden af naar Toby en Adam Tucker. Misschien moest ze Abigails raad opvolgen en een 'affaire' met een van beiden beginnen, of met allebei. Het idee! Tina zou het besterven, maar Tina hoefde het toch niet te weten? Claire vond Toby veel leuker dan Adam, maar misschien klopte Abigails kritiek op de Britse minnaar wel, en na Michael was ze heel veeleisend geworden.

Ze legde de brief weg en merkte dat ze te opgewonden was om te slapen. Ze was blij dat ze weg was van alles waarover ze had gelezen, maar Abigails verhalen gaven haar een gevoel van verbondenheid met, maar ook verhevenheid boven het kantoor waar ze haar dagen had gesleten. En dat is een heel prettig gevoel, mocht je het nog niet weten.

Claire pakte de wol en begon aan de eerste handschoen. De oude dame van Knitting Kitting had gelijk. Het garen leek op magische wijze patronen te vormen. Het was zo fascinerend dat Claire tot diep in de nacht bleef breien. Toen ze de derde vinger af had, legde ze haar breiwerk op de stoel bij het bed, deed de lamp uit, kroop onder de dekens en viel in slaap.

36

Hoewel ze haar voelhoorns had uitgestoken en de *Evening Standard* was blijven uitpluizen, had Claire geen woonruimte gevonden. Ze had een paar sjofele pensions bekeken, maar die zagen er net zo erg uit als dat van mevrouw Watson, en ze kostten meer. Het briefje dat ze bij mevrouw Patel achter het raam had gehangen, had ook niets opgeleverd. Claire deed zo zuinig mogelijk met haar geld. Overdag maakte ze lange wandelingen, keek uit naar kamers te huur en genoot van haar vrijheid.

Tijdens haar wandelingen bedacht ze dat ze in Staten Island zelden alleen was geweest, maar altijd eenzaam. Er was dus niets veranderd. Alleen was ze het zich nu bewust. Het is niet erg, maakte ze zichzelf wijs, maar toen ze op een ochtend langs een telefooncel kwam, bezweek ze en belde Adam Tucker, domweg omdat ze behoefte had aan menselijk contact. Hij leek het leuk te vinden dat ze iets van zich liet horen. 'Laten we uit eten gaan,' stelde hij voor.

'Ik kan niet. Ik werk 's avonds,' zei ze.

'Dus je hebt je werkvergunning gekregen! Dat moeten we vieren.' Claire bloosde. Ze kon niet goed liegen. Ze maakte een afspraak met hem voor de volgende avond om halfelf.

'Nou, ik zou zo iemand kunnen vinden die een kamer wil verhuren,' zei Adam na het voorgerecht. Claire had een Indiaas restaurant voorgesteld, en Adam was met de nodige bedenkingen akkoord gegaan.

Hun hoofdgerecht werd gebracht, kip tikka, korma en dal. Adam keek er achterdochtig naar. 'Zit hier kerrie in?' vroeg hij. 'Chili lust ik wel, maar van die kerriesmaak word ik misselijk.'

Claire schudde haar hoofd. 'Dat had je al gezegd,' friste ze zijn geheugen op. 'De kip is zonder saus en de kormagroenten hebben een yoghurtsaus.'

'Yoghurt?' herhaalde hij, en hij trok een gezicht. Zelfs met zijn neus opgetrokken was hij heel aantrekkelijk, althans uiterlijk. 'Je bent toch niet zo'n gezondheidsfreak?'

Claire schudde haar hoofd, en niet alleen om de vraag. Ze schepte hem rijst, kip en wat korma op. Hij keek er weifelend naar, maar pakte toen toch zijn vork. 'Heb je gereisd nu je hier toch was?' vroeg Claire.

'Ik ben met een vriend naar Spanje geweest, maar alleen omdat hij ging. Hij zei dat Barcelona een coole stad was. Ik spreek een beetje Spaans, maar ze leken me niet te begrijpen en ze aten er pas rond middernacht.'

'Vond je de stad mooi?'

'O, ik weet niet. Ik hou niet zo van steden. Ik kom uit een dorpje en ik hou niet van buitenlands eten. Al is dit wel lekker,' zei hij snel. 'Die kip is goed.' Hij keek glimlachend naar haar. Ze had nog nooit zulke witte tanden gezien. 'Je zou eens naar Texas moeten komen,' zei hij. 'Het zou je bevallen.'

Claire vroeg het zich af. Hoe meer ze over die knappe korporaal Tucker te weten kwam, hoe minder aardig ze hem vond. Of nee, hij was heel aardig, maar hij was gewoon niets voor haar. En helaas leek hij haar wel een goede keus voor zichzelf te vinden.

'Wat heb je in Londen al allemaal gezien?' vroeg hij terwijl hij nog wat kip nam.

'O, zoveel mogelijk. De National Gallery, St.-Paul's en Claridge's. Ik heb het grootste deel van Mayfair gezien en ik begin Camden en Kensington al vrij goed te kennen.'

'Is dat allemaal in Londen?' vroeg hij.

'Ja, maar ik wil ook nog naar Hampton Court. Dat ligt buiten de stadsgrens. Je moet er met de boot of de trein naartoe.'

'Misschien kun je me eens rondleiden.'

Claire vond het aandoenlijk dat hij verliefd op haar was, maar meer voelde ze niet. Ze dacht aan de rondleiding die Michael Wainwright haar had gegeven. Had hij haar ook zo saai en onwetend gevonden? Maar zij was nieuwsgierig en enthousiast geweest, en dat gold niet voor Adam. Claire besefte spijtig dat het geen zin had hem vaker te zien. Had de Kanjer dat ook over haar gedacht toen hij haar in de steek liet voor Katherine Rensselaer? Claire slaakte een zucht en begon over iets anders.

Toen Adam na het eten vroeg of ze al telefoon had, gaf ze hem een verzonnen nummer. Ze voelde zich schuldig, maar ze wist niet hoe ze hem tactvol kon uitleggen dat ze niet wilde omgaan met iemand die er zo weinig interesses op nahield. Toen ze bij de ondergrondse afscheid van hem nam, was dat een pak van haar hart.

In een opwelling kocht ze een ansichtkaart bij een avondwinkel, een bijzonder onflatteuze foto van wijlen de koningin-moeder, en adresseerde hem aan Abigail.

Heel hartelijk bedankt voor je brief. Ik wil graag verlof opnemen, als je het voor me kunt regelen. Ik weet niet waar ik kom te wonen, of hoe, maar ik ben heel blij dat ik hier ben.

Ze dacht even na, glimlachte en vervolgde:

Het spijt me dat meneer Wainwright problemen heeft. Doe de groetjes aan Joan, maar niet al te hartelijk.

Ze plakte de postzegel op de kaart en gooide hem in de rode brievenbus.

De kaart was verstuurd. De teerling was geworpen. Als Claire morgen geen woonruimte vond, zou ze mevrouw Watson moeten vertellen dat ze toch langer wilde blijven.

37

De volgende ochtend breide Claire de eerste handschoen af. Ze zou vandaag naar de wolwinkel gaan. Toby noch Adam had haar aan een kamer of een baan geholpen, maar ze zou er bij Knitting Kitting naar kunnen vragen. En om zichzelf te verwennen zou ze Abigails raad opvolgen en naar Hampton Court gaan. Ze haalde zoals elke ochtend haar koffer onder het bed vandaan om te controleren of ze haar paspoort en ticket nog had, en toen telde ze haar geld. Ze had nog vijfhonderdvijfenvijftig pond. Ze pakte er vijftig en stopte ze in haar tas.

Ze ging opgewekt op pad, en het ontbijt maakte haar nog vrolijker. De serveerster in het café, die Marianne heette, had Claire uit haar gesprekken met anderen opgemaakt, kende haar al van gezicht en vroeg of ze 'hetzelfde' wilde.

Daarna nam ze de ondergrondse naar South Kensington en liep naar Knitting Kitting. Ze had mevrouw Patel gevraagd wat die naam betekende, en te horen gekregen dat 'kitting out' betekende dat je iemand van benodigdheden voorzag. Ze kon de straat niet meteen vinden, maar na een paar angstige minuten was ze er opeens.

Alleen wachtte haar een teleurstelling: er hing een handgeschreven briefje op de deur met de tekst: *Gesloten, kom zo terug.* Claire had geen idee wat een vrouw van in de zeventig met 'zo' kon bedoelen. Ze kon natuurlijk weggaan, maar het geld brandde in haar zak en haar vingers jeukten om aan iets nieuws te beginnen.

Ze kon in een café gaan zitten, maar ze had geen trek en wilde niet nodeloos geld uitgeven. Ze ging dus maar een ommetje maken, en toen ze terugkwam, was de winkel open. Er was niets veranderd, en Claire had het gevoel dat er al zeker twintig jaar niets was veranderd.

'Hé, hallo,' zei de oude dame achter de toonbank. 'Ik was even boven. Ik hoop dat ik je niet te lang heb opgehouden. Er kan niemand op de winkel passen als ik de telefoon moet opnemen of naar de wc moet.' Ze glimlachte. 'Jij bent hier eerder geweest,' zei ze.

Claire knikte. 'Toen hebben we over uw deken gepraat.'

'Ja, dat is ook zo.'

'Hoe gaat het ermee?'

'Heel goed. En met jouw handschoenen?'

Claire, die blij was dat de vrouw het nog wist, haalde de voltooide handschoen uit haar tas en legde hem op de toonbank. Als de vrouw haar werk zag, zou ze misschien... Nu ja, misschien gaf ze Claire een baantje of wist ze een kamer te huur, al was dit een dure buurt.

'O, hemel, wat prachtig!'

Claire haalde haar schouders op. 'Het komt door de wol,' zei ze. 'Ik heb nog nooit zoiets gezien.'

'Ik ook niet, maar het is niet alleen de wol.' Ze pakte de handschoen, draaide hem om en bekeek de boord, de duim en de vingers. 'Nou, de kunst is nog niet verloren gegaan,' zei ze glimlachend. 'Jij hebt alle kennis die iemand maar nodig kan hebben.' Tot Claires blijdschap richtte de vrouw haar aandacht nu op haar sjaal. 'Heb je die ook gemaakt?' vroeg ze. Claire knikte, maakte hem los en legde hem naast de handschoen op de toonbank. 'Wat een mooie kleur! O, ik had vroeger zoveel kleuren wol. Alsof ik in een regenboog werkte.' Ze pakte de sjaal en voelde eraan. 'Wat brei je regelmatig. Wat is dit voor patroon?'

Claire haalde haar schouders weer op. 'Ik weet het niet. Ik heb het van mijn oma geleerd.'

'Nou, het is beeldig. Ik durf je mijn werk bijna niet meer te laten zien, en je deed alsof het geweldig was.'

'Nee, dat meende ik echt. Mag ik de deken nog eens zien?'

'Ja, natuurlijk.' De vrouw pakte de deken vanonder de toonbank. Hij was echt heel knap gemaakt, al moest je zelf goed kunnen breien om het te zien. Claire dacht eraan hoe koud ze het altijd had bij mevrouw Watson. Het zou fijn zijn als ze zo'n deken om zich heen kon slaan. Tja, ze had mevrouw Watson tot morgen betaald. Als ze een andere kamer vond, hoopte ze dat het daar minder koud zou zijn. Ze haalde diep adem.

'Weet u, ik vroeg me af of u misschien ergens een kamer te huur weet. Dit is een leuke buurt, en ik zou...'

'O, van zulke dingen weet ik niets, kind. Dat zou je aan mijn zoon moeten vragen. Hij is advocaat, maar hij zit al heel lang in het onroerend goed, en hij is bevriend met de makelaar hier verderop. Ik geloof dat hij zaken met hem doet.'

Claire betwijfelde of een makelaar haar zou kunnen helpen. De moed zonk haar in de schoenen.

'Kan ik verder nog iets voor je doen?' vroeg de vrouw.

Claire dwong zichzelf te glimlachen. Het viel niet mee om je eigen plekje te vinden. Een huis, een baan en vrienden. Het was behelpen, en soms lukte het helemaal niet. 'Nee, dank u. Ik maak toch maar eerst de handschoenen af. U weet hoe het gaat.'

'O, zeker. Ik zou niet weten hoe vaak ik me door de wol heb laten verleiden om aan iets nieuws te beginnen, en je moet alles afmaken, hè?'

'Ik verheug me erop de handschoenen af te maken,' zei Claire. 'Het is spannend om het patroon te zien ontstaan.'

'Nou, veel plezier dan maar. En kom nog eens terug.'

Claire had het gevoel dat ze werd weggestuurd. Ze deed haar sjaal om en stopte de handschoen in haar zak. Haar bezoek aan de winkel had niets opgeleverd. Ze stapte de frisse lucht in en slaakte een diepe zucht. Ze had haar laatste troef uitgespeeld en nu zou ze zoete broodjes moeten bakken met mevrouw Watson. Ze trok haar sjaal stevig aan en besloot dat dit niet het moment was voor zelfbeklag. Eerst moest ze van haar vrijheid genieten.

Claire nam de ondergrondse naar Paddington en kocht een enkeltje naar Hampton Court. Ze had in Abigails gids gelezen dat je met een boot over de Theems terug kon varen, en als het weer het toeliet, zou het leuk zijn Londen vanaf het water te zien.

De treinreis was saai, maar niet voor Claire. Ze keek door het raam naar achtertuinen en parken. Het uitzicht was veel mooier dan vanuit de trein in New Jersey. Ze wist niet of heel Engeland zo mooi en goed onderhouden was, maar het was prachtig.

Ze was er trots op dat ze zo'n avontuur ondernam, maar toen ze uit de trein stapte, zakte haar vrolijke stemming. Aan het eind van het perron stond een man in uniform die haar kaartje wilde zien, en ze had geen idee waar ze het had gelaten. De man wachtte kalm terwijl

Claire in haar zakken en haar tas zocht. Uiteindelijk, net toen ze het wilde opgeven, vond ze het kaartje in het boek van Nancy Mitford. Ze gaf het aan de man en vergat helemaal de weg naar Hampton Court te vragen. Gelukkig waren er overal borden, en iedereen uit de trein leek dezelfde kant op te gaan.

Claire had Buckingham Palace en Kensington Palace al vanbuiten gezien, maar Hampton Court was heel anders. Het had de torens en kantelen die ze bij Assepoester, Sneeuwwitje en Doornroosje voor zich zag. Het park rondom was adembenemend weelderig. Andere mensen maakten foto's, maar Claire wist zeker dat ze de schoonheid die ze voor zich zag nooit meer zou vergeten.

Ze liep door de ongelooflijk mooie hekken en kocht een kaartje. Het paleis was in de zestiende eeuw van kardinaal Wolsey geweest. Toen Hendrik VIII op bezoek kwam, had hij hebberig om zich heen gekeken. 'Dit paleis is alleen een koning waardig,' had hij tegen Wolsey gezegd, die zo verstandig was geweest het meteen aan Hendrik te schenken. Daar viel de prijs van het toegangskaartje bij in het niet. Soms is het beter om weinig te hebben, dacht ze. Je hebt minder te verliezen en minder om over in te zitten.

Claire drentelde door het paleis en kwam bij de achtertuin. De doolhof, de formele tuin, de kassen en de overdekte tennisbaan waren indrukwekkend, maar, zoals Tina zou kunnen zeggen: 'Leuk om op bezoek te gaan, maar je zou er niet willen wonen.' Claire moest niet eens denken aan alle verplichtingen die het huis met zich meebracht. Hoeveel bedienden had Hendrik in dienst gehad? Hoeveel hoveniers? Hoeveel koks?

De zon kwam achter de wolken vandaan en ze zag de rivier achter het park liggen. De grijze Theems sprankelde in de zon en ze verheugde zich al op de boottocht. Ze liep terug naar de hekken en vroeg de weg. Toen ze bij de haven aankwam, vertrok er juist een boot.

Het betrok steeds, dus zette Claire haar kraag op en stopte haar sjaal erin voordat ze naar het bovendek ging. Ze wilde de kou wel trotseren om te zien hoe de groene oevers eerst weken voor huizen, toen voor de grotere gebouwen van de buitenwijken en ten slotte voor Londen zelf.

Claire genoot van haar gevoel van vrijheid, en pas toen ze langs de parlementsgebouwen kwamen en ze het terras zag waarop ze thee had gedronken met Michael en zijn vriend, voelde ze een steek van verdriet. De gedachte dat ze vrij was, was weer eens angstwekkend snel overgegaan in het besef dat ze helemaal alleen was. Claire liep beverig naar beneden en ze was dankbaar toen de boot aanlegde en ze weer in de mensenmassa werd opgenomen.

38

Het was vrijdagochtend en Claire was nu iets meer dan twee weken in Londen. Ze had tegen mevrouw Watson gezegd dat ze langer wilde blijven. Het was een vernedering, maar ze ging steeds meer van de stad houden, wat het draaglijk maakte. En misschien zou ze snel iets anders vinden.

Ze had *Hons and Rebels* uit en ze had ervan gesmuld. Ze had Toby al een week niet meer gezien en ze wilde het boek met hem bespreken en iets nieuws kopen. Er stonden nu drie boeken naast haar bed, en ze snakte naar meer beduimelde exemplaren met die heerlijke geur van oud papier en Londens stof. Misschien kon ze haar eigen bibliotheek aanleggen. Ze wilde in elk geval nog een boek van Mitford lezen, en misschien een biografie van de krankzinnige familie.

Toby's boekwinkel trok haar als een magneet. Niet alleen vanwege Toby zelf, al vond ze hem knap, charmant en onderhoudend. Ze wilde ook erkenning krijgen, verwelkomd worden en knus achter in de winkel in die grote stoel zitten. Ze wilde zich niet aan Toby opdringen, maar zolang ze boeken kocht, had ze een reden om naar hem toe te gaan.

Ze verzamelde moed, liep de winkel in en werd beloond met een vriendelijk 'hallo' van Toby. 'Fijn je te zien. Of wie dan ook, eigenlijk.' Hij rilde. 'Als ik hier te lang zonder klanten zit, begin ik me af te vragen of ik er wel iets van kan maken.'

'Dat heb je toch al gedaan?'

'Nauwelijks.' Hij keek om zich heen. 'Maar als ik daar te lang over nadenk, vliegt het me aan. Jouw bezoek kan me daarvoor behoeden.'

Claire bloosde van genoegen. Ze durfde niet zomaar in de luie stoel te gaan zitten, maar Toby dirigeerde haar erheen. 'Ik heb van het boek genoten,' zei ze, alsof dat de stoel rechtvaardigde. 'Ik zou wel een biografie van Nancy of de familie willen lezen.'

'O, nee, niet van Nancy. Veel te triest. Ze viel voor de ene foute man na de andere, maar geldt dat niet voor ons allemaal?' Claire knikte. 'Er is een goed boek over het hele stel,' vertelde Toby. 'En Diana Mosley heeft een raar autobiografietje geschreven. Nee, laat maar. Maar je zou Nancy's brieven kunnen lezen. Ze heeft veel cynische, maar ontzettend leuke brieven aan Waugh geschreven. Misschien is *The Pursuit of Love* nog het meest geschikt. Het is een roman, maar haar familie wordt er op het toppunt van de krankzinnigheid in afgeschilderd. Ik geloof dat ik er een paar exemplaren van heb.'

Toby liep een gangpad in. 'Het geeft je in elk geval een beeld,' riep hij, 'van hoe vrolijk het in Engeland toeging toen we nog een heersende klasse hadden.' Hij kwam terug met een in blauw leer gebonden boek. 'Alleen als je zelf bij die heersende klasse hoorde, uiteraard. Anders was het sappelen, vrees ik. Maar goed, Nancy was wereldvreemd. Geniet er maar van.'

Claire reikte naar haar portemonnee, verrukt dat ze dit mooie boekje bij de andere kon zetten. Waarom had ze in New York altijd genoegen genomen met pockets en bibliotheekboeken? Het boek kostte vijf pond, en ze weigerde de korting die Toby haar aanbood. 'Ik betaal je ook als literair adviseur,' zei ze.

Hij glimlachte. 'Misschien zou ik daar meer mee kunnen verdienen.' Hij stopte het geld in zijn zak. 'Maar los van je klandizie, die ik zeer op prijs stel, heb ik nieuws voor je, en ik wist niet waar ik je kon bereiken. Ik heb misschien woonruimte voor je gevonden. Mijn vriendin Imogen heeft een appartementje in South Kensington, en ze kan wel een extraatje gebruiken, want ze geeft graag geld uit. Ze verdient zo goed als niets als redactrice van vreselijke boeken. *Decoreer uw baarmoederwand in tien dagen. Iedereen kan pottenbakken. Mijn leven in Harvey Nicks.* Maar goed, ik vroeg of ze iemand wist die een kamer overhad, en toen bood ze haar bergkamer aan.'

'Wat is een bergkamer?' vroeg Claire, al kon het haar niets schelen. South Kensington was een prachtige buurt. De wolwinkel stond er. De kamer was vast onbetaalbaar.

'Wat een bergkamer is? Het woord zegt het toch al? De kamer waar je dozen opslaat, of je koffers, of de baby, als je een voortplanter bent. Het is niet echt een slaapkamer, maar er zit een raam en Im zegt...

Wacht, vraag het haar zelf maar.' Hij pakte de telefoon, toetste een nummer in, bedacht zich en hing op. 'Ze is nogal een... klimmer,' zei hij veelbetekenend. 'Al is dat natuurlijk volkssport nummer een. Een soort hondenliefhebster, maar zij verzamelt mensen vanwege hun stamboom. Ze heeft een vriend. Een beste jongen, maar volgens mij trouwt ze alleen met hem vanwege zijn connecties. Ik heb geen idee wat ze van jou zal vinden. We zullen maar zeggen dat je een nichtje van de Hilton-tweeling bent, of een aan lagerwal geraakte Vanderbilt.'

Een kleine kamer was misschien goedkoper, maar... 'Moet ik echt liegen?'

Toby glimlachte. 'Tja, de Bilsops horen natuurlijk wel tot de oudste families van Amerika.' Hij tuitte zijn lippen en trok zijn wenkbrauwen op.

'Nou, dat zou best waar kunnen zijn. Mijn vader had het er altijd over, maar ik weet niet of het echt zo was, of dat hij het maar verzon.'

Toby glimlachte breed. 'Laten we hem het voordeel van de twijfel gunnen.' Hij pakte de telefoon weer.

Claire hoorde dat er werd opgenomen. 'Ja, hallo,' zei Toby. 'Zeg, dat meisje zit hier, je weet wel. Heel rustig en netjes. Ideaal voor een bergkamer. Uit een oude familie. Ze hebben land gekregen van George III en zijn een eeuwigheid geleden naar onze kolonies overgestoken.' Hij knipoogde naar Claire, die wel moest glimlachen. 'Het is een schatje.' Imogen zei iets, en Claire hield haar adem in. 'O, zeker,' zei Toby. 'Wil je haar spreken?'

Dat wilde Imogen blijkbaar wel, want Toby reikte Claire de telefoon aan.

'Hallo, met Claire Bilsop,' zei ze.

'Met Imogen Faulkner. Toby zegt dat jij die kamer wel wilt, maar stel je er niet te veel van voor. Hij is erg klein.'

'O, ik wil hem vast wel,' zei Claire.

'Wanneer kun je komen kijken?'

Claire dacht aan mevrouw Patel. Ze mocht niet te laat komen, en Imogen wilde haar waarschijnlijk niet 's avonds na tienen ontvangen. 'Kan het morgenochtend?' vroeg ze. 'Ik werk 's avonds.'

''s Ochtends? Wel na tienen, graag, of nog iets later.'

'Elf uur?'

'Super,' zei Imogen. 'En trouwens, het zou goed uitkomen als je er 's avonds niet was.' Imogen ging zachter praten. 'Dan ontvang ik. Ik ben verloofd,' zei ze giechelend. 'Toby heeft mijn adres en alles. En zeg maar tegen hem dat ik die rotboeken niet hoef. Hij heeft ze geërfd, niet ik. Laat hij ze zelf maar houden.'

'Ik geef het door,' beloofde Claire. 'Dan zie ik je morgen om elf uur.'

'Super,' zei Imogen weer, en ze hing op.

39

De volgende ochtend nam Claire de ondergrondse naar South Kensington en liep naar het opgegeven adres, dat ze op haar plattegrond had aangekruist. Het was hier heel anders dan in Camden. De rijen oude huizen werden hier niet ontsierd door lelijke nieuwbouw, en overal hingen bloembakken. De smetteloze stoep werd door smeedijzeren hekken gescheiden van de al even smetteloze voortuinen.

Ze sloeg de hoek naar Imogens straat om. Het was pas halfelf, dus liep ze langs nummer negentien en verkende de buurt nog even.

Twee straten verderop zaten een café, een supermarkt en een makelaar. Claire stond ervan te kijken hoeveel makelaars er in Londen zaten. Ze keek naar de verleidelijke foto's van de huizen en verwonderde zich over de prijzen. Toen ging ze naar het café, dat een gastvrije indruk maakte. Ze had geen ontbijtcafé in de buurt gezien, maar misschien mocht ze van Imogen haar eigen ontbijt maken. Het maakte haar niets uit, als ze maar in bad kon wanneer ze wilde. Ze liep terug naar nummer negentien en drukte op de bel bij het bordje 'Faulkner'.

De deur zoemde open en Claire stapte in een voorname hal met een zwart-wit geblokte marmeren vloer, een spiegel in vergulde lijst en twee deuren. Claire aarzelde, haalde diep adem en klopte op de rechterdeur.

Ze had haar hand nog niet laten zakken of de deur zwaaide open en ze zag Imogen tegenover zich staan. Imogen had een onderbroek aan en make-up op, maar verder was ze bloot.

Claire bloosde, maar probeerde alleen naar Imogens ronde gezicht en grote blauwe ogen te kijken. Haar haar was een honingblonde stralenkrans en haar huid leek van porselein. 'Jij moet Claire zijn,' zei Imogen. 'Kom binnen. Je vindt het toch niet erg dat ik nog niet aangekleed ben?' Claire schudde haar hoofd, maar Imogen had zich al omgedraaid. Ze draafde twee trappen op en Claire volgde.

Boven aangekomen bleef ze staan en snakte naar adem. De etage strekte zich voor haar uit, een ruime, zonverlichte ruimte met grote ramen aan de voorkant en een dakraam. Er stond een grote bank tegenover een kleine open haard en verder weinig, afgezien van de stapels papier op de vloer en de bijzettafel. 'Iets drinken?' bood Imogen aan. 'Koffie, sherry? Ik neem sherry.'

Claire knikte, maar Imogen stond nog steeds met haar rug naar haar toe. 'Sherry, graag,' zei ze, en toen Imogen terugkwam, had ze niet alleen twee glazen bij zich, maar had ze gelukkig ook een ochtendjas aangetrokken.

'Ga zitten,' zei Imogen, en ze haalde een berg papier van een stoel. 'Ik ben redactrice bij Sofer & Laughton. Leuk, maar wel veel papier, vrees ik.' Claire ging op de bank zitten. 'God, ik heb Toby in geen maanden gezien. Trekt hij het nog?' Claire wist niet waar Imogen op doelde, maar ze knikte. 'We hebben samen gestudeerd. Een goeie jongen, die Toby. Hoe ken jij hem?'

Het was een normale vraag, maar Claire had er niet op gerekend. Als ze de waarheid zei, zou ze dan als een onbetrouwbare, onbekende zwerver klinken? En als ze loog, wat moest ze dan zeggen en hoe kon ze haar verhaal door Toby laten onderschrijven? 'Uit de boekwinkel,' zei ze.

'O, zit je ook in het boekenvak? Ik vond het maar een gelukje dat Toby's oom doodging. Een aristocratische familie, maar geen cent te makken, natuurlijk. Hij is voor dat werk in de wieg gelegd, al is het niet echt werk, hè? Hij zou er niets van bakken in de City. Dat hebben we altijd geweten, we konden ons niet voorstellen wat hij moest gaan doen, maar toen was sir Frederick zo vriendelijk te overlijden en dat was dat. Niet dat Toby zijn titel heeft geërfd, hoor. Alleen de winkel met de bovenwoning. Ik heb geen idee waar hij van leeft, maar hij schijnt zich te redden. Misschien heeft zijn suikeroompje hem ook geld nagelaten.'

Claire was sprakeloos. Ze had altijd gedacht dat de Engelsen zo afstandelijk waren, maar Imogen leek anders te zijn. Ze keek steels om zich heen. Het was een prachtige etage, een en al ruimte en licht. Ze wilde dolgraag blijven.

'En waar kom jij vandaan?' vroeg Imogen.

'Uit New York,' zei Claire. 'Ik heb aan Wall Street gewerkt.' Dat klopte tenminste allebei.

'O, en werk je nu in de City? Daar zit Malcolm ook, mijn vriend. Hij komt uit Edinburgh en hij is registeraccountant. Stomvervelend werk, maar hij heeft de banen voor het oprapen.' Imogen leunde achterover, dronk haar glas leeg en vervolgde op vertrouwelijke toon: 'Malcolm is een achterneef van de koningin. Niet dat we daar iets aan hebben als we gaan trouwen, overigens. Hij heeft een theeservies van Sandringham, maar ik denk niet dat we een huwelijkscadeau krijgen.' Ze glimlachte. 'Als we kinderen krijgen, zijn die zo ongeveer nummer driehonderdzevenentwintig in de lijn voor de troonsopvolging, dus ik reken er niet op dat ik koningin-moeder word.'

Claire kon het niet allemaal volgen, maar ze begreep waarom Toby Imogen een 'klimmer' had genoemd. Hoe zou ze zichzelf moeten presenteren? Een werkloze toerist kon niet tippen aan een glamoureuze redactrice, om nog maar te zwijgen van een familielid van de koningin. Maar voordat ze haar gedachten op een rijtje had gezet, stond Imogen op. 'Zal ik je de kamer laten zien?' vroeg ze. 'Het stelt niet veel voor, vrees ik. Als hij aan de slaapkamer grensde, zou ik er een kleedkamer van maken. Maar hij heeft wel ramen, en de badkamer zit aan de gang, dus die kunnen we delen.'

Ze liep door de woonkamer naar een keukentje, met Claire in haar kielzog. 'Het geld komt goed van pas, maar het is ook belangrijk dat hier iemand is. Ik zit vaak bij Malcolm, en in de weekends gaan we meestal weg. Hij heeft een huis in Kent en mijn ouders hebben een landhuis in Essex.'

Claire knikte en glimlachte. Toby's aanbeveling leek voldoende te zijn. Ze stapten de kleine bergkamer in en Claire was verrukt. 'Ik weet dat hij piepklein is, en die mahoniehouten wastafel is echt foeilelijk,' zei Imogen. 'Ik haat die Victoriaanse meubelen, al komen ze weer in de mode. Na mijn huwelijk krijg ik meubelen uit de familie, en Malcolms ouders hebben ook nog van alles.'

De kamer was inderdaad klein, ongeveer drie bij drieëneenhalve meter, maar dat was een deel van zijn charme. Het leek een kamer uit een poppenhuis. Er waren twee ramen met uitzicht over de achtertuinen, de wanden waren mooi zachtlila geverfd en het houtwerk was gebroken wit. Claire dacht aan haar kamer bij mevrouw Watson met het van de muur krullende behang en het sleetse tapijt. Daar voelde ze zich het meisje met de zwavelstokjes, maar hier... hier zou ze zich zo klein en leuk kunnen voelen als Duimelientje. Er was een inbouwbed met laden eronder. 'Er is geen linnengoed. Daar moet je zelf voor zorgen, maar er is wel een wasmachine.' De Victoriaanse wastafel had een witmarmeren blad en was verre van lelijk. Claire vond hem zelfs charmant, net als het bureau en de kleine, met chintz beklede stoel.

'Er zijn geen gordijnen, vrees ik,' vervolgde Imogen, 'en het bed is smal. Er is ook geen kleerkast, maar je zou de gangkast kunnen gebruiken. Zou je je ermee kunnen behelpen?'

Claire knikte en dwong zichzelf iets te zeggen. Ze zou ontroostbaar zijn als ze hier niet mocht blijven. Ze had nog nooit zo'n uitnodigende kamer gezien. Maar kon ze de huur opbrengen? 'Wat vraag je ervoor?' vroeg ze. Ze voelde haar hart in haar keel bonzen. Het moest echt zo zijn, want ze kon bijna niet slikken.

'Tja, weet je, het huis is van mijn oom.' Imogen lachte. 'We hebben allemaal wel veel ooms, hè? Enfin, ik betaal niet veel. Zou je driehonderd pond per maand kunnen betalen?'

Claire rekende snel. Ongelooflijk! De kamer was bijna honderd pond goedkoper dan haar huidige adres. Het kon niet kloppen, maar Claire gaf er niets om. Ze had er alles voor over om dit boudoirtje te houden. 'Ik neem hem,' zei ze. Imogen zei dat ze er meteen in mocht trekken, en ze verdween met de sleutels in haar hand geklemd.

Ze verdwaalde op weg naar de ondergrondse, liep lukraak door en stond opeens voor Knitting Kitting. Daar stond ze dan, op een steenworp afstand van haar nieuwe huis en vlak voor haar lievelingswinkel in Londen, als je de winkel van Toby en die van mevrouw Patel even vergat. Ze had haar tweede handschoen bijna af, maar ze kon nu geen nieuwe wol kopen. WIJ ZIJN HELAAS GESLOTEN. PROBEERT U HET LATER NOG EENS, stond er op een bordje achter het raam, met de openingstijden eronder. Claire zag dat de winkel alleen op werkdagen en op zaterdagochtend van negen tot twaalf open was. Niet slim, want de meeste vrouwen zouden na hun werk of in het weekend gaan winkelen. Misschien kon Claire een baantje krijgen als ze aanbood op andere uren te werken. Ze kon het proberen, en na alle successen die ze had geboekt, begon ze het gezegde 'wie niet waagt, die niet wint' te geloven.

40

'Maar waarom heet het een priemgetal?' vroeg Safta.

Safta, het oudste kind, leek alles even serieus te nemen, en ze wilde dan ook de hoogst mogelijke cijfers halen op school.

Claire glimlachte naar haar en keek naar het schoolboek. 'Het zijn priemgetallen omdat je ze alleen door een en door zichzelf kunt delen.'

'Nou, wat is daar zo priemerig aan? Ze zijn onregelmatig, of ondeelbaar, of stom. Ik snap niet waarom het priemgetallen heten.'

'Toch is het zo,' zei Claire.

Safta keek van het boek naar Claire. 'Ik ben ook zo stom,' zei ze. Het was niet waar, maar Claire had al eerder opgemerkt dat Safta niet lekker in haar vel zat. Ze verafschuwde haar bril, haar schooluniform, de degelijke schoenen die haar moeder voor haar kocht, het wonen achter een kruidenierswinkel en de onbenullige tv-programma's waar haar zusje naar keek. Het was een ernstig meisje, en ze had Claire al toevertrouwd dat ze nooit wilde trouwen en 'allemaal stomme kinderen krijgen'. Safta wilde botaniste worden. 'Priemgetallen delen dus maar één eigenschap, en dat is dat ze uniek zijn,' zei ze.

Claire knikte.

'Net als ik,' zei Safta. 'Ik ben een eenheid en ik ben uniek.'

Claire keek om naar mevrouw Patel, die met Devi op haar heup in een pan stond te roeren en Fala een standje gaf. Claire at tegenwoordig regelmatig bij de Patels en ze gaf Safta bijles, wat ze heel leuk vond. Daarnaast leerde ze ook nog iets over de echte Indiase of Pakistaanse keuken, die heel anders was dan de birani's en korma's die Claire in restaurants had gegeten. 'Rommel,' had mevrouw Patel minachtend gezegd. 'Ze nemen de moeite niet om ook maar iets te doen zoals het hoort.' Claire had nog nooit zo uitgebreid bij de Patels gegeten als vanavond. De heerlijk gekruide groenten, het lams- en kipvlees in kleine stukjes tussen het gezonde groen en de dressings en zelfgemaakte sauzen waren niet alleen gezond en fris, maar leken haar ook te helpen moeiteloos te blijven afvallen. Ze had zelfs naaigerei van mevrouw Patel moeten lenen om haar rok en broeken in te nemen. Gek, dacht ze, dat ik nu zomaar afval, terwijl ik in New York zo mijn best deed.

Claire keek weer naar Safta en knikte. Safta was zo'n meisje met talenten die haar een buitenbeentje maakten. Op school was ze te intelligent en te volwassen, thuis was ze te kritisch en in tegenstelling tot Claire ontvluchtte ze haar werkelijkheid niet door boeken te lezen, maar bekeek ze alles met een wetenschappelijke afstandelijkheid en een gefronst voorhoofd. Als ze niet zo imposant was geweest, had Claire medelijden met haar gehad.

'Is de tafel afgeruimd?' riep mevrouw Patel. 'Safta, pak Devi's slabbetje eens.' Claire hielp het slabbetje om te binden. De pannen dampten, Devi was stil en Fala liep met een beker naar de tafel.

'Laten we de boeken maar snel opbergen,' zei Claire. Safta sprong op, zette haar boeken op de plank, nam het plastic tafelkleed af en zette vreemde ronde bladen op tafel waar metalen koppen en schalen in pasten. Er was geen servies of bestek te bekennen. De kinderen gingen zitten en mevrouw Patel begon de schaaltjes op de dienbladen vol te scheppen.

'Dit zijn linzen,' vertelde ze, 'met een soort ui erdoor. En dit is saag. Spinazie, weet je wel? Daar doen we kaas door.' Claires gezicht moest bedenkelijk staan, want mevrouw Patel vervolgde: 'Ik weet dat het er niet zo smakelijk uitziet, maar je moet het proeven.'

Claire probeerde enthousiast te kijken. 'En dit is korma met yoghurt, amandelen en rozijnen.'

'Korma, joepie!' zei Devi. 'En rijst, en erwtjes, en...'

Alle schaaltjes werden gevuld. Devi, mevrouw Patel en Fala aten met hun handen, en ze mengden de verschillende gerechten met rijst. Safta pakte twee theelepels, gaf er een aan Claire en begon met de andere te eten. Claire proefde het ene gerecht na het andere, en alles was even lekker.

'Geef Claire eens wat dal,' zei mevrouw Patel tegen Safta. 'Dat eet je op je rijst, Claire.'

Ook de dal was verrukkelijk, net als de zoete chutney en zelfs de spinazie met kaas. Eerst leek het gek dat ze van roestvrijstaal aten, maar het wende. Het eten was niet alleen pikant, maar ook subtiel, en de meeste gerechten hadden een nasmaak die zich vermengde met elke nieuwe smaak die ze oplepelde. 'Eten jullie vaak zo?' vroeg Claire.

'Nee,' zei Safta afkeurend. 'We eten ook weleens voor de tv.'

'Niet als ik er ben,' zei mevrouw Patel. 'Devi. Zet die schaal neer. Straks mors je nog.'

'Ik bedoelde, eten jullie altijd zoveel verschillende dingen?'

'O, ja, zoveel is dit niet. Als ik tijd had gehad, had ik roti gebakken en er lamsvlees bij gemaakt. Als mijn zuster hier is, eten we altijd heel uitgebreid.'

'Tante! Tante moet komen!' gilde Devi.

'En nu zitten en zoet zijn, anders komt er geen tante,' zei mevrouw Patel, en Devi gehoorzaamde.

Claire keek naar mevrouw Patel, die Fala met eten hielp, Devi's handen afveegde, zorgde dat iedereen voldoende water had en zelf ook nog eens at. Het verwonderde haar. Haar moeder maakte soms alleen maar boterhammen met worst, en dan klaagde ze nog. Mevrouw Patel voedde drie kinderen op, verwachtte een vierde, bestierde een winkel en deed het huishouden, en niets leek haar te veel te zijn. Ze ruimde de tafel af met slanke armen waaraan haar trouwarmbanden schitterden en rinkelden.

'Safta, jij wast af, en Fala, jij helpt haar.' Ze keek naar haar jongste. 'Devi, geen afwasmiddel drinken.' Ze gaf hem een liefdevol klopje op zijn kruin en zei: 'Ik word soms gek van jou.' Toen wendde ze zich tot Claire. 'Ik doe de winkel weer open,' zei ze. 'Dank je dat je bij ons wilde komen eten.'

'Nee, ú bedankt,' zei Claire. 'Het was heerlijk.'

'Mammie, mag ik Claire mijn kamer laten zien?' vroeg Safta.

'Mammie, mag ik Claire mijn kamer laten zien?' echode Fala.

'Ja,' zei mevrouw Patel. 'Safta, zet water op en breng me straks een kop thee. Claire, wil je ook thee?' Claire knikte. Ze kon er niet over uit hoeveel thee iedereen hier de hele dag dronk, zelfs de kinderen.

Claire hielp Safta de tafel afruimen en legde de borden in een teiltje warm water te weken. Safta vulde een elektrische waterkoker en vroeg verlegen: 'Wil je mijn kamer zien?' Claire knikte.

Op de voet gevolgd door Devi en Fala liepen ze door de smalle donkere gang naar de volle kamer die de beide zusjes deelden, en daar wachtte Claire weer een verrassing. Safta had overal potjes met planten gezet: in de vensterbank, op een boekenplank, op het bureau en zelfs onder het bed. Viooltjes, sanseveria's, Iers mos en allerlei andere planten die Claire niet kende stonden op bladen met grind en in plastic bakjes. Op Safta's bureau lag een schetsboek opengeslagen bij een tekening van een plant. Het was geen sentimenteel bloemetje, maar een botanisch correcte weergave van een anjer, compleet met bladeren, bloem en wortels.

'Safta, wat mooi! Heb je dat zelf getekend?'

Safta knikte. 'Ik moet de planten telkens verplaatsen,' vertelde ze. 'Ze krijgen alleen licht in de vensterbank. Ik heb een rouleersysteem.'

Claire keek naar de vensterbank en het trieste lapje grond achter het raam. Er begon zich een idee te vormen, maar net op dat moment floot de waterkoker.

'Ik ga thee zetten,' zei Safta.

'Koekjes! Koekjes!' riep Devi.

'En dan breng ik je moeder een kop,' zei Claire, en Safta en zij wisselden een blik van verstandhouding.

'Ik heb geluk gehad,' vertelde Claire toen ze mevrouw Patel haar thee bracht. 'Ik heb een kamer gevonden.'

Mevrouw Patel glimlachte. 'Wat fijn. Als je in hetzelfde pension woont als Maudie, moet het wel een gribus zijn. Had iemand ons briefje gezien?'

Claire schudde haar hoofd. 'Een vriend heeft me aan een kamer geholpen. Hij is echt mooi. Klein, maar schoon en zonnig, en ik hoef de badkamer alleen maar te delen met de andere vrouw die er woont.'

'Is het dichtbij?' vroeg mevrouw Patel.

'Nee, vrij ver weg.'

'Jammer. Ik hoop dat het niet al te lastig is.'

'O, ik kom wel met de ondergrondse,' zei Claire luchtig. 'Ik wil zo snel mogelijk verhuizen.'

'En dan ben je hier weg,' prevelde mevrouw Patel, maar Claire hoorde het niet.

41

Claire hoefde weinig in te pakken, en ze vond het helemaal niet erg om tegen mevrouw Watson te zeggen dat ze wegging. Haar enige problemen waren haar geldgebrek en hoe ze van Kensington naar mevrouw Patel moest komen. De ondergrondse zou elke dag meer dan vier pond van haar 'salaris' opslokken, maar als ze niet meer ging, zat ze helemaal zonder inkomen.

De volgende ochtend ging ze op het bed zitten om haar geld te tellen. Imogen wilde driehonderd pond vooruit hebben, en hoewel dat veel geld was, prees Claire zichzelf gelukkig. Ze kreeg een mooie, goedkope kamer, de kans een nieuwe vriendin te maken en ze scheen geen borgsom te hoeven betalen.

Ze zou gordijnen, beddengoed en handdoeken moeten aanschaffen. Het was een extra uitgave, maar ze kon zich erop verheugen omdat het nieuw voor haar was. Ze besloot ook een elektrische waterkoker, een theepot en kopjes te kopen, al zou het een aanslag op haar reserves betekenen. Weer vroeg ze zich af hoe ze aan meer geld kon komen, en ze dacht weer aan de oude dame in de wolwinkel. Misschien had die een hulpje nodig, al was het maar om stof af te nemen en zou het weinig opleveren. Haar moeder in een brief om geld vragen had geen enkele zin, en zeker niet nu ze haar creditcard had gebruikt. Haar gepieker werd verstoord door een geluid bij de deur. Claire keek op en zag dat er twee enveloppen naar binnen werden geschoven. Ze sprong van het bed en rende erheen. Beide brieven hadden het adres van Crayden Smithers als afzender. Ze herkende Tina's handschrift meteen, maar de andere brief was getypt. Ze scheurde Tina's envelop open.

Claire. Wie denk je wel dat je bent. Sinds Michael Wainwright je mee heeft gevraagd, gedraag je je nog verwaander dan anders. Wat mankeert jou? Durfde je me niet meer onder ogen te komen nadat hij je had gedumpt? Wie ken je nou helemaal in Londen? Jij kent toch niemand?

Iedereen vraagt waar je bent, en dan zeg ik dat ik je moeder niet ben. Marie 2 dacht dat je zwanger was, maar ik weet zeker dat je dat voor je vertrek nog niet was. Ha, ha.

Je hebt wel lef, om er met het geld van anderen vandoor te gaan. En dat terwijl je zogenaamd geen geld had voor Atlantic City.

Dat je het maar weet: de Kanjer is weer bezig. Hij heeft nu niet alleen Katherine Rensselaer, maar ook een nieuwe, een deftige galeriehoudster. Ik regel afspraken door de hele stad. Heb jij al een vriendje? Ja, vast.

Je moeder heeft me twee keer gebeld. Ze vertelde dat je haar ook had geschreven. Je doet maar. Alsof zij ook je beste vriendin is. Anthony zegt dat ik me er niet druk om moet maken omdat je gewoon egoïstisch bent, maar daar zal ik wel te gevoelig voor zijn. Jij niet, jammer genoeg.

Je ex-vriendin Tina

Claire moest de brief een tweede keer lezen voordat de inhoud goed tot haar doordrong. Waarom was Tina zo boos? Had Michael haar iets op de mouw gespeld? Ze wist zeker dat ze hartelijk afscheid hadden genomen. Uiteindelijk begreep ze wat ze had misdaan: ze had iets avontuurlijks beleefd.

Bij elke regel die ze herlas, groeide haar zekerheid. Iedereen speelt zijn eigen rol in het leven, en Claire was Tina's aangeefster geweest. Tina had een kleurrijke familie, een druk sociaal leven, een verloofde en trouwplannen. Claire was een toeschouwer. Tina was woedend omdat Claire nu haar eigen verhaal had, en als Tina daar de hoofdrol niet in kon spelen, moest ze de slachtofferrol aannemen. Claire kon de brief niet meer zien en stopte hem diep in haar zak.

Toen keek ze argwanend naar de tweede envelop. Had Joan haar adres te pakken gekregen en haar een beledigende ontslagbrief gestuurd? Nou en, dacht Claire, en ze scheurde de envelop open.

Beste Claire,

Dank je voor je kaart. Ik was al een tijdje op zoek naar een portret van de koningin-moeder. Spannend! Zo te horen sta je aan het begin van een heerlijk avontuur. Ik benijd je.

Gelijk heb je. Als ik jou was, zou ik mijn ontslag indienen en zo lang mogelijk in Londen blijven. Ik heb de vrijheid genomen bij Personeelszaken te informeren, en je hebt nog meer dan elfhonderd dollar aan overuren te goed. Je kunt het vast goed gebruiken, dus ik sluit het hierbij. Als je de cheque niet kunt innen, bel me dan collect.

Je vindt heus wel werk. Voor iemand die zo vindingrijk is als jij, moeten de banen voor het oprapen liggen. En wij werken aan plannen om een vestiging in Londen te openen. Wie weet kunnen we er allebei terecht. In de hoop dat ik je niet al te snel terugzie,
Abigail Samuels

Claire voelde in de envelop en vond een cheque van bijna twaalfhonderd dollar, terwijl ze er zeker van was dat al haar overuren waren uitbetaald. Ze wist niet wat Abigail had gedaan en wilde er eigenlijk ook niet aan denken. Ze keek naar de cheque en hoopte maar dat Abigail het geld niet had verduisterd, al nam ze aan dat fraudeurs geen genoegen namen met zulke kleine bedragen – voor iemand als Michael Wainwright zou het een schijntje zijn. Ze zag haar eigen toekomst in die cheque: een mooie kamer, zachte lakens, donzige handdoeken en nieuwe vrienden.

42

Tegen het eind van de ochtend had Claire afscheid genomen van Maudie, die had beloofd al haar post bij mevrouw Patel af te geven, en was ze Toby gaan bedanken. Hij had beloofd bij haar op bezoek te komen zodra ze was ingericht. Ze keek op haar lijst. Nu moest ze haar cheque innen en lakens en handdoeken gaan kopen. Toby had haar aangeraden naar Marks & Spencer te gaan.

Claire liep door Regent Street, sloeg linksaf Oxford Street in en genoot van het gevoel dat ze geen toerist meer was, maar iemand die inkopen ging doen voor haar 'flatje in South Ken'. Ze verzilverde haar cheque en liep terug naar Marks & Spencer.

De eerste indruk van het warenhuis was overdonderend, maar ze vond de afdeling huishoudtextiel. Na lang snuffelen koos ze een motiefje van lila en paarse bloemen op een witte ondergrond. Het paste niet alleen goed bij de kamer, maar ook bij het kleed, en er waren bijpassende gordijnen. Ze kocht twee stel lakens en vier slopen, en bedacht zich ineens dat ze ook kussens moest hebben. Nadat ze ook nog een witte katoenen deken had aangeschaft, ging ze lunchen, en in het café dacht ze weer aan de waterkoker.

Een winkelmeisje verwees haar door naar John Lewis, en daar zag ze er een die veel kleiner was dan de andere, wit met een lichtgroen rankmotief en kleine lavendelbloemen tussen de ranken. Zodra ze hem zag, wist ze dat hij op haar had gewacht.

Ten slotte ging ze naar de serviesafdeling van John Lewis, waar ze haar ogen uitkeek. Toen ze echter besefte dat haar tassen al uitpuilden en dat het serviesgoed dat zij mooi vond niet bepaald goedkoop was, besloot ze niets meer te kopen, maar zichzelf de luxe van een taxi te gunnen.

Toen ze het adres aan de taxichauffeur opgaf, hoorde hij meteen dat ze Amerikaans was, en toen ze vertelde dat ze uit New York kwam, ging hij op zijn praatstoel zitten. 'Fantastische stad,' zei hij. 'Ik ben er twee jaar geleden met mijn vrouw geweest. Wat een drukte. Heel anders dan Orlando.'

'Bent u dan ook in Florida geweest?' vroeg Claire.

'Ja, twee keer zelfs, met de kinderen. Zo, en wat voert je naar Camden? De markt is vandaag niet op zijn best, en zo te zien heb je al genoeg ingeslagen.' Hij lachte.

'Ik ga niet winkelen,' zei ze. 'Ik woon in Camden, maar ik ben aan het verhuizen.' Ze zei het trots, en de chauffeur leek het heel gewoon te vinden dat ze hier woonde.

'Waar ga je heen?'

'South Kensington,' zei ze, en ze noemde de straat.

'Zo, je gaat erop vooruit,' zei de chauffeur. 'Heb je hulp nodig bij het verhuizen? Ik wil je mijn mobiele nummer wel geven.'

Het was een goed idee. Ze had er nog niet bij stilgestaan hoe ze alles naar haar nieuwe adres moest krijgen. 'Heel graag,' zei ze. En toen ze bij mevrouw Watson aankwamen, dacht ze even na voordat ze afrekende. Waarom zou ze niet nu meteen verhuizen? Ze was mevrouw Watson geen geld schuldig (daar waakte het mens wel voor) en ze hoefde al helemaal geen afscheid te nemen. In New York zou ze nooit iets in een taxi hebben laten liggen, maar nu keek ze in het vriendelijke gezicht van de chauffeur en besloot het erop te wagen. 'Wilt u even wachten?' vroeg ze. 'Ik kom zo terug. Ik moet nog een paar dingen pakken.'

De chauffeur schokschouderde en zei: 'Ja, waarom niet?'

Ze rende de trap op en kwam binnen vijf minuten weer terug, een beetje buiten adem, maar met al haar aardse bezittingen bij zich. Ze hoopte dat mevrouw Watson zich zou afvragen waar ze was gebleven, al zou die waarschijnlijk alleen willen weten wie haar nu achttien of twintig pond ging betalen, afhankelijk van het aantal keer baden per dag.

De rit naar Imogens huis duurde lang, maar Claire vond het nu niet het moment om de meter in de gaten te houden. Ze keek naar buiten en probeerde de route te volgen zonder haar plattegrond erbij te pakken. Ze voelde zich een vorstin in de taxi en besefte dat ze snel aan die luxe gewend zou kunnen raken, al zou ze er voorlopig niet aan toekomen.

Bij Imogen aangekomen gaf ze de chauffeur een enorme fooi en toen werkte ze zich met al haar aankopen de trap op naar haar nieuwe onderkomen.

Ze had geen tijd om uit te pakken, want ze moest meteen terug naar Camden om te werken. Ondanks het lange winkelen was ze absoluut niet moe. Ze legde driehonderd pond en een briefje voor Imogen op het dressoir en haastte zich neuriënd weg. Toen ze naar de ondergrondse liep, voelde ze zich de gelukkigste vrouw van heel Londen.

Onderweg kwam ze langs de wolwinkel en besloot er even binnen te wippen. Ze wilde iets vragen, en aangezien ze de tweede handschoen af had, moest ze wol voor een volgend project hebben. Er waren geen klanten in de winkel, en de oude dame keek op toen ze de bel hoorde. 'Dag kind,' zei ze. 'Heb je de handschoenen af?'

Claire liep glimlachend naar de toonbank en liet haar gehandschoende handen zien. Toen trok ze de handschoenen uit, zodat de vrouw ze kon bewonderen.

'O, wat mooi.'

'Ik wilde nu een deken gaan proberen,' zei Claire.

'Echt waar?'

Claire dacht aan het met chintz beklede stoeltje in de lavendelkleurige kamer. Een deken van lavendelkleurige en lichtgroene zachte wol zou niet alleen mooi, maar ook praktisch zijn. Ze zag al voor zich hoe het zou zijn om in die stoel te zitten breien. 'U hebt me op een idee gebracht,' zei ze. Ze liep naar de merinoswol. Er waren nog zes kluwens lavendelblauw en vijf lichtgroen. Ze besloot een streeppatroon te nemen met lavendelblauw langs de randen. Voor de banen blauw zou ze met naald twee werken, en het groen ging ze met naald vier doen. Het werd een ingewikkelde klus, maar ze zou er met plezier aan werken en het resultaat zou schitterend zijn. En ze kon er een tijdje mee voort.

Claire legde haar plan aan de vrouw voor, die goedkeurend knikte en een bon uitschreef, met de hand, in een bonnenboekje met carbonpapier. Claire had in geen jaren zo'n boekje gezien, zelfs niet in de oude winkels in Tottenville.

'Een heel ambitieus plan, kind. Beloof me dat je het me komt laten zien als je het in Londen nog af krijgt.'

'O, dat lukt wel,' zei Claire zelfverzekerd. 'Ik woon nu hier om de hoek.'

'Dan zijn we dus buurtgenoten. Wat leuk.' De vrouw stak haar hand uit. 'Ik ben Caroline Venables,' zei ze, 'en ik ben blij je weer te zien.'

'Insgelijks. Ik ben Claire Bilsop.'

Mevrouw Venables keek weer naar Claires handschoenen. 'Nou, ik kan wel zien dat iemand jou goed heeft leren breien. Je weet niet half hoeveel broddelwerk ik hier zie. Soms word ik er treurig van. Ik heb weleens aangeboden gevallen steken op te halen, maar daar hebben de mensen geen tijd voor,' zei ze hoofdschuddend.

Claire wilde niet te laat bij mevrouw Patel aankomen, maar ze moest het ijzer smeden nu het heet was. 'Weet u,' zei ze, 'ik vroeg me af of u... of u misschien...' Ze zweeg even. 'Hebt u misschien hulp in de winkel nodig?'

Mevrouw Venables lachte, maar op een vriendelijke, bijna gegeneerde manier. 'Was het maar waar,' zei ze. 'Ik krijg amper genoeg klanten om de zaak open te kunnen houden. De winkel is van mijn zoon, zie je, en ik huur hem voor een prikje van hem. Hij zou het liefst willen dat ik met de winkel ophield, maar hij gunt het me.'

Claire probeerde haar teleurstelling te maskeren. Het was ontmoedigend, maar ze had zo'n heerlijke dag gehad dat ze de tegenslag het hoofd durfde te bieden. 'Het spijt me van uw klandizie,' zei ze, 'maar ik zag dat u op zaterdag alleen 's ochtends open bent en doordeweeks vroeg sluit. De meeste vrouwen werken overdag, dus...'

'Ja, maar meer uren kan ik niet opbrengen. Ik ben de jongste niet meer, hoor.' Mevrouw Venables glimlachte. 'Ik moet een middagdutje doen en ik ga om vier uur dicht.'

'En dan zou ik het van u kunnen overnemen,' zei Claire. Ze deed haar best om niet wanhopig, maar opgewekt te klinken.

'Maar ik kan je niet betalen.'

'O, dat is niet erg. De eerste tijd niet.'

'Maar ik vrees dat het er ook niet van zal komen. Ik zet gewoon niet genoeg om.'

'Weet u,' zei Claire, 'ik denk dat we veel meer klanten zouden kunnen aantrekken. Hebt u weleens geadverteerd?'

Mevrouw Venables lachte weer. 'O, hemel. Ik ben niet bepaald een zakenvrouw. Ik zou niet weten hoe ik het moest aanpakken, en de kosten... En breien lijkt helemaal uit de mode te zijn. De jonge vrouwen van tegenwoordig werken allemaal. Ze hebben geen tijd meer voor huisvlijt. Ik zou je gezelschap en hulp zeer op prijs stellen, maar het is gewoon geen haalbare kaart.'

Claire knikte. Voordat de teleurstelling kon toeslaan, dacht ze aan de tijd. 'Ik moet naar mijn werk,' zei ze.

'Kom nog eens terug. Ik ben benieuwd hoe je deken vordert.'

Claire knikte. Ze nam zich voor mevrouw Venables te bewijzen dat jonge vrouwen, of wie dan ook, wel tijd konden vrijmaken om aan 'huisvlijt' te doen.

43

Op woensdagochtend ontwaakte Claire voor het eerst in haar nieuwe kamer. De zon stroomde naar binnen. Ze was de vorige avond heel laat thuisgekomen, want ze had Safta bijles gegeven en op de terugweg was ze verkeerd overgestapt, maar ze stond vroeg op, zodat ze de hele dag de tijd had om haar nieuwe kamer in te richten.

Er werd geklopt en Imogen stak haar hoofd om de hoek van de deur. 'O, mooi,' zei ze, 'je bent er. Wil je thee? Ik ben net aan het zetten.'

'Graag,' zei Claire. 'Als het niet te veel moeite is, bedoel ik. Je hoeft me niet te bedienen.'

Imogen lachte. 'Ik, jou bedienen? Reken daar maar niet op. Ik ben zo'n slons dat jij eerder met mijn afwas zult komen te zitten.' Ze liep weg en een paar minuten later kwam ze Claire een dampende mok brengen. 'Ik ga ervandoor,' zei ze. 'Ik ga vanavond naar mijn ouders, en ik blijf er slapen. Kun je alles vinden?' Claire knikte. 'Tot ziens dan maar,' zei Imogen, en weg was ze.

Claire keek door de damp van haar thee naar al haar winkeltassen, die als kerstcadeautjes op haar wachtten. Ze wist natuurlijk al wat erin zat, maar daar stond tegenover dat ze het allemaal even mooi vond. Haar kerstcadeautjes uit het verleden waren bijna altijd tegengevallen.

Het eerste wat ze deed toen ze was opgestaan, was de schoonmaakmiddelen uitpakken die ze van mevrouw Patel had meegenomen. Ze schrobde de vloerbedekking, nam het houtwerk af, zette de ramen open en bekleedde de laden van de kast met geurig lavendelpapier. Toen ze daarmee klaar was, nam ze tevreden de blinkende kamer in ogenschouw. Ze zette thee, bewonderde het resultaat van haar noeste arbeid en ging toen de gezamenlijke badkamer schoonmaken.

Daarna ging ze erop uit. Ze kocht een broodje, naald en draad, een schaar, wc-papier en een paar kaarsen. Ze kocht ook een bos lelies, die ze in een geleende vaas op het bureau zette. Pas toen begon ze haar spullen uit te pakken. Ze hing twee handdoeken in de badkamer, maakte het bed op en borg de andere handdoeken en lakens in de laden op. De kleren op hangers hing ze in de kast op de gang en haar truien, nachtgoed en ondergoed kregen een la. Toen had ze nog een la over voor haar breinaalden en wol.

Ze pakte het blikje dat Michael haar had gegeven en zette het met een zucht op de toilettafel. Ze had nooit gedacht dat ze zo'n mooi stukje antiek zou bezitten, of dat ze het in een kamer als deze zou neerzetten, die nu van haar was. Ze gleed met haar vingers over het deksel en voelde de inscriptie.

Ze vroeg zich af hoeveel mensen voor haar het blikje hadden bezeten, en of een van hen het van een geliefde had gekregen. Ze dacht weer aan Michael en hun sprookjesachtige uren samen. Toen keek ze naar de toilettafel en de spiegel, die het blikje weerkaatste. Een vaasje ernaast zou leuk staan, dacht ze. Roze of blauw, met bloemen erin. Ze wist dat ze geen geld had voor het soort antiek dat ze met Michael had gezien, maar ze zou vast wel ergens een goedkope vaas kunnen vinden die toch mooi was.

Ze at het broodje op en begon aan het zomen van de gordijnen. Het kostte veel tijd, maar het was de moeite waard. Haar kamer werd een knus eigen domein.

Ze keek door het raam over de tuinen uit en voelde zich bijna ondraaglijk gelukkig. Alles was even mooi en rustgevend. Ze kon bijna niet geloven dat dit allemaal van haar was. Haar kamer was niet alleen behaaglijk, maar zelfs mooi. Van haar oude slaapkamer thuis had ze nooit zo kunnen genieten.

Ze droomde weg en vergat bijna dat ze naar mevrouw Patel moest. Ze moest naar de ondergrondse in Kensington rennen, maar ze kwam op tijd en ze was zo opgewonden dat ze alles over haar dag aan mevrouw Patel moest vertellen.

'Kensington,' zei die. 'Dat is echt een goede buurt.'

'O, het is er heerlijk. Overal bloembakken, en tuinen achter de huizen. Mijn kamer kijkt zelfs over een tuin uit.'

'Nou, maar ik heb ook een achtertuin.'

Claire dacht aan het lapje grond achter de winkel en lachte bijna, maar toen keek ze op van de doos die ze aan het uitpakken was en zag mevrouw Patels gezicht. 'Ja,' zei ze, 'maar de mensen in Kensington doen zoveel meer met hun tuinen. Ze hebben natuurlijk ook veel meer geld en tijd.'

'Als ik de tijd had, zou ik er heel wat van kunnen maken,' zei mevrouw Patel afwerend, en dat bood Claire de kans waarop ze had gehoopt.

'Zal ik een tuintje voor u maken? Ik hielp mijn vader vroeger altijd in de tuin, dus ik weet er wel iets van.' Ze keek schichtig naar mevrouw Patel en vervolgde: 'U hoeft me er niet voor te betalen. Ik zou het voor mijn eigen plezier doen.' Ze dacht het oude wantrouwen weer in de ogen van mevrouw Patel te zien opflakkeren.

'Mij best,' zei mevrouw Patel. 'Ik heb het niet nodig, maar het zou leuk zijn voor de kinderen. Al gaat het wel geld kosten.'

'Niet veel, en de kinderen kunnen helpen. Het zou goed voor ze zijn, al die lichaamsbeweging in de buitenlucht.'

'Wat zou het kosten?' vroeg mevrouw Patel. 'De planten en zo, bedoel ik.'

'Ik heb geen idee,' zei Claire eerlijk. 'Zal ik eens proberen of ik erachter kan komen?'

'Ik ga je niet zomaar geld geven,' zei mevrouw Patel.

'Natuurlijk niet,' zei Claire. Als mevrouw Patel er niet was geweest, had ze al lang weer in Amerika gezeten, maar ze kon soms wel lastig zijn.

Er kwam een klant binnen en mevrouw Patel liep naar de toonbank. Claire veegde de winkel aan en bedacht dat ze liever met mevrouw Patel over haar nieuwe kamer praatte dan ze met Tina zou hebben gedaan.

Toen ze die avond sloten, voelde Claire mevrouw Patels ogen in haar rug. Als ze omkeek, wendde mevrouw Patel haar blik snel af, maar Claire wist zeker dat er iets was. Toen ze wegging, gaf mevrouw Patel haar tien pond extra.

'Voor planten?' vroeg Claire.

Mevrouw Patel schudde haar hoofd. 'Voor jou,' zei ze. 'Safta gaat goed vooruit met wiskunde. Ik hoop dat je haar wilt blijven helpen.'

'O, mevrouw Patel, ik doe het graag. Daar hoeft u me niet voor te betalen.'

'Dat weet ik ook wel,' zei mevrouw Patel, en toen draaide ze zich bruusk om. 'De zaken gaan iets beter,' zei ze, 'en het wordt er voor mij niet gemakkelijker op.' Ze klopte op haar buik.

'Ik begrijp het. Kan ik nog iets voor u doen?'

'Ga maar naar je huis in Kensington,' zei mevrouw Patel nuffig.

Claire onderdrukte een glimlach. Mevrouw Patel had waardering voor haar, of ze het nu wilde toegeven of niet.

Nu stond er nog maar één ding op de lijst van dingen die ze die dag wilde doen. Ze had mevrouw Patel voordat ze wegging een envelop en papier gevraagd en een postzegel gekocht. Ze ging niet meteen naar huis, maar dook een café in. Ze bestelde een cappuccino en begon aan haar brief.

Lieve Tina,

Bedankt voor je brief. Ik was blij iets van je te horen. Fijn dat alles goed is in New York.

Ik heb een parttime baantje gevonden en kan dus nog een tijdje in Londen blijven. Ik ga mijn ontslag indienen bij Crayden Smithers, en dat wilde ik jou als eerste vertellen. Ik ben je dankbaar dat je die baan voor me hebt gevonden, en ik wil je ook bedanken voor al je steun daarvoor en daarna.

Ik wil je ook het geld terugsturen dat de meiden en jij voor me hebben ingezameld. Zorg jij dat iedereen zijn deel terugkrijgt? Nogmaals mijn dank voor jullie gulheid. Het gaat goed met me en ik heb geen hulp meer nodig.

Claire legde haar pen neer en las de brief over. Hij leek vormelijk en overdreven beleefd, maar ze kon er niets meer van maken. De afstandelijkheid op zich was een belediging, maar ze wilde niet openlijk lelijk doen tegen Tina, want ze was haar echt dankbaar. Zonder Tina had ze de Kanjer nooit ontmoet, en dan had ze nu niet in Londen gezeten. Alleen al daarom kon ze niet net zo akelig tegen Tina doen als die tegen haar had gedaan.

Ze dronk haar koffie op en schreef door.

Het spijt me als ik je boos heb gemaakt. Onze vriendschap had zijn minpunten, maar het kwetst me echt dat je zo kwaad op me bent. Ik zweer je dat ik je nooit opzettelijk pijn heb willen doen. Ik hoop dat je dat wilt geloven.

Ik heb besloten zo lang mogelijk in Londen te blijven. Gelukkig heb ik een kamer bij een aardige vrouw gevonden. Ik weet niet wanneer ik terugkom. Ik wens Anthony en jou het allerbeste.

Claire aarzelde weer. Tina's valse toontje vroeg eigenlijk om net zo'n naar antwoord, maar dat weigerde Claire. Toch kon ze niet met 'liefs' ondertekenen. In plaats daarvan draaide ze eromheen.

Ik weet niet wat mijn postcode is, dus schrijf maar niet. Er zijn zoveel straten met dezelfde naam dat brieven zonder postcode toch niet aankomen. Ik schrijf je wel weer als ik op orde ben.

Het was een leugen. Claire wist dat ze Tina nooit meer zou schrijven, en ze kon er niet rouwig om zijn. Het leek alsof Tina en zij nooit echte vriendinnen waren geweest, maar alleen uit nood met elkaar waren omgegaan. Claire moest toegeven dat dat in elk geval voor haarzelf gold. Misschien had Tina haar echt aardig gevonden, maar het zou ook kunnen dat ze zich beter dan Claire voelde en dat prettig had gevonden. Claire besloot dat ze er beter niet over kon tobben. Ze kon beter aan mevrouw Patel, Toby en Imogen denken, die allemaal goede vrienden zouden kunnen worden.

Claire schreef nog een kort briefje aan Abigail Samuels, die haar enthousiasme tenminste kon delen. Toen pakte ze haar spullen en liep het café uit. Ze postte de brieven bij de eerste brievenbus die ze tegenkwam, sloeg de hoek om en viste haar huissleutels vast uit haar tas.

44

De volgende ochtend dronk Claire een kop thee, ruimde haar kamer op en besloot toen de keuken schoon te maken. Het was misschien tactvol om dat te doen nu Imogen er niet was. Ze sopte de koelkast, schuurde het fornuis, deed de afwas en nam stof af. Het viel haar op dat Imogen nauwelijks twee dezelfde borden had, alsof ze al haar serviesgoed op een rommelmarkt had opgeduikeld. Na twee uur gestaag doorwerken was Claire nog niet klaar, maar ze wilde geen bemoeial lijken, en evenmin wilde ze de rol van galeislaaf spelen.

Ze ruimde de rest van het appartement op, maar liet alle manuscripten liggen waar ze lagen. Ze begreep niet hoe Imogen zo kon werken, want door het hele huis lagen stukken van doe-het-zelfboeken. Hoofdstukken over zelf metselen lagen naast bladzijden uit een kookboek, doorspekt met delen uit een soort seksueel handboek. Claire giechelde bij het idee dat de drie boeken bij de drukker per ongeluk gecombineerd zouden worden. Toen ze klaar was, nam ze thee en wat toast.

De rest van de ochtend verstreek traag, maar Claire had veel om naar uit te kijken. Toby zou een keer bij haar op bezoek komen, ze kon haar boek van Nancy Mitford uitlezen en ze had haar deken om aan te werken.

Ze had geprobeerd zo min mogelijk aan Toby te denken en niet te vaak bij hem langs te gaan. Ze wist maar al te goed dat een knappe, charmante en geestige man weinig belangstelling voor haar zou hebben. Haar avontuur met de Kanjer had dat nog eens onderstreept. Ze wilde leren erin te berusten, en dat kon ze op Toby oefenen. Hij was maar een kennis, prentte ze zichzelf in, iemand met wie ze boeken kon bespreken, maar van wie ze verder weinig te verwachten had. En het was toch ook genoeg? Toch dwaalden haar gedachten vaak naar hem af, en voordat ze in slaap viel werden haar fantasieën soms zo gênant dat ze ze niet eens aan zichzelf kon bekennen.

Beter dan alles waar ze zich op kon verheugen, was misschien nog wel dat ze nergens tegen op hoefde te zien. Geen lange reis naar haar werk, geen propvolle lift, geen saai werk, geen Joan, geen geroddel van Tina en geen Jerry die ze moest ontlopen. Alleen gelukzalige vrijheid.

Terwijl ze in het mooie appartement naar muziek zat te luisteren, besefte Claire plotseling dat ze nooit echt een prettige ruimte voor zichzelf had gehad. Het huis van haar ouders was overvol geweest, en toen Fred wegging en Jerry bij hen was ingetrokken, was er nog steeds niet veel ruimte voor Claire overgebleven. Hier, in de rust en de zon die door de dakramen viel, kreeg Claire niet alleen het gevoel dat ze aan een nieuw leven begon, maar ook dat ze een ander mens werd. Ze was natuurlijk nog steeds Claire Bilsop, maar ze leek nu te weten wat ze wel en niet wilde, en ze kon het nog toegeven ook. Ze was bereid naar haar gevoelens te luisteren en te doen wat ze zelf wilde, wat ze er ook voor moest opgeven. Ze keek om zich heen. Het was een sprookje.

Ze ging douchen, kleedde zich aan, ging naar haar kamer en pakte haar breiwerk. Het patroon was ingewikkeld en ze moest goed opletten, maar ze genoot van de concentratie. Ze zat in de kleine leunstoel en ontspande haar ogen zo nu en dan door naar buiten te kijken of een blik op haar kleine, mooie kamer te werpen. Dan slaakte ze een zucht van voldoening en werkte verder aan de deken, die gestaag vorderde net zoals haar leven hier.

Haar enige echte teleurstelling was dat mevrouw Venables haar hulp niet kon gebruiken. Het was jammer dat de wolwinkel niet goed draaide. De talenten van iemand als mevrouw Venables mochten niet verspild worden. Claire begreep niet dat niet meer mensen breiden. Het was ontspannend en kalmerend, en het leverde nog iets op ook. Al breiend kon je tv-kijken, praten of op kinderen passen. Het vulde de loze momenten van het leven, zoals busritten of in wachtkamers zitten. Je raakte in een aangenaam meditatieve toestand, maar je handen bleven bezig en je geweten schoon.

Vreemd, dat Imogen, Tina en andere mensen breien saai vonden. Voor Claire was het een manier om iets met haar handen en ogen te maken terwijl haar geest vrij was om naar het verleden of de toekomst af te dwalen of domweg te dromen. Als ze de trui zag die ze had afgemaakt voordat ze naar Londen ging, herinnerde ze zich de hoop waarmee ze eraan had gebreid. Haar sjaal herinnerde haar eraan hoe ze haar verdriet om Michaels verraad had overwonnen. Haar handschoenen (die de modebewuste Im dolgraag wilde hebben) waren haar eerste project in Londen geweest, en haar deken zou haar eraan herinneren met hoeveel plezier ze in haar nieuwe onderkomen had gewerkt terwijl ze ambitieuze plannen maakte.

Terwijl ze de breivisjes over elkaar sloeg, kreeg Claire een inval: er zouden best meer vrouwen willen breien, als ze maar wisten hoe het moest. Er waren gewoon geen inwonende grootmoeders zoals mevrouw Venables of Claires lieve oma meer die het anderen konden leren. In Amerika woonden de grootmoeders allemaal in Florida, een serviceflat of een verzorgingshuis. Ze wist niet waar ze in Londen woonden, maar ze leken dun gezaaid te zijn. Toch was breien gemakkelijk te leren als iemand het je voordeed, terwijl je de kunst met geen mogelijkheid uit een boek kon afkijken. Als zij mensen kon leren breien, zou mevrouw Venables...

Claire legde haar breiwerk neer en rechtte haar rug. Ze had een idee, maar het was heel gewaagd. Had ze de moed om het te proberen? Ze zou veel overtuigingskracht moeten inzetten. Ze dacht erover na. Als het niet lukte, zou ze zich gegeneerd voelen, maar wat had ze verder te verliezen? En er was heel veel te winnen.

Het idee kreeg vorm. Woorden en zinnen vielen op hun plaats. Ze stond op, liep naar de keuken om pen en papier te zoeken en noteerde haar invallen. Binnen vijf minuten had ze een kladversie opgesteld.

LEER BREIEN
GRATIS introductieles.
Leer de basisprincipes in slechts twee uur, kosteloos.
U leert:
Steken opzetten
Recht breien
Averecht breien
De boordsteek
Het kiezen en gebruiken van naalden
Het lezen van een simpel patroon
Een proeflapje maken

EN MEER

Breng uw eigen materialen mee of koop ze in de les.

Individuele begeleiding.

Fouten worden gecorrigeerd.

Claire dacht na. Wanneer zou de les gegeven moeten worden, als het ooit zover kwam? Op zaterdagochtend moesten veel vrouwen boodschappen doen en huishoudelijke klussen inhalen. De zaterdagmiddag was voor de kinderen en de zaterdagavond was echt ondoenlijk. Ze haalde haar schouders op. Misschien kwam er niets van terecht, dus het tijdstip deed er voorlopig niet toe. En er moest natuurlijk een lesruimte zijn, maar dat kwam later wel. Ze pakte een leeg vel papier, herschreef de tekst in het net en tekende er een paar naalden en een kluwen wol onder. Toen ze daarmee klaar was en opkeek, zag ze dat het bijna halfvijf was. Ze kon mevrouw Venables pas morgen haar idee voorleggen, maar degene aan wie ze het in haar opwinding het liefst wilde vertellen, was Toby.

45

De volgende dag ging Claire naar mevrouw Venables.

Toen ze in de winkel was, legde ze haar deken op de toonbank. 'Kijk eens?' zei ze.

Mevrouw Venables pakte het werk voorzichtig op. Claire had de onderrand en de helft van de rij strepen afgemaakt. Links en rechts bungelden breivisjes, maar mevrouw Venables' inspectie was niet alleen voorzichtig, maar ook grondig. 'Maar kind, dit is buitengewoon.' Ze keek naar Claire op. 'Heel gedurfd!' Claire voelde dat ze bloosde. 'En heel mooi uitgevoerd.'

'Mag ik u nog iets laten zien?' vroeg Claire.

'Nog een breiwerk?'

'Niet echt.' Claire pakte de folder en gaf hem aan mevrouw Venables.

'Wat een origineel idee,' zei mevrouw Venables. 'Een advertentie. Daar was ik nooit opgekomen.' Ze hield haar hoofd schuin en keek Claire aan. 'Zou het werken, denk je?'

Claire schokschouderde. 'Ik weet het niet,' zei ze eerlijk. 'Ik heb nog nooit zoiets geprobeerd. Maar als u les wilt geven, is er eigenlijk niets te verliezen.'

'O, ik geef heel graag les. Al zou het moeilijk kunnen zijn een grote groep te leren breien, zeker hier.'

Claire schoot in de lach. 'Wees maar niet bang,' zei ze. 'Ik denk niet dat we een grote groep krijgen.' Ze hoorde dat ze 'we' had gezegd en zweeg beschaamd, want ze mocht zich niets verbeelden. 'En trouwens, ik kan zo nodig bijspringen.'

'Ja, je moet er sowieso bij zijn, kind.' Mevrouw Venables keek weer naar de folder. 'Maar als de les gratis is, hoe moet ik je dan betalen?'

Claire glimlachte. 'Ja, de lessen zijn gratis, maar u weet hoe wij breiers zijn...' Ze keek naar de wol op de planken. 'De cursisten hebben naalden en wol nodig, en een kluwentas...'

'Natuurlijk,' zei mevrouw Venables, en ze lachte. 'Ze willen een brei-uitrusting hebben.'

'En u kent ons enthousiasme. Ik heb mijn deken nog maar half af, maar ik denk nu al aan een katoenen zomertrui.'

Mevrouw Venables nam Claire met haar fletsblauwe ogen op. 'Je bent een slimme meid, Claire.' Toen keek ze weer naar de folder. 'Zullen we ze met wol vastbinden?' opperde ze. 'Veel origineler dan plakband. En het houdt een belofte in, nietwaar?'

Betekende dat dat mevrouw Venables het plan wilde uitvoeren? Dat moest wel! 'Wat een goed idee!' riep Claire uit.

Mevrouw Venables pakte een schaar en zocht een kluwen dikke, donkerrode wol uit. 'Hoeveel folders heb je?'

'Alleen deze, maar ik kan kopieën maken,' zei Claire met bonzend hart. 'Zal ik er vijftig maken?'

'Zo veel?' zei mevrouw Venables. 'Waar wil je ze allemaal ophangen?'

'O, ik verzin wel iets,' zei Claire. 'Lantaarnpalen, hekken, brievenbussen...'

'Dat doen we!' riep mevrouw Venables uit. 'Kom, dan gaan we de wol knippen.'

Die middag liep Claire om halfvier bij Toby binnen. Toen ze uit het duister van de winkel opdoemde, keek Toby op en glimlachte. 'Hallo,' zei hij. 'Ben je klaar met oom Matthew en de rest?'

'O, ja! Ik was gek op de hele familie,' zei Claire, 'maar nu wordt het tijd voor iets anders. Iets...'

'Niet zeggen. Het is tijd voor Barbara Pym.' Toby liep een gangpad in. George Eliot, die hem tussen de boeken hoorde rommelen, sprong van het bureau en liep achter hem aan, wat Claire ook wel had gewild. Toby kwam terug en reikte Claire een boek aan.

'Hier zul je van smullen,' zei hij. 'Geestelijken en braderieën en veel thee met melk. Net wat je nodig hebt.'

Claire haalde een pakje uit haar tas en zette het op de tafel naast Toby's stoel. 'Wat moet dat voorstellen?' vroeg Toby.

'Een cadeautje,' zei ze. 'Om je te bedanken voor de kamer bij Imogen.'

'O, dus het gaat goed?'

'Het gaat geweldig. Ik heb nog nooit zo'n mooie kamer gehad.' Claire begon te vertellen en hield pas op toen het tot haar doordrong dat Toby haar verbaasd aankeek. 'Sorry,' zei ze. 'Je zult het wel saai vinden.'

'Integendeel. Je enthousiasme is hartverwarmend. Ik ben niet meer zo opgewonden geweest sinds ik van kostschool werd gestuurd. Nou, ik ben blij dat het je bevalt. En dit...' – hij pakte het doosje – '... had je echt niet moeten doen. Maar ik vind het leuk.' Hij maakte het pakje open. 'Bonbons! Ideaal,' zei hij. 'Die gaan we achter elkaar opeten.' Hij stopte er een in zijn mond en hield haar de doos voor. Ze lachte. 'Wat doe je verder allemaal?' vroeg hij.

'Ik probeer een... een project van de grond te krijgen.'

'Echt waar?' Hij stond op, zette de waterkoker aan en joeg George Eliot van de tafel. 'Dat mag je me allemaal bij de thee met bonbons vertellen. Dat geeft veel meer voldoening dan medeleven.'

Claire onderdrukte een zucht. Niet dat ze niet van thee hield, maar ze kon ook weleens een kwartiertje zonder.

Toen ze hun thee hadden, vertelde ze Toby over de breiles en liet hem de folder zien. 'Goed gedaan,' zei hij. 'Misschien zou ik leeslessen kunnen gaan aanbieden om klanten te werven.' Ze lachten. 'Waar ga je de folders ophangen?'

'Bij Imogen in de buurt, dacht ik. De mensen hebben tenslotte geen zin om op zaterdagochtend een eind te reizen.'

'Uitstekend! En wat dat reizen betreft, heb je waarschijnlijk gelijk,' zei hij instemmend. 'En in Kensington hebben de mensen meer geld. Je hebt een goed zakelijk instinct.' Hij keek spijtig om zich heen. 'Had ik dat ook maar.'

Claire vroeg zich af hoe hij de eindjes aan elkaar knoopte, maar troostte zich met Imogens bewering dat hij een erfenis had gekregen. 'Waar kan ik kopieën laten maken?' vroeg ze.

Toby keek nog eens naar de folder. 'Hm. Dit project mag niet als een nachtkaars uitgaan. Ik heb een vriend aan Shaftesbury Avenue die heel artistiek is. Hij heeft een drukkerijtje. Waarom ga je niet naar hem toe? Hij helpt je wel, al doet hij vast alsof het allemaal een last voor hem is. Hij zou de tekst voor je kunnen zetten en hem vanaf zijn computer drukken.'

'Heel graag,' zei Claire, 'maar ik heb geen geld om...'

'O, hij vraagt er niets voor. Hij is... een oude vriend van me. Ik zal hem meteen bellen. Trouwens, je zou een telefoonnummer op die folder moeten zetten voor mensen die vragen hebben.'

Claire wist dat Toby gelijk had, maar zei: 'Ik heb geen telefoon. Imogen wil vast niet dat ik haar nummer gebruik, en in de wolwinkel is volgens mij geen telefoon.'

'Bespottelijk! Ik verzet me tegen de vooruitgang, maar zelfs ík heb telefoon en een mobieltje, al hebben ze me weleens afgesloten. Weet je wat? Zet het nummer van mijn winkel er maar op, dan neem ik de boodschap voor je aan als er iemand belt.'

Voordat ze hem kon bedanken, had hij al een telefoonnummer op de folder gekrabbeld, zijn toestel gepakt en een nummer gekozen. 'Hallo, Thomas, engel? Ik stuur een vriendin naar je toe. Ze heet Claire en ze komt een beroep op je doen. Ja, ik weet het. Alsof ik jou nooit uit de brand heb geholpen. Trouwens, gaat onze afspraak nog door?'

Claire dacht dat ze Toby's gezicht zag verstrakken. Misschien vroeg hij te veel van zijn vriend. Ze vond het vreselijk dat hij een gunst voor haar vroeg.

Thomas' antwoord leek hem niet te bevallen. 'Goed. Geen punt. Nee, ik vind wel iemand anders.' Hij schraapte zijn keel. 'Dan komt Claire nu naar je toe. Ja.' Hij hing op, glimlachte en keek haar aan. 'Dat is dan geregeld. Hij zit aan Shaftesbury Avenue.'

'Toby, hoe kan ik je bedanken?' zei Claire. 'Je doet zo veel voor me. Ik zou iets terug...'

'Ga dan morgen met me mee naar de opera. *Lucia.* Ik ben er gek op. Doe je het?'

Claire was nog nooit naar de opera geweest, ze werkte 's avonds en ze had geen idee wie Lucia was, maar ze zei natuurlijk ja. En toen ze het zei, was ze weer net zo blij als die ochtend. Toby had een afspraakje met haar gemaakt! En al was ze bang dat het niets zou worden met Toby, ze voelde een sprankje hoop. Het enige wat ze kon uitbrengen was: 'Hoe laat?'

'Het doek gaat om acht uur op. Als je nu eens om zes uur hier kwam? Ik weet dat het niet galant van me is, maar ik moet de winkel sluiten, en dan kunnen we samen met de ondergrondse naar Covent Garden gaan.'

Ze zei vanzelfsprekend ja, en vervolgens betaalde ze voor het boek van Pym. Ze wilde wel langer blijven, hem iets over opera vragen en er misschien een boek over kopen, maar als ze eerst naar Thomas moest en dan naar haar werk, had ze domweg geen tijd meer. 'Dank je wel,' zei ze dus maar. 'Voor alles. Ik moet weg.'

Toby knikte. Hij stond op en schreef een adres op een vodje papier. 'Thomas zit op tweehoog,' zei hij. 'Hij kan krengerig zijn, maar zeg maar dat hij een klap van me krijgt als hij niet aardig tegen je doet.'

Ze giechelde, nam het adres aan en rende naar buiten.

46

Op de zaterdag van haar afspraakje met Toby werkte Claire 's ochtends en in de voormiddag bij mevrouw Patel, zodat ze de avond vrij kon nemen. Ze zag niet hoe zorgelijk mevrouw Patel keek toen ze vroeg of ze op andere tijden kon komen.

Claire hielp niet alleen de beide meisjes Patel met hun huiswerk, maar maakte ook een begin met het opruimen van de achtertuin voordat ze naar huis ging. Hoewel ze moe was, hing ze onderweg meer folders op. Thomas, die niet vervelend, maar ook niet gedienstig was geweest, had vijftig afdrukken van de folder gemaakt op verschillende kleuren papier. Claire kon de verleiding niet weerstaan er ook een paar in haar eigen straat te hangen. Toen ze bij de voordeur omkeek, glimlachte ze. Ze was een hedendaags Klein Duimpje, maar in plaats van broodkruimels, had zij een spoor gekleurd papier en strikken achtergelaten. Ze wist niet of er iemand op zou reageren, maar ze was hoe dan ook blij dat ze haar best had gedaan.

Ze draaide de sleutel in het slot om en rende de trap op naar haar eigen kleine heiligdom boven in het huis. Toen ze haar jas ophing, hoorde ze Im vanuit de slaapkamer roepen. 'Hallo, waar kom je vandaan?'

Claire was te verlegen, te bang om af te gaan, om over de folders te vertellen. 'Ik ga met Toby naar de opera,' vertelde ze terwijl ze naar de gangkast liep om haar kleren voor die avond te pakken.

'O?' zei Im met opgetrokken wenkbrauwen. Claire wilde het liefst nog even rusten voordat ze naar Covent Garden ging, maar Im kletste maar door over Malcolm en hun plannen. Het was niet zoveel anders dan naar Tina's eeuwige monologen luisteren, maar Imogens accent klonk een stuk aangenamer.

Claire zette thee, liet het bad vollopen en vroeg zich af waarom ze haar uitje met Toby niet net zo spannend vond als haar avontuur met Michael. Doe niet zo gek, vermaande ze zichzelf. Ze ging naar de opera, een heel nieuwe ervaring, met een man die ze aardig vond en bewonderde. Als ze niet zo smoorverliefd op hem was als destijds op Michael, kwam dat doordat het geen pas gaf. Ze kende Toby niet echt, ze had hem nog nooit gekust en ze had geen idee wat hij voor haar voelde.

Natuurlijk, dacht ze terwijl ze in bad lag te weken, had ze geweten dat Michael haar liefde niet beantwoordde, en toch was ze verliefd op hem geweest. Liefde leek niet iets te zijn wat je zelf in de hand had. Het was er of het was er niet. Ze had haar best gedaan haar gevoelens voor Michael uit haar hoofd te zetten, maar nu overweldigden ze haar weer, waarschijnlijk door die nieuwe kans met een man, en ze herinnerden haar eraan hoe verraderlijk de liefde kon zijn. Goed, maar Toby was een ander geval. Hij was geen versierder, en hij was charmant, intelligent en gul. Misschien had hij haar alleen uitgenodigd omdat hij met dat kaartje in zijn maag zat. Deze keer zou ze niets overhaasten en zo min mogelijk verwachten.

Ze kwam ruimschoots op tijd bij de boekwinkel aan. Ze had haar donkerblauwe jurk aangetrokken en haar parels omgedaan. Het was geen spannend ensemble, maar Toby leek haar goedkeurend op te nemen. 'Ha, daar ben je,' zei hij, en vervolgens richtte hij zijn aandacht weer op de twee oudere vrouwen met boodschappentassen die hem gespannen aankeken. 'Ik vrees dat ik ze niet van u kan overnemen,' zei hij. 'Ik kan mijn eigen voorraad al nauwelijks slijten.'

Claire zag dat de vrouwen teleurgesteld hun boeken weer in hun tassen stopten. Ze had medelijden met hen, want het was duidelijk dat ze het geld hard nodig hadden, en dat scheen Toby ook te zien.

'Wacht even,' zei hij, en hij pakte een boek. 'Hier heb ik wel een klant voor.' De vrouwen fleurden meteen op. 'Neemt u genoegen met tien pond?' vroeg Toby. Ze zeiden in koor ja en kregen hun geld. Toen ze weg waren, verzuchtte Toby: 'Ik ben veel te weekhartig. De gemeente zou me als liefdadige instelling moeten subsidiëren,' wat Claires vermoeden bevestigde dat hij helemaal geen klant had voor het zojuist gekochte boek. 'Als iemand eens zo goed voor mij zou willen zijn, zou ik betere plaatsen in de opera kunnen krijgen.' Hij glimlachte naar haar. 'Toevallig,' zei hij, 'heb ik een loge van mijn oom geërfd. Een goede plaats. Fauteuil de balcon. Maar het is wel een last. Ik kan er geen afstand van doen, maar ik kan hem ook niet betalen.'

'O, zal ik dan voor mijn plaats...'

'Doe niet zo mal,' zei Toby. Hij pakte haar arm en leidde haar de winkel uit.

Lucia di Lammermoor werd krankzinnig. Haar broer Enrico, die nog erger was dan Fred, had haar laten bekennen dat ze van Edgardo hield en haar toen aan Arturo uitgehuwelijkt. Ze had de gruwelijke list net doorzien en nu had ze niet alleen Arturo vermoord, waardoor ze doorweekt was van het bloed, maar rouwde ze ook om Edgardo en de eeuwige liefde die ze had kunnen hebben.

Het was een vergezocht verhaal, maar Claire leunde ademloos naar voren toen Lucia gek werd. Ze had nog nooit zo'n mooie zangstem gehoord, en hoewel ze het Italiaans niet verstond, herkende ze alle gevoelens die Lucia vertolkte. Haar stem rees en daalde, en Claire begon te snikken om de tragedie. Het was de fameuze derde akte, en Claire was helemaal in de ban. Ze omklemde de balustrade en huilde tot Toby haar een schone zakdoek aanreikte en ze besefte dat het niet echt was. Lucia zong niet speciaal voor haar, en zij had Edgardo niet verloren. Haar eigen Edgardo, de Kanjer, had nooit van haar gehouden, en zij was niet belangrijk genoeg om aan een ander uitgehuwelijkt te worden. Ze veegde gegeneerd haar tranen weg.

'Ik wist niet dat jij zo'n operakenner was,' zei Toby toen ze was gekalmeerd. 'Elizabeth Futral was schitterend. Heb je haar ooit in Amerika gehoord?' Claire schudde haar hoofd. Ze wilde niet uitleggen dat ze nog nooit een opera had gezien, dat ze nog nooit van Elizabeth Futral had gehoord en dat ze Lucia's gevoelens met de hare had verward. Ze keek naar Toby's zakdoek, die ze hem zo niet kon teruggeven, en propte hem in haar tas. Ze glimlachte beverig naar Toby, die haar glimlach beantwoordde. 'Ik zit eigenlijk liever in de zaal dan op het balkon.' Hij wendde zijn blik af, zodat ze zich kon vermannen. 'Het decor was ook mooi, hè? In mijn studententijd zat ik in de engelenbak, maar sinds mijn oom het loodje heeft gelegd, ben ik een verdieping gezakt.' Hij gaf haar een arm. 'Hier, hou maar,' zei hij, en hij gaf haar het programmaboekje.

'Nee, joh, hou jij dat maar.'
'Ik heb er al genoeg. Zie het als het eerste deel van je verzameling. En kom nu mee, snoes,' zei hij, 'ik weet een verrukkelijk eethuisje waar ik je wijn en hapjes kan toestoppen tot je weer de oude bent.'
Claire was lang voordat ze het restaurant bereikten al hersteld. Toby haakte zijn arm door de hare en gaf een klopje op haar hand. Ze begon echt dol op hem te worden. Hij moest haar ook aardig vinden. In het restaurant zelf vertelde Toby over zijn studententijd in Oxford en besloot: 'Zo, en nu de roddels. Wat vind je van onze Im?'
'Ik vind haar aardig.'
'Wie niet? Heeft ze je al met de achterneef van de koningin om de oren geslagen?' Claire knikte en Toby schoot in de lach. 'We wedden altijd hoe lang ze kan wachten voordat ze er in een gesprek over begint. Haar record staat op zes minuten.' Toby schudde zijn hoofd en vervolgde voordat Claire iets kon zeggen: 'Heb je Malcolm al gezien? Het is een beetje een sukkel, maar die warrige Im had het slechter kunnen treffen, dunkt me.'
Claire vroeg zich af of ze Malcolm wel ooit te zien zou krijgen, want hij leek alleen 's avonds langs te komen, als zij aan het werk was, maar wat kon het haar schelen? Ze was dankbaar voor haar kamer, en Im was niet verplicht haar aan haar vrienden voor te stellen. 'Im is een schat,' zei Claire, loyaal aan haar gulle hospita.
'Ja, maar wat heeft het allemaal voor zin? Ze gaat trouwen en kinderen krijgen, en dan gaan haar kinderen trouwen en kinderen krijgen en zo gaat het maar door.'
Claire schokschouderde. 'Dat doet toch iedereen?' Was Toby niet ook van plan een gezin te stichten?
Toby keek haar over de rand van zijn bril aan. 'Niet iedereen, kind,' zei hij. 'Zullen we samen een dessert nemen? Het toetje is altijd het lekkerste deel van de maaltijd.' Claire knikte. 'Zullen we ondeugend zijn en plakkerige toffeepudding nemen?' stelde hij voor.
Claire bekende dat ze dat nog nooit had geproefd. 'Goddelijk,' verzekerde Toby haar. Toen de ober kwam, bestelde Toby de pudding en dessertwijn. 'Alleen omdat we jou op de been moeten houden,' zei hij grinnikend.
De pudding was echt goddelijk, en Claire moest zich bedwingen om

niet meer dan haar deel te eten. Toen Toby afrekende, keek hij haar opeens aan. Zijn brilletje hing een beetje scheef op zijn neus en zijn haar zat in de war. 'Dat was ik helemaal vergeten, eerst door mijn goedheid in de winkel en toen door jouw reactie op Lucia, maar er is voor je breiles gebeld.'

Claire begreep niet meteen waar hij het over had. Ze was roezig van de opera, haar gevoelens voor Toby en de wijn, maar ze dacht dat het goed nieuws was. 'Gebeld?'

'Ja, een vrouw die wilde intekenen. Ik had geen idee wat ik moest doen, dus heb ik maar gezegd dat ze haar naam moest opgeven. Is dat goed? Zal ik je naar huis brengen?' besloot hij plompverloren, zich niet bewust van het belang van het nieuws dat hij haar zojuist had verteld.

47

Toen Claire op maandagochtend bij de wolwinkel naar binnen liep, was er tot haar verrassing een klant. Dat dacht ze tenminste, maar dan was het wel een vreemde klant. Om te beginnen was het een man. Verder was hij goed gekleed en ook best knap; Imogen zou hem 'een lekker ding' kunnen noemen. Hij was heel blond met een lichte huid, waardoor het blauw van zijn ogen nog feller leek toen hij naar Claire keek.

Claire had haar glimlach paraat, maar ze kreeg niet de kans hallo te zeggen. 'Ha, daar is ze dan. Ik moet je spreken,' zei de man. Claire glimlachte vragend. Tot haar verbazing glimlachte hij niet terug. Zijn lippen werden juist een smalle, witte streep. 'Zit jij hierachter?' vroeg hij, en hij hield een folder op. Claire knikte. Misschien wilde hij zijn vrouw voor de les opgeven. 'Waar ben jij mee bezig? Weet je dan niet dat mensen niet willen dat hun buurt wordt ontsierd? En dat je voor een bedrijf anders reclame maakt dan voor een bazaar?'

'Tut-tut, Nigel,' zei mevrouw Venables.

'Geen getut. Dit is onverantwoordelijk gedrag. En het is verboden, punt uit.'

Claire had overal folders opgehangen, maar ze wist niet dat het verkeerd of verboden was. Was die man een agent? In pak? Nee. Een boze buurtbewoner dan? Kon iemand zich opwinden over een papiertje aan een lantaarnpaal? 'Ik dacht niet...' begon ze.

'Nee, inderdaad. En kun je wel lezen? Je hebt folders over "verboden aan te plakken"-borden gehangen.' Claire had de borden wel gezien, maar gedacht dat zij geen lijm gebruikte.

'Het spijt me...' zei ze, maar hij gaf haar geen kans haar excuses aan te bieden.

'En wiens idee was dit? Wie heeft er om jouw bemoeienis gevraagd?'

Claire begon boos te worden, en tot haar opluchting kwam mevrouw Venables achter de toonbank vandaan. 'Nigel, ophouden, en wel nu. Je mag dan advocaat zijn, maar Claire zit niet in het beklaagdenbankje. Ze heeft me gevraagd of het mocht en ik heb ja gezegd.'

Mevrouw Venables was kennelijk niet bang voor die vent. Ze sloeg haar arm om Claires schouder. 'Ze wilde me helpen. Ik had het haar zelf gevraagd. Je kunt haar niets verwijten, en je toon staat me al helemaal niet aan.' Claire voelde dat mevrouw Venables' arm verstrakte. 'Sorry, kind. Mag ik je aan mijn zoon voorstellen? Claire Bilsop, dit is mijn zoon Nigel. Het is een beste jongen, maar soms wat al te bezorgd. Neem het hem maar niet kwalijk.'

'Moeder, ik...'

'Nigel, niet schreeuwen.'

'Ik schreeuw niet. Ik was gewoon overdonderd. Ik heb al die telefoontjes moeten aannemen.'

'Waren het klachten?' vroeg mevrouw Venables.

Nigel liep naar de etalage en keek naar buiten. 'Nee, niet echt, maar je moet begrijpen dat huiseigenaren geen reclamefolders van bedrijven...'

Claire, die zo blij was geweest met haar lijst mogelijke leerlingen, schaamde zich nu. En waarom was de zoon van mevrouw Venables gebeld? Zijn nummer stond niet op de folder.

'Waren het vragen over de cursus, Nigel?'

Nigel keek om. 'Ja, zoiets. En ik stond voor gek, want ik wist er niets van. Maar waar het om gaat, moeder, is dat dit een bespottelijk idee is. Het wordt niks.'

Claire weigerde belachelijk gemaakt worden. Haar idee, dat zo praktisch en doeltreffend had geleken en waar ze zo trots op was, was bespottelijk? Maar er hadden wel degelijk mensen gebeld, en niet alleen naar Toby, maar ook naar die afschuwelijke Nigel. En er waren mensen bij geweest die zich hadden willen inschrijven.

Nigel maakte een prop van een van de folders en smeet hem in de erker. 'Sinds ik dit pand heb gekocht, houdt de buurt in de gaten wat ik ermee ga doen. Ik zit niet op extra aandacht te wachten.' Hij keek weer naar Claire. 'Je kunt hier niet zomaar folders verspreiden. We zijn hier niet in Amerika, hoor. Straks ga je nog gratis wol uitdelen in de ondergrondse.'

'Nigel, zo is het wel genoeg.' Mevrouw Venables richtte zich tot

Claire. 'Het spijt me, je ziet hem niet op zijn best.' Ze haalde diep adem. 'Claires idee is heel goed. Geef haar een hand, Nigel, en gedraag je.'

Nigel stak onwillig zijn hand uit, die lang, bleek en verrassend warm was, maar hij drukte Claires hand maar kort en keek haar amper aan. Toen zuchtte hij en liet zijn beide handen in een machteloos gebaar zakken. 'Je bent onmogelijk,' zei hij tegen zijn moeder. 'Als je hulp nodig hebt, kun je dat toch tegen me zeggen? Je weet hoe ik erover denk. Die winkel is te zwaar voor je.'

'Ik weet het, lieverd, ik moet thuis blijven en de porseleinen beeldjes afstoffen, maar ik hou niet van afstoffen, weet je.' Ze keek weer naar Claire. 'Kom, dan gaan we aan de patroontafel zitten. Ik ga thee voor jullie zetten.'

'Ja, leuk. Laten we je nog meer werk bezorgen. Kun je niet meteen voor ons koken?'

'Met genoegen,' zei mevrouw Venables, die de waterkoker al onder de kraan hield. 'Claire, kom je volgende week bij me eten?'

'Moeder, je wordt weer dwars, en...'

'Ik? Dwars? Ik zou niet weten wat mijn gebruikelijke kalmte zou kunnen verstoren, behalve dan misschien een overbezorgde zoon die zich als een woedende schoolfrik opstelt en niet alleen zijn moeder, maar ook een onschuldige onbekende de les leest.' Mevrouw Venables draaide de kraan dicht. 'Koekje erbij? Ik heb die makronen die je zo lekker vindt.'

Nigel sloeg een lange hand voor zijn ogen. Claire kreeg bijna medelijden met hem. Hij leek nu kalmer, bijna gelaten, en niet half zo angstaanjagend. Hij leunde tegen de toonbank, haalde diep adem en blies hoorbaar uit. 'Kunnen we dit hele idee bespreken? Het was afkomstig van die Claire, neem ik aan?'

'Wees daar maar niet zo zeker van. Je onderschat je moeder,' zei mevrouw Venables.

'Het was mijn idee,' gaf Claire toe, 'maar ik heb toestemming gevraagd. Ik dacht dat het goed voor de zaken zou zijn...'

'En daar zit mijn moeder dus niet op te wachten, op drukte in de zaak! Want dat betekent extra werk, en dat betekent een hogere bloeddruk. Weet je dan niet...'

'Nigel, ik wil niet lelijk tegen je doen, maar ik wil dat je hier onmiddellijk over ophoudt en een andere toon aanslaat,' onderbrak zijn moeder hem. 'Claire is niet geïnteresseerd in mijn medische toestand. Leren ze je dat op de rechtbank? Vertel liever hoeveel mensen er over de les hebben gebeld.'

'Nou, een stuk of vijf,' bekende Nigel, 'maar er zullen er ook nog wel een paar op het antwoordapparaat staan.'

'En die deden allemaal hun beklag over een stukje papier dat met wol aan een lantaarnpaal was gebonden?'

Nigel ging op een punt van de patroontafel zitten. 'Nee. Een paar wel, maar er waren ook vragen over de cursus. Ze zeiden dat er op het nummer op de folder niet werd opgenomen en dat ze daarom het nummer op de winkeldeur hadden gebeld.'

Claire vroeg zich af of Toby de hoorn naast de haak had gelegd. Had ze hem te veel last bezorgd?

Mevrouw Venables zette de theepot op tafel en legde koekjes op een schaal. 'Claire, kindje, hoeveel folders heb je opgehangen?'

'Tegen de vijftig.'

'Vijftig!' herhaalde Nigel.

'Zo zie je maar. Twee of drie klachten over vijftig folders. Een op de vijfentwintig. Mijn hemel, wat weinig, gezien het aantal gekken in Londen.' Ze schonk thee in. 'Claire heeft het met mijn toestemming gedaan, en ze had geen kwaad in de zin. Een paar klachten zullen jouw onroerendgoedimperium echt niet te gronde richten. Bied Claire je excuses aan, dan kunnen we verder.'

Nigel schraapte zijn keel, maar voordat hij iets kon zeggen, nam Claire het woord. 'Het zal mijn schuld wel zijn. Ik wist niet dat het verboden was. Ik zal het nooit meer doen.'

'Gelukkig maar,' zei Nigel. 'Mijn moeder hoeft geen reclame voor de winkel te maken alsof het een revue is, en ze heeft het inkomen niet nodig. Zullen we de hele zaak maar vergeten?'

'Je haalt me de woorden uit de mond,' zei mevrouw Venables poeslief. Ze bood Claire een koekje aan en daarna Nigel, die er meteen drie pakte en ze achter elkaar opat. 'Hij is altijd al dol geweest op makronen,' vertelde mevrouw Venables. 'Ik stuurde ze naar zijn kostschool.'

Nigel zette zijn tanden in nog een makroon. 'Bilsop?' vroeg hij aan Claire. 'Waar komt je familie vandaan?'

Het deed haar aan Im denken. Wilde iedereen in dit land je in een soort hiërarchie plaatsen? Zij was geen achternicht van de koningin. 'Ik heb geen familie,' zei ze, en ze stond op. 'Ik moet gaan,' zei ze tegen mevrouw Venables, 'anders kom ik te laat op mijn werk.' Het was een leugentje om bestwil.

'Ik begrijp het,' zei mevrouw Venables, en zo te zien was het waar.

Claire liep de winkel uit en sjokte naar huis. Het had zo mooi geleken. Ze had moeten weten dat het niet zo kon blijven. Ze vond het heel erg dat ze als een klein kind of een profiteur op haar nummer was gezet, maar ze had mevrouw Venables toch niets opgedrongen? Toch bezorgde die vreselijke Nigel haar een schuldgevoel. Ze durfde geen voet meer in de winkel te zetten. Ze voelde de tranen opwellen en liet ze vrijelijk stromen.

48

Toen Claire een paar uur thuis had gezeten, voelde ze zich beter en besloot iets positiefs te gaan doen. Ze had een tuincentrum in Chelsea ontdekt, en ze zou vragen of ze er met de dochters van mevrouw Patel naartoe mocht. Buiten brak de zon door de zilvergrijze wolken. Het rook naar roet vermengd met aarde, en die onbenoembare geur van ontluikend groen die de lente aankondigde. Het zou heerlijk zijn om nu een tuin aan te leggen.

Op de hoek van haar straat zag ze een man aankomen. Het was Nigel Venables.

'Claire?'

Claire wachtte met een uitgestreken gezicht af. Hij was de laatste die ze nu wilde zien, maar ze was vastbesloten haar opgewekte stemming niet door hem te laten bederven.

'Mijn excuses voor mijn uitbarsting,' zei Nigel. 'Mag ik je een kop koffie aanbieden?'

Claire, die hier niet op had gerekend, knikte sprakeloos.

'Verderop in de straat zit een redelijk café. Fijn dat je meegaat.'

'Ja,' zei Claire, die haar stem terug had, 'maar ik heb niet veel tijd.'

'Dan blijven we niet te lang.'

Claire probeerde Nigels lange passen bij te houden, maar ze moest om de vier stappen een huppel maken. Ze keek stiekem naar zijn gezicht, en haar eerste indruk werd bevestigd: hij was knap en hij had de aristocratische trekken van mevrouw Venables, die een man echt beter stonden.

Ze verwachtte dat ze vrede zouden gaan sluiten, maar eenmaal in het café gedroeg hij zich weer net zo neerbuigend als tevoren. Hij haalde koffie en begon haar toen te ondervragen. 'Hoe ben je in Londen terechtgekomen?' vroeg hij.

Door een man, had Claire bijna gezegd. Daar zou hij van opkijken. In plaats daarvan vertelde ze dat het een opwelling was geweest.

'Zijn je ouders niet ongerust?'

Claire voelde weer dat hij haar wilde plaatsen, net als Imogen. 'Mijn vader is een jaar of vijf geleden gestorven en mijn moeder...' – Claire dacht even na – '...staat op het punt te hertrouwen.' Het was bezijden de waarheid, maar Claire had geen zin om iets over de verachtelijke Jerry te vertellen.

'Wat erg voor je. Mijn vader is gestorven toen ik nog klein was,' zei Nigel. 'Hadden jullie een goede band?'

'Ja. Ik mis hem heel erg.'

'Wat deed hij?'

Hij wilde haar weer plaatsen. 'Waarmee?' vroeg ze. Ze keek op haar horloge. 'Ik moet nu echt weg,' zei ze. 'Bedankt voor de koffie.' Ze had er geen slok van genomen. Voordat hij nog iets kon zeggen, liep ze het café uit. Hij had haar zijn excuses niet willen aanbieden, maar willen uitzoeken of ze geen zwendelaar was! Hij wilde weten of ze wel van zijn 'niveau' was, en Claire had er schoon genoeg van.

Op vrijdagmiddag, toen de meisjes Patel vrij van school hadden, ging Claire met hen naar het tuincentrum, waar ze tientallen bloeiende planten en graszoden kochten. Claire liet alles bezorgen, en de rest van de middag werkte ze met de meisjes op het lapje grond achter de winkel. Ze had van haar eigen geld een schoffel gekocht, wat ze niet aan mevrouw Patel vertelde, die met een strak gezicht toekeek.

Toen ze alle rommel hadden opgeruimd, zag het stukje grond er veel beter uit. Er liep een tegelpad langs de zijkanten en de achterkant van de tuin, maar het midden was open. Zodra de aankopen waren bezorgd, legde Claire de graszoden in het midden en zette de planten eromheen. De meisjes hielpen haar goed, en hoewel ze niet konden spitten, haalden ze de planten wel behoedzaam uit de plastic potten en pootten ze in de aarde. 'Het is net *Ground Force*!' riep Safta uit, en ze vertelde Claire alles over het tv-programma. In minder dan vier uur was er een echte tuin ontstaan. Er was geen buitenkraan of tuinslang, maar Claire en de meisjes haalden emmers en kannen water om de aanplant te begieten.

Toen mevrouw Patel even pauze nam, duwden haar dochters haar de tuin in. Claire, die op de winkel paste, verwachtte elk moment een kreet van blijdschap te horen.

Die bleef uit. Er verstreken tien minuten zonder dat Claire iets hoorde. Maudie kwam met haar zoontjes langs. Ze maakten een praatje en net toen Claire haar inkopen in een tas stopte, kwam mevrouw Patel binnen. Ze wachtte tot Maudie weg was voordat ze naar de toonbank liep, en pas toen ze haar hoofd hief en Claire recht aankeek, begreep die dat er iets aan de hand was. Mevrouw Patels donkere ogen waren betraand. 'Hoe heb je dat voor elkaar gekregen?' vroeg ze. 'Het is ongelooflijk.'

Claire was net zo verbaasd en ontroerd als mevrouw Patel. 'Het was niet zo moeilijk,' zei ze. 'Echt niet. Het zware spul is bezorgd en de meisjes hebben me geholpen.'

'Maar het is zo mooi geworden. Een echte Engelse tuin. Zalig voor de meisjes, en ik kan er 's avonds zitten. Het ruikt niet meer naar kattenpies, maar naar bloemen.' Ze pakte een servet van de toonbank en bette haar ogen. 'Ik had niet gedacht dat ik zoiets zou kunnen krijgen,' zei ze.

'Ik ben blij dat u het mooi vindt.'

'Ik moet je iets bekennen,' zei mevrouw Patel. 'Toen je ging verhuizen, dacht ik dat we je nooit meer zouden zien. Ik dacht dat je ons snel zat zou zijn.'

'Maar mevrouw Patel... Ik vind het hier...'

Mevrouw Patel stak haar hand op. 'Laat me uitpraten. Ik heb je verkeerd beoordeeld, maar ik was bang. Ik ben op je hulp gaan rekenen.'

Het was voor het eerst dat mevrouw Patel niet deed alsof ze Claire alleen maar een dienst bewees. 'Ik doe het met plezier,' zei Claire. 'Safta is een enige meid, en de kleintjes...'

'Nee, wacht. Ik vertrouwde je niet. Je mocht niet aan de kassa komen. Je verdiende veel te weinig. Ik bied je mijn excuses aan.'

Claire was bang dat ze zelf ook in huilen zou uitbarsten.

Mevrouw Patel haalde diep adem. 'Weet je,' zei ze, 'als je wreedheid gewend bent, kun je dat gemakkelijker aanvaarden dan goedheid.' Ze wendde haar blik af en tuurde de lege straat in. 'We worden hier gediscrimineerd omdat we oorspronkelijk uit Pakistan komen, maar ik woon hier al mijn hele leven en ik ben Brits. En mijn kinderen ook. Maar we horen er niet bij. En bij de Pakistani's horen we ook niet, want wij zijn geen moslims, maar hindoes.' Ze keek Claire aan. 'Mijn vader was heel goed voor me, maar na zijn dood heeft mijn moeder mijn oom gevraagd een man voor me uit Pakistan te sturen. Lak was knap, en wat had ik kunnen beginnen? Mijn vader had het huwelijk misschien kunnen tegenhouden, maar hij was er niet meer. We pasten niet bij elkaar.' Ze wendde haar blik weer af en Claire haalde diep adem. Ze had nooit durven vragen waar meneer Patel was. 'Hij stal geld van me. Hij sloeg me. Heel vaak. Ik gaf hem de Britse nationaliteit en kinderen, maar hij was altijd boos. Mijn vader had me deze winkel gegeven, zie je. Lak kon het niet hebben dat ik een bedrijf had, dat ik Engels sprak, dat ik een eigen mening had.' Ze zuchtte, maar er vonkte woede in haar ogen. 'Misschien had hij een geliefde achtergelaten. Misschien was het hoe dan ook nooit iets geworden.' Ze keek weer naar Claire.

'Maar ze hebben u gedwongen met een vreemde te trouwen,' zei Claire, die zich er niets bij voor kon stellen.

Mevrouw Patel haalde haar schouders op. 'Ik ben heel modern, maar ik geloof niet dat een gearrangeerd huwelijk zo slecht is. Je kent degene met wie je trouwt toch pas echt na jaren met hem samen geweest te zijn. Liefde kan net zo goed groeien als sterven.'

'Hebt u geen hulp gevraagd, bij uw moeder of de politie?'

Claire maakte uit mevrouw Patels blik op dat het een domme vraag was. 'Ik heb het wel aan mijn moeder en mijn tante verteld, maar nooit aan de politie. Die betrek je niet bij je huiselijke problemen.'

'Maar wat zei uw moeder dan? Vond ze niet dat u bij hem weg moest gaan?'

Mevrouw Patel schokschouderde weer. 'Mijn moeder hecht sterk aan de tradities. Toen mijn vader haar niet meer kon leiden, vroeg ze mijn oom en tante om raad, maar dat waren juist degenen die het huwelijk hadden gearrangeerd. Ze zeiden dat ik me koest moest houden, dat mijn geklaag het probleem veroorzaakte.'

'En toen?' vroeg Claire.

'Hij ging te ver. Hij sloeg de kinderen ook. Hij dacht dat hij kon doen wat hij wilde, met mij, met de kinderen en het geld. Pas toen heb ik de politie gebeld. Ik heb hem het huis uit gezet. Vijf maanden geleden. Hij is terug naar Pakistan gegaan. En ik heb een echtscheiding aangevraagd.'

'Goed zo,' zei Claire. 'Groot gelijk.'

'Zo dacht de familie er niet over. We zien niemand meer. Ze willen niet meer met me praten. De kinderen zien hun neefjes en nichtjes niet meer. Weet je, de scheiding gaf ook financiële problemen. Er moest een bruidsschat aan Laks ouders in Pakistan betaald worden, en dat geld is nu verloren. Iedereen was heel boos op me. Ze zeiden dat ik een hoer was, dat Lak zijn best had gedaan, maar dat hij niet eens wist of de kinderen wel van hem waren.' Er rolde een traan over haar wang, en ze veegde hem kwaad weg. 'Mijn kinderen zijn paria's geworden, dankzij hun wrede vader. En dat allemaal om geld en valse trots.' Ze keek naar beneden, trok haar sari recht en legde beschermend een hand op haar buik. 'Ik ga even bij de kinderen kijken,' zei ze, maar Claire vermoedde dat ze tot bedaren wilde komen. 'Prijs het brood maar af,' zei mevrouw Patel voordat ze weg waggelde. 'Het is bijna over de datum.'

Er kwamen gelukkig geen klanten voor het afgeprijsde brood. Toen mevrouw Patel terugkwam, was ze weer kalm. 'Mijn kinderen hebben eronder geleden, maar sinds jij Safta helpt, is ze veel vrolijker en nu we een tuin hebben, kan ze misschien een vriendinnetje uitnodigen. En ze kan er in elk geval lezen en huiswerk maken. Het is heel Engels, en echt heel mooi. Dank je wel, Claire.'

'O, het is niets,' zei Claire, maar ze wist nu dat het heel veel was. 'We hebben er met plezier aan gewerkt.'

Mevrouw Patel gunde haar een van haar zeldzame glimlachjes. 'Ja, plezier is altijd goed.'

'En ik kan de meisjes leren snoeien en grasmaaien.'

'Dat is ook leuk,' zei mevrouw Patel. Ze klopte op haar buik. 'En de baby kan er ook van genieten.' Ze glimlachte weer en pakte Claires hand. 'Hoe kan ik je ooit bedanken?'

Claire schokschouderde. 'Dat hebt u al gedaan. Doordat u me werk hebt gegeven, kon ik in Londen blijven.' Ze zweeg even. 'Weet u, ik ben ook een soort verworpene,' zei ze toen.

Mevrouw Patel knikte. 'Zoiets dacht ik al,' zei ze.

49

Op zaterdagochtend werd Claire om zeven uur wakker, opgewonden bij het vooruitzicht van de eerste breiles, die al om negen uur begon. Ze vermoedde dat Imogen uitsliep, maar wist het niet zeker omdat Imogen tot nu toe elk weekend weg was geweest. Claire liep op haar tenen naar de badkamer, nam haar bad, waste haar haar en liep toen in een handdoek gewikkeld naar de kast in de gang om haar kleren voor die dag uit te zoeken. Toen ze langs Imogens slaapkamerdeur kwam, dook er een spiernaakte, goedgebouwde man op, die net zo naar Claire gaapte als zij naar hem. 'Sorry,' zei ze geschrokken, en ze rende naar haar kamer.

Eenmaal binnen sloeg ze de deur keihard dicht.

O, god, dacht ze. Als Imogens vriend maar geen bezwaar maakte tegen haar aanwezigheid in de flat. Ze had hem niet eerder gezien, en ze had zich hun eerste ontmoeting iets anders voorgesteld. Nu zat ze in haar kamer opgesloten.

Ze keek naar een van de folders op haar bureau. De les begon om negen uur, en een blik op haar horloge maakte duidelijk dat ze nog een uur en tien minuten de tijd had om zich een weg naar haar kast te banen, Imogen en haar verloofde te ontlopen, te ontbijten en af te wachten of ze aan het eind van de dag nog onderdak had.

Ze hoopte maar dat dit geen slecht voorteken was voor de rest van deze belangrijke dag. Toen herinnerde ze zich haar waterkoker, die gelukkig vol was. Ze hoefde hem alleen maar aan te zetten. De theezakjes lagen in de bovenste la van haar bureau en haar kop van de vorige avond stond er nog. Na een kop thee zag ze alles weer in de juiste verhoudingen.

Misschien vonden ze het niet leuk, maar het zou overdreven zijn om haar het huis uit te zetten. Toen ze om halfnegen nog geen geluid had gehoord, verzamelde ze moed en ging in haar kleren van de vorige dag naar de keuken.

Claire had het niet verwacht, maar Imogen was al op. Ze was in een ochtendjas thee aan het zetten. 'Goedemorgen,' zei ze. 'Ook een kopje?'

Claire schudde haar hoofd. 'Ik heb geen tijd. Ik geef vanochtend les.' Ze wilde naar de gang lopen, maar Imogen hield haar tegen.

'Wat voor les?' vroeg ze. 'Geef je Amerikaans-Engels?'

Claire probeerde te lachen. 'Nee, breiles, als er tenminste mensen komen opdagen.'

'Breiles! Wat super! God, iedereen breit. De helft van de meiden bij mij op kantoor breit wel iets. Ze zweren er allemaal bij.'

Op dat moment kwam Imogens verloofde uit de slaapkamer. Zijn haar was warrig en hij had de donkerste bruine ogen die Claire ooit had gezien. 'Hallo,' zei hij.

'Claire, dit is Malcolm. Ik begrijp dat jullie elkaar al hebben ontmoet.'

Claire bloosde. Malcolm glimlachte en vroeg Imogen om een kop thee. Kennelijk was hij absoluut niet beledigd.

Het was een pak van Claires hart. Ze ging snel naar haar kamer om zich om te kleden. Toen ze weg wilde gaan, hield Imogen haar bij de deur staande.

'Zou ik ook naar de les mogen komen?' vroeg ze.

'Heel graag,' zei Claire.

'Hoe laat begint het?'

'Over een paar minuten al. Om negen uur.'

'O, hemel,' zei Imogen. 'Dat redt toch niemand? Je had er elf of twaalf uur van moeten maken.'

Claire kromp in elkaar, maar het was nu te laat. Ze zou, zoals Tina graag zei, moeten slikken of stikken. En misschien kwam niet iedereen, maar er zouden vast wel een paar mensen komen. En ze zou de laatkomers op gang kunnen helpen terwijl de anderen hun eerste steken breiden. 'Je hoeft niet naar de les te komen,' zei ze tegen Imogen. 'Ik kan het je leren wanneer je maar wilt.'

'O, fantastisch. Je bent te goed voor me. Je doet het hele huishouden, en dan bied je dat ook nog aan. Je zou de ideale echtgenote zijn.' Ze keek over haar schouder en riep: 'Malcolm, je moet Claire eens aan een paar leuke kerels van je werk voorstellen.'

'Waar ik werk, zijn geen leuke kerels,' riep Malcolm vanuit de keuken terug.

Imogen lachte. 'Misschien haal ik de les nog. Mag ik iets later komen?'

'Ja, natuurlijk,' zei Claire, en ze gaf Imogen een folder. 'Het is vlakbij, maar ik moet nu echt rennen.'

Claire haastte zich naar buiten. Toen ze de hoek omsloeg, bleef ze stokstijf staan. Er stonden zeven vrouwen voor de dichte winkel te wachten.

Het was geen menigte, maar het was een begin. Claire zette haar vrolijkste glimlach op en liep naar de deur. Mevrouw Venables had haar een sleutel gegeven, en ze maakte trots de winkeldeur open. 'Komt u toch binnen,' zei ze tegen de vrouwen. 'Komt u allemaal voor de les?'

De vrouwen liepen de winkel in, waar al een ronde tafel met stoelen eromheen klaarstond. Drie van de vrouwen waren van middelbare leeftijd en goed gekleed, nog eens drie waren van Claires leeftijd of iets jonger en de laatste was een graatmagere tiener met veel zwarte oogmake-up op. 'Kijk maar even rond,' zei Claire. 'We beginnen zo.'

Ze legde naalden, restjes wol en een intekenlijst met ruimte voor namen, adressen en telefoonnummers klaar. De winkelbel klingelde en er kwam nog een vrouw binnen. Ze had blond haar en hoewel haar gezicht lang en een beetje mannelijk was, was ze heel aantrekkelijk. Ze draaide zich om en hield de deur open voor een veel oudere vrouw die haar moeder moest zijn. Nu waren er negen cursisten.

Claire zag mevrouw Venables van de trap komen en glimlachte naar haar. Mevrouw Venables zag de vrouwen, die nu allemaal gingen zitten, en knikte goedkeurend naar Claire. Toen ze beneden was, vond Claire dat ze van start konden gaan.

Ze schraapte haar keel en de vrouwen keken op. 'Goedemorgen. Ik ben Claire, en dit is mevrouw Venables. Wij gaan u vandaag helpen.' Ze haalde diep adem. Ze had nog nooit lesgegeven. 'We gaan eerst oefenmateriaal uitdelen, en dan gaat de intekenlijst rond.'

De vrouwen pakten hun naalden en wol. Claire vroeg mevrouw Venables of zij aan de ene kant van het hoefijzer wilde beginnen, en ze begon zelf aan de andere kant.

'Ik ben Leonora Atkins,' zei een vrouw met bruin haar van Claires leeftijd toen Claire bij haar aankwam. 'Wist je dat de helft van de vrouwen op mijn werk breit en dat de andere helft het wil leren?'

'Echt waar?' zei Claire.

'Ja, als Gwyneth Paltrow, Winona Ryder en Julia Roberts iets doen, wil iedereen het.'

'Ik wist niet dat die allemaal breiden.'

'Je weet niet half. David Arquette en Russell Crowe breien ook. Nu David Beckham nog.'

'Hemeltje, is dat echt waar?' zei de moeder van de aantrekkelijke blonde vrouw. 'De koningin breit natuurlijk ook. Ik weet niet waarom ik het nooit heb geleerd, maar als zij er tijd voor heeft, kan ik het ook.' Ze lachte. Claire hoorde dat de vrouw net zo geaffecteerd praatte als de koningin, hoewel ze een oude, pillende confectietrui droeg. Haar dochter daarentegen ging elegant gekleed in een broek van goede snit met een zijden sjaaltje stijlvol om haar nek geknoopt. Toen Claire haar naam vroeg, keek ze op.

'Ik ben Ann Fenwick,' zei ze, 'en dit is mijn moeder.'

Claire hielp hen beiden op weg en richtte zich toen tot de hele groep. 'Ik zie dat jullie allemaal naalden hebben en beginnen te leren hoe je steken moet opzetten.'

'Nee,' zei een vrouw van middelbare leeftijd met een hoge stem, 'we maken alleen maar knopen, lieverd. Ik heb er een puinhoop van gemaakt.' Een paar anderen lachten.

'Ja, u hebt een knoop gemaakt. Maar dat is het begin van opzetten,' legde Claire uit. Iedereen keek haar verwachtingsvol aan. 'Heeft iedereen de eerste lus op de naald gezet?' vroeg ze. De meeste vrouwen knikten. 'Dan kom ik nu de volgende stap laten zien, namelijk breien in die lus en in elke steek erna. Dat is het opzetten, de basis van uw breiwerk.'

'Maar ik baal zo van die kleur,' zei het tienermeisje, dat een bolletje geelgroene sokkenwol had gekregen dat vreselijk bij haar lange paarse jurk vloekte.

'Ja, het is een afschuwelijke kleur,' beaamde mevrouw Venables. 'Maar dit is alleen maar een proeflapje om te leren breien en de stekenverhouding te berekenen.'

'Wat is dat?' vroeg het meisje.

'Daar kun je aan zien hoe strak je breit,' antwoordde Claire.

Een vrouw schoot in de lach. Claire dacht dat ze Emma heette en keek op de lijst. Emma Hedges. Ze zag er ongeveer even oud uit als

Claire, maar leek ouder door haar gedrag. 'Ik ben zo strak aangedraaid dat ik óf moet breien, óf een psychiater moet hebben,' verzuchtte ze, en een paar andere vrouwen giechelden.

'Ja, dat is ook een van de redenen waarom ik brei,' zei Claire. 'Het is heel rustgevend. Maar ook rustige mensen kunnen strak breien, en daar moet het patroon op aangepast worden. Maar laten we niet op de zaken vooruitlopen. Ik kom de opzetsteken bekijken en dan gaan we breien.'

Claire glimlachte over de hoofden van de leerlingen heen naar mevrouw Venables.

'Denk erom dat jullie alle steken ongeveer even strak opzetten,' zei mevrouw Venables. 'Anders ziet het er slordig uit.'

Een paar vrouwen hadden volmaakt opgezet, in het bijzonder Emma Hedges, maar bijna alle anderen hadden hulp nodig. Een van de oudere vrouwen, mevrouw Willis, had zo strak opgezet dat Claire bang was dat haar naald zou breken zodra ze begon te breien.

Toen mevrouw Venables en zij iedereen hadden geholpen, liet Claire de vrouwen de tweede naald pakken en begon de volgende stap uit te leggen. 'Neem de naald in je rechterhand,' zei ze. 'Nu gaan we echt breien. We beginnen met een naald recht, een naald averecht, de tricotsteek. De ene kant wordt geribbeld, de andere glad.'

Mevrouw Venables glimlachte. 'Je kunt dus nooit vergeten aan welke kant je bent.'

De vrouwen pakten de tweede naald, sommigen onhandig en anderen alsof ze Chinees gingen eten. Claire deed de juiste houding voor. 'Hou de naalden zo vast. Steek nu de rechternaald door de eerste lus op de linker.' Ze zag dat een van de vrouwen de naald bijna tot aan de knop in de lus stak en moest moeite doen om niet in de lach te schieten of op te springen. 'Alleen de punt van de naald, een paar centimeter maar,' vervolgde ze.

'Wat je zelf maar het prettigst vindt,' vulde mevrouw Venables aan. 'Neem nu de draad losjes tussen je duim en wijsvinger, sla hem om de naald, trek hem door de lus en laat de nieuwe steek op de rechternaald glijden.'

'Wacht, wacht!' werd er geroepen.

'Zullen we het voordoen?' opperde mevrouw Venables.

Claire hielp de moeder van Ann Fenwick en toen het tienermeisje, dat Charlotte heette. Binnen een paar minuten was iedereen met de eerste steek bezig. Claire keek naar de geconcentreerde gezichten aan de tafel en stelde opgelucht vast dat de les een succes was. 'Goed,' zei ze. 'Jullie hebben je eerste steek gebreid, het begin van een hele naald. Wij blijven rondlopen tot iedereen vijftien steken op de rechternaald heeft staan.'

Claire liep rond. Twee vrouwen lieten hun naalden vallen en moesten opnieuw beginnen, maar Claire hielp hen. Bijna iedereen liet steken vallen, behalve Emma Hedges, en het werk was niet bepaald regelmatig, maar uiteindelijk hadden ze allemaal een naald gebreid en konden ze aan de tweede beginnen.

'Wat is dat?' vroeg Julie, een van de jongere vrouwen, en ze pakte iets van een plank.

'Een breivisje,' legde mevrouw Venables uit. 'Dat gebruik je om stukken in een andere kleur in je werk te breien.'

'Wat ziet het er gek uit,' vond Julie. 'Net kinderspeelgoed.'

De vrouwen breiden tot het eind van de les door, en vervolgens borgen ze hun werk op en keken in de winkel rond. Ze kochten wol, naalden en kluwentassen. Mevrouw Venables beantwoordde hun vragen over soorten wol en materiaal, en Claire ruimde op.

Ze keek voldaan glimlachend om zich heen. Kassa! Nigel kon de pot op met zijn pessimisme. De les was een daverend succes geworden.

50

'Weet je wel wie dat is?' vroeg Imogen opgewonden.

Het was zondagochtend en Claire vertelde Imogen over de vrouwen die de les hadden gevolgd. Imogen, die niet was komen opdagen, had afwezig geluisterd, tot Claire de naam Ann Fenwick liet vallen.

'Lády Ann Fenwick? Haar moeder is de gravin van Kensington!'

'O ja? Die was er ook.' Claire dacht aan de goedkope oude trui. Niet de kleding waarin ze zich een gravin voorstelde, maar ze zouden ook wel geen kroon dragen. 'Zijn ze lid van het koninklijk huis?' vroeg ze.

Imogen lachte. 'Nee, gewoon hoge adel. Ze zijn in de zestiende eeuw in de adelstand verheven, oude adel dus. Oude adel is veel belangrijker dan nieuwe.'

Claire dacht aan haar vader, die de Bilsops altijd een 'oude familie' had genoemd. Ze vermoedde dat het in Tottenville iets anders betekende dan in Londen. 'Nou,' zei ze, 'maar ze kan niet breien en Ann bakt er ook niets van.'

'Lady Ann,' verbeterde Imogen haar. 'Als iemand een titel heeft, moet je die gebruiken, zelfs in dagelijkse gesprekken.'

'Jij zult het wel weten,' zei Claire. 'Het ging in elk geval heel goed. Ik hoop dat ze allemaal terugkomen.'

'En dan kom ik ook,' zei Imogen. 'Ik had gisteren al willen komen.'

Claire betwijfelde het. Ze had het gevoel dat Imogens enthousiasme meer te maken had met Ann Fenwick dan met het verlangen volmaakt te breien, maar het gaf niet. Claire begon de keuken op te ruimen en Imogen stelde vragen over de andere leerlingen, maar die leken geen van allen door de beugel te kunnen. Toen Claire een beker in de spoelbak zette, viel haar oog op een envelop op het aanrecht. Hij was aan haar geadresseerd.

Claire pakte de envelop. 'Wanneer is die gekomen?' vroeg ze.

Im, die op weg was naar de badkamer, zei: 'O, dat was ik vergeten je te vertellen. Ik moet voortmaken, ik wil Malcolm niet laten wachten.'

Claire ging met de brief naar haar kamer en maakte hem voorzichtig open.

Beste Claire,
Bedankt voor je nieuwe adres. Ik hoop dat je het niet erg vindt dat ik het vorige aan je vriendin Tina heb doorgegeven. Het verbaasde me dat ze het niet had, maar misschien had ik daaruit moeten opmaken dat het niet de bedoeling was. Mijn excuses als ik dom ben geweest. Ik zal je nieuwe adres niet meer zonder jouw toestemming doorgeven.

Ik ben blij te horen dat je op je pootjes terechtgekomen bent. Als ik iets betreur, en neem maar van mij aan dat ik keus te over heb, is het wel dat ik niet meer heb gereisd. Gelukkig krijg jij die kans nu.

Hier gaat alles goed, alleen moet Brady, mijn hond, aan zijn heup geopereerd worden. Ik vind het heel erg, maar hij heeft pijn en de dierenarts heeft me beloofd dat het allemaal goed komt. Gek, hoe sterk we aan onze huisdieren hechten.

Op kantoor is het hommeles. Het schijnt dat Junior zich in de nesten heeft gewerkt via een mislukt project van Wainwright. We weten niet of het gewoon een onverstandig advies aan een gezamenlijke fondsbeheerder was of iets ergers. Meneer Crayden vindt het verschrikkelijk. Hij is de Autoriteit Financiële Markten in zijn latere jaren als een soort maffia gaan zien die het op iedereen heeft gemunt, en hij is bang dat zijn naam ook op hun zwarte lijst komt te staan. Ik heb geprobeerd hem gerust te stellen, maar het ziet er niet goed uit. Het schijnt dat de door Junior aangeraden effecten door Michael werden aangeboden. Wisten ze dat het fonds op springen stond? Geen idee, maar er zijn mensen die het graag willen weten. Wees maar blij dat je hier niet bent.
Pluk de dag,
Abigail

Claire vouwde de brief op en stopte hem in de envelop. Ze leefde mee met Abigails zorgen om haar hond en wilde meteen terugschrijven, maar het nieuws over Michael was veel spannender. Had de Kanjer echt een blunder gemaakt? Op de een of andere manier kon ze zich niet voorstellen dat hij in de problemen zou komen. Maar goed, riep ze zichzelf tot de orde, het gaat me niets aan. Ze kon beter bedenken wat haar uitstapje voor deze zondag zou worden.

51

De week daarop zwierf Claire door Londen, werkte in de tuin bij mevrouw Patel en hielp in de kruidenierswinkel. In haar vrije momenten maakte ze samen met mevrouw Venables de schamele inventaris op en keken ze in de catalogi waaruit ze nieuwe voorraad konden bestellen. Het was een drukke, aangename week.

Ze bracht ook een bezoekje aan Toby en hielp hem boeken sorteren, maar hij vertelde haar liever waar een boek over ging dan dat hij het op zijn plaats zette. Ze kon haar gevoelens voor hem niet onder woorden brengen. Zijn aantrekkingskracht was minder lichamelijk dan die van Michael, maar ze voelde zich wel degelijk tot hem aangetrokken en was graag bij hem.

De les op zaterdag werd onverwacht het klapstuk van de week. Claire was deze keer ruim op tijd, maar tot haar ontzetting drentelden er al zeker twintig vrouwen voor de winkel heen en weer. Ze geloofde haar ogen niet. Ze ontdekte Charlotte, die met twee jonge zwarte meisjes stond te lachen, en Emma Hedges, die ook een vriendin bij zich had. Claire haastte zich naar de groep toe en toen zag ze iets nog verbazenders: mevrouw Venables had de winkel al opengedaan en binnen krioelde het ook van de vrouwen. Claire herkende mevrouw Willis, Ann en een paar anderen van de vorige week, maar de rest was nieuw. Ze probeerde de winkel in te lopen, maar werd tegengehouden.

'Wacht maar op je beurt, net als wij,' zei een gezette vrouw vermanend. 'Wat is dit slecht georganiseerd,' zei ze tegen haar vriendin.

'Nietes,' zei Claire. 'Ik bedoel, het komt in orde. Ik ben de docent. Gun me even de tijd.'

De vrouwen lieten haar door, maar binnen kwam ze nauwelijks door de massa heen. Er werd veel gepraat en op hoge toon geklaagd. Uiteindelijk bereikte Claire mevrouw Venables, die zichtbaar geagiteerd was.

'Wat een opluchting dat je er bent,' zei ze tegen Claire. 'Mijn hemel, toen ik om halfnegen beneden kwam, stonden er al drie mensen. Wat moeten we doen?'

'In elk geval veel wol verkopen,' zei Claire, en ze grinnikte. Zij zou dit moeten organiseren, en haar blijdschap was vermengd met een vleugje angst dat dit op een ramp zou uitdraaien. Dat mocht niet gebeuren. Dit was te belangrijk voor haar. Ze zou eerst met de vrouwen in de winkel praten en dan met de wachtenden buiten.

Ze gaf mevrouw Venables snel een paar aanwijzingen en klom toen op een stoel. 'Hallo,' riep ze, 'mag ik even jullie aandacht? Sorry dat het zo vol is, maar een aantal van jullie heeft zich niet ingeschreven.' Ze hoorde geroezemoes om zich heen. Als de vrouwen dachten dat ze hadden moeten intekenen, konden ze niet over het wachten klagen.

'Ik heb geprobeerd te bellen, maar het nummer was opgeheven,' zei iemand.

Claire ging er niet op in. 'Geen paniek,' vervolgde ze. 'Iedereen komt aan de beurt.' Ze zakte door haar knieën en pakte een notitieblok en pen van de toonbank. 'Als iedereen zijn naam en telefoonnummer wil noteren...' Ze knikte naar Ann en Julie. 'Degenen die er vorige week ook waren, kunnen gaan zitten.' Claire klom van haar stoel en liep naar Ann, die aan het eind van de tafel was gaan zitten. 'Komt je moeder nog?' vroeg ze.

'Nee, ze voelt zich niet goed, maar ze wil graag leren breien. Zou je bij haar langs willen gaan om de gemiste les met haar in te halen?'

'Natuurlijk,' zei Claire.

'Wat dacht je van maandagmiddag?'

'Prima,' zei Claire.

Claire moest zich weer met de andere vrouwen bezighouden. Ze klom op de stoel. 'Goed, dames, de les is gratis en jullie krijgen wat wol om mee te beginnen. Zodra iedereen zijn naam heeft genoteerd, beginnen we.' Ze klom van de stoel.

'Maar hoe in vredesnaam?' fluisterde mevrouw Venables haar toe.

'Hebt u boven nog stoelen?' vroeg Claire.

'Ja, maar ik denk niet dat we die naar beneden kunnen krijgen.' Ze dacht even na. 'Claire, zullen we een deel van de vrouwen boven zetten? Maar dan weet ik nog niet hoe het met de mensen buiten moet.'

'Laat dat maar aan mij over,' zei Claire opgelucht. 'Degenen die er vorige week ook waren, kunnen binnenkomen.'

Claire ging gewapend met een notitiebok en pen naar buiten. 'Willen degenen die er vorige week ook waren hun hand opsteken?'

Er gingen geen handen de lucht in. 'Jij was er vorige week toch?' zei ze tegen Charlotte. 'En jij ook,' zei ze tegen Emma. Ze richtte zich tot de hele groep. 'Ik vrees dat er een probleem is ontstaan. We hebben ons verkeken op de belangstelling. Ik zal jullie dus moeten vragen om om elf uur terug te komen. Als dat niet schikt, is er om twee uur nog een les. Jullie kunnen nu intekenen.'

'Dat lukt me echt niet,' zei een vrouw, en ze liep samen met een jong, blond meisje weg. De anderen leken echter wel bereid te zijn een ander tijdstip te kiezen. Het was inmiddels vijf voor halftien, dus veel tijd voor de groep binnen had Claire niet meer, maar ze zou haar best doen.

Mevrouw Venables had zich binnen kranig geweerd. De vrouwen van de vorige week zaten, met een paar nieuwelingen, in de winkel en mevrouw Venables deelde boven in haar woonkamer wol uit aan de tweede groep. Ze had blosjes op haar wangen en haar ogen twinkelden. 'Ongelooflijk,' fluisterde ze. 'Wat heb je met al die mensen buiten gedaan?'

'Die komen terug,' zei Claire.

'Nee toch?' Mevrouw Venables keek om zich heen. 'Maar we hebben geen plaats meer. Die vrouw in het blauw zit op mijn douchestoel.'

'Nee, niet nu. Ze komen terug voor de les van elf of twee uur.'

'Elf en twee uur? Hemeltje. Hebben we wel genoeg naalden?' zei mevrouw Venables.

'Ik zal de mijne thuis gaan halen,' beloofde Claire. 'We moeten er het beste van maken.'

Mevrouw Venables glimlachte. 'Net als in de oorlog. Dat was ook behelpen.'

Claire rende de trap af. De volgende les begon al over een uur. Ze hielp de vrouwen een voor een, verbeterde hun werk en besprak de problemen die zich voordeden.

Toen rende ze weer naar boven om te zien hoe het met mevrouw Venables ging. Zij liet haar leerlingen een recht, een averecht breien in plaats van de tricotsteek, maar het waren er maar acht en een kolossale vrouw, mevrouw Lyons-Hatchington, hielp iedereen die ze te pakken kon krijgen, zij het van de wal in de sloot. 'Ik laat ze beneden de tricotsteek breien,' zei Claire tegen mevrouw Venables, 'maar we moeten zo ophouden om de volgende les voor te bereiden.'

Mevrouw Venables keek op de klok. 'We hebben nog bijna een kwartier, hoor,' zei ze bedaard.

Claire glimlachte. 'Ja, maar ze moeten ook nog inkopen doen. Wol, naalden, alles. En misschien willen ze wel een boek met simpele patronen hebben.'

Mevrouw Venables lachte. 'Ja, dat was ik glad vergeten. Nigel heeft gelijk, ik ben hopeloos als zakenvrouw.' Ze glimlachte naar Claire. 'Maar jij, jij bent gewoon...'

Claire smachtte naar het compliment, maar er was geen tijd voor. 'Ik moet weer naar beneden,' zei ze. 'Laten we hun steken opmeten en huiswerk opgeven. Ze hoeven niets te kopen, en als ze geen les meer willen hebben en de naalden teruggeven, hoeven ze niets te betalen.'

'Heel goed.'

Claire ging terug naar haar eigen groep. Leonora had al een heel stuk gebreid, en een nieuwe jonge vrouw in een lila minirokje en een dunne oudere vrouw in een tweed mantelpak waren goed op dreef, maar Charlotte en haar vriendinnen maakten er een potje van. Toch sprak Claire hen bemoedigend toe terwijl ze hen op hun fouten wees.

'Goed. Nieuwelingen, jullie huiswerk is je kluwen opbreien. Daarna kunnen we een simpel patroon uitzoeken, een sjaal bijvoorbeeld.'

'Ik wil zo graag een wit mutsje voor mijn kleindochter maken,' zei mevrouw Willis.

'En ik een hemdje,' zei het meisje in minirok, dat Jane heette. 'Verkopen jullie kasjmier?'

'Alles op zijn tijd,' zei Claire vriendelijk. 'Voordat jullie de hele vlag gaan breien, kunnen jullie de wol hier bekijken. Als je iets anders wilt, bestellen we dat, dan is het er volgende week.'

Een paar vrouwen zeiden dat ze eerder wilden terugkomen, en Claire moedigde hen aan langs te komen. Er was maar één vrouw die het opgaf en haar naalden liet liggen.

Terwijl de vrouwen, ook die van boven, de winkel bekeken, pakte Claire in een opwelling haar deken, spreidde hem op tafel uit en legde die van mevrouw Venables ernaast. 'Denk niet dat je dit meteen al kunt,' zei ze tegen de *oo* en *ah* roepende vrouwen, 'maar ik heb deze trui gebreid,' zei ze, op zichzelf wijzend, 'en dat zouden jullie kunnen proberen.' Een goede lerares motiveert haar leerlingen, vond Claire, maar de vrouwen hadden geen aansporing nodig om materialen te kopen. Toen de groep van elf uur kwam, was de voorraad flink geslonken.

Mevrouw Venables zag er vermoeid uit, en Claire stuurde haar naar boven om een dutje te doen. Ze gaf tot een uur les, lunchte snel en haalde al haar naalden thuis op. Ze vond het heel erg dat ze afstand moest doen van haar antieke naalden, maar ze mocht niemand teleurstellen.

Er kwamen meer mensen voor de les van twee uur dan er op de intekenlijst stonden, vrouwen die om elf uur hadden zullen komen en vriendinnen van vrouwen die zich hadden opgegeven. En om kwart over twee kwam Imogen binnenzeilen. Ze begroette Claire alsof ze onder elkaar waren. 'Ben je nog steeds bezig? Ik had geen idee dat breien zo moeilijk was. Ik ben oerstom, dus ik zal de slechtste van de klas wel zijn.'

'Dat bestaat niet,' zei een jonge vrouw die Sarah heette. 'Ik ben de slechtste al, maar ik moet doorzetten, want ze hebben me gedwongen mee te breien aan een babyuitzet. Mijn zus is nog maar net getrouwd, maar mam hoopt al op kleinkinderen.'

Een paar vrouwen lachten, maar Imogen trok haar wenkbrauwen op, glimlachte koeltjes en ging niet op de lege plek in de erker zitten, maar op de tafel zelf. 'Kan ik de les nog inhalen?' zei ze tegen Claire.

Tegen vieren was Claire afgepeigerd, maar tot haar voldoening was de klas van een groep zwijgende eenlingen veranderd in een vrolijk kwetterend geheel. Imogen kwam weer naar haar toe. 'Wat doe je straks?' vroeg ze. 'Je zult wel kapot zijn, maar heb je zin om iets met Malcolm en mij te gaan drinken? Ik weet een heel leuk grand café bij Sloane Square.'

Claire was ontroerd door het vriendschappelijke gebaar, maar ze moest voor zessen bij mevrouw Patel zijn. 'Graag,' zei ze dus, 'maar ik heb al een afspraak.'

'Wat mysterieus,' zei Imogen. 'Nou, tot vanavond dan maar. Of morgenochtend.' Ze trok veelbetekenend haar wenkbrauwen op.

Claire werkte Imogen en de anderen de winkel uit. Ze wist dat de reis naar Camden bijna een uur kostte, maar dronk toch nog een kop thee met mevrouw Venables om het te vieren. Toen maakten ze de kassa op.

'Ik sta paf,' zei mevrouw Venables. Ze hadden voor bijna driehonderd pond wol verkocht, los van de bestellingen, en alle naalden waren verkocht, evenals een grote hoeveelheid kluwentassen en breipatronen. 'Dit is meer dan ik anders in een hele maand verdien. Ik sta paf,' zei ze weer. 'Je bent een mirakel.'

Claire lachte vergenoegd. 'Als we maar niet worden opgepakt wegens illegaal aanplakken.'

Mevrouw Venables glimlachte zuur. 'Nigel heeft er met geen woord meer over gerept.' Toen telde ze vijftig pond uit, die ze aan Claire gaf. 'Maar als het zover komt, kun je hier je advocaat mee betalen, al kan ik je Nigel niet aanbevelen.'

'O, nee,' stribbelde Claire tegen. 'Dat is te veel. Het is tenslotte uw wol, en uw voorraad, en...'

Mevrouw Venables drukte haar het geld in de hand. 'Malle meid,' zei ze. 'Pak aan. Jij hebt mij vandaag veel voldoening gegeven, en ik jou alleen maar wat vuil gewin. Je moet maar terugkomen als ik uitgerust ben, dan kunnen we het over je nieuwe baan hebben.'

'Hier, bedoelt u? Bij u?'

Mevrouw Venables knikte. 'We hebben het nu druk genoeg. Ik kan al die klanten niet alleen bedienen, en ik veronderstel dat iedereen volgende zaterdag terugkomt, en misschien nemen ze nog meer vriendinnen mee.'

Claire was dolblij. Haar vermoeidheid was opeens weg. Ze kon naar mevrouw Patel gaan, alles doen wat er van haar werd verlangd en dan nog fit terugkomen. 'O, dank u wel,' bracht ze met moeite uit.

'Nee, jíj bedankt.' Mevrouw Venables glimlachte. 'Ik zal het met Nigel bespreken.' Ze gaf een klopje op Claires knie. 'O, jeetje, die zal wel weer bang zijn dat ik me te moe maak.'

52

Claire zat opgetogen in de ondergrondse op weg naar mevrouw Patel. Ze keek naar haar medepassagiers en wist zeker dat zij de gelukkigste van de hele coupé was. Ze woonde heerlijk bij Imogen, die een vriendin zou kunnen worden. Ze kende Toby, die hopelijk meer dan een vriend zou worden. Mevrouw Patel en haar kinderen waren bijna familie, en nu had ze mevrouw Venables ook nog, en een nieuwe, fantastische baan die ze zelf had gecreëerd. Ze stopte haar hand in haar zak en voelde de bankbiljetten. Ze vond het ongelooflijk. Alle vrouwen, van wie er veel succesvol en bemiddeld leken, hadden haar gezag erkend. Niemand had aan haar kennis getwijfeld, en ze hadden haar hulp gevraagd alsof het de gewoonste zaak van de wereld was. En als klap op de vuurpijl was mevrouw Venables niet gewoon blij geweest met hun succes, maar... nu ja, echt enthousiast. Claire was nog nooit zo opgewonden, optimistisch en trots op zichzelf geweest.

Ze ging zo op in haar prettige gedachten dat ze bijna vergat over te stappen.

Terwijl ze op de trein naar Camden stond te wachten, begonnen de problemen aan haar broze geluk te knagen. Hoe moest het verder met mevrouw Patel, de kinderen, haar werk in de winkel en de bijlessen? Ze had het niet met mevrouw Venables over haar salaris gehad, maar ze kon zich niet voorstellen dat ze na een dag in de wolwinkel nog naar Camden zou gaan om de hele avond te werken. Ze zou moeten kiezen, en ze werkte liever bij mevrouw Venables, maar hoe kon ze de eerste vrienden die ze in Londen had gemaakt in de steek laten?

Ze was van mevrouw Patel met haar sierlijk gebogen wenkbrauwen, haar beschermende achterdocht en haar warme, liefdevolle hart gaan houden. En wanneer de baby er was, zou mevrouw Patel nog meer hulp nodig hebben. Claire was ook dol op de kinderen, vooral Safta, en de streken van Fala en Devi maakten haar altijd aan het lachen. Ze had geen kinderen om zich heen gehad in Tottenville, en tot haar aangename verrassing kon ze er goed mee omgaan. En dan was de tuin er nog. Ze had hem met liefde aangelegd, maar nu moest hij met zorg onderhouden worden. Mevrouw Patel zou echt geen tijd hebben om te snoeien, slakken van bladeren te plukken en de planten dagelijks water te geven. Claire was bang dat als de tuin verkwijnde en stierf, het met Safta's opbloeiende zelfvertrouwen en optimisme net zo zou gaan.

De trein denderde het station binnen en Claire stapte met hangende schouders in. Ze had mevrouw Patel bewezen dat ze betrouwbaar was, ze had haar vriendschap geschonken, en ze wilde haar nu niet teleurstellen. Ze kon het werk in de winkel wel opzeggen, maar ze moest bijles blijven geven en voor de tuin blijven zorgen. Hoe dichter ze bij Camden kwam, hoe zenuwachtiger ze werd.

De trein rolde het station in en Claire stapte uit en liep langzaam naar de winkel. Toen ze binnenkwam, werd ze door alledrie de kinderen begroet. 'Claire, kom eens kijken?' zei Safta. Devi pakte haar hand en trok haar de winkel door. 'Kom kijken. De viooltjes komen uit, en de muurbloemen ook.'

'En we moeten lastige dozen openmaken. Ik heb het geprobeerd, maar er zit waspoeder in en dat is me te zwaar,' zei mevrouw Patel.

'Ik kom,' zei Claire, die zich door de kinderen naar de tuin liet slepen en duwen. De groene border zag er mooi uit, en Claire bedacht dat klimrozen heel goed zouden staan. En misschien konden ze de stenen muur witkalken, dan kwam het grasveldje in het midden beter tot zijn recht.

'Devi is stout geweest. Hij heeft bloemen geplukt,' zei Fala. Devi pakte wat grind op en gooide het naar haar, maar gelukkig miste hij.

'Nee, Devi, je mag niet met stenen gooien.' Claire keek naar Fala. 'En jij mag niet klikken.'

'Wat is dat?' vroeg Fala.

Voordat ze kon antwoorden, zei mevrouw Patel vanuit de deuropening: 'Claire, ik vind het zo mooi. Het is net dat tv-programma waarin ze in een weekend een hele achtertuin opknappen.' Claire, die al van Safta over het programma had gehoord, knikte.

'Ik ben blij dat u het mooi vindt.'

'Ik drink 's ochtends vroeg mijn thee in de zon in die hoek.' Ze glimlachte naar de kinderen. 'We mogen Claire allemaal wel bedanken.'

'Dank je wel, Claire,' zeiden de kinderen in koor, al kwam Devi's lispelende stemmetje iets te laat.

Claire glimlachte, maar ze werd overmand door onbehagen. Hoe moest ze het gezin vertellen dat ze hier niet kon blijven werken?

'Zie je de clematis? Hij heeft twee nieuwe knoppen,' zei Safta.

'Prachtig,' zei Claire. 'Je zorgt goed voor de tuin.' Ze glimlachte naar mevrouw Patel. 'Misschien kunnen we klimrozen planten,' zei ze. Toen kreeg ze een inval. 'U krijgt ze van me.'

Safta's ogen straalden. 'Witte rozen,' zei ze. 'Als maanlicht.'

'Goed,' zei mevrouw Patel. 'En nu moeten jullie Claire met rust laten, want ze moet mij helpen.'

Ze liepen de winkel in. 'Het spijt me,' zei mevrouw Patel, 'maar ik krijg steeds meer moeite met die dozen.' Ze keek naar haar buik.

'U mag ook geen zwaar werk meer doen. Heeft de dokter dat niet gezegd?' Claire maakte de eerste doos open.

'Ik ben niet bij de dokter geweest,' zei mevrouw Patel. 'Dit is mijn vierde. Ik hoef niet in me te laten porren.'

Claire was ontsteld, maar vroeg alleen: 'Wanneer komt de baby?'

'Ik denk dat ik in de zevende maand ben,' zei mevrouw Patel. 'Ik zal het alleen moeten opknappen.'

Claire zag de angst op mevrouw Patels gezicht. 'Ik help u wel,' zei ze.

Mevrouw Patel keek op. 'Vast wel,' zei ze, en ze glimlachte.

Er kwam een klant binnen en Claire ging verder met het uitpakken van de dozen. Toen ze klaar was, keek ze om zich heen. De winkel was echt opgeknapt. Hij was niet alleen ordelijker, maar er was ook meer keus. Mevrouw Patel had nu drie soorten afwasmiddel en verschillende soorten bonen in blik. Er waren meer smaken jam en er was een ruime keuze aan sladressing en allerlei andere artikelen die Claire zich niet van haar eerste bezoek herinnerde.

Het werd druk. Maudie kwam met haar gammele wandelwagen binnen. Mevrouw Patel glimlachte naar haar en de kinderen wuifden verlegen naar Claire. Ze maakten een praatje. 'Doe de lieve groetjes aan mevrouw Watson,' zei Claire plagerig.

'O, god, dat was ik bijna vergeten,' zei Maudie. 'Er is weer een brief voor je gekomen. Als ik hem niet had gevonden, had die oude heks hem vast in duizend stukjes gescheurd. Ik moet hem hier ergens hebben.' Ze zocht in haar zakken, toen in de vakken van de wandelwagen en in haar linnen tas. Claire probeerde intussen te bedenken wie haar een brief kon hebben gestuurd. Waarschijnlijk Tina, dacht ze, en ze hoopte dat hij niet al te onaardig was.

Maar toen Maudie de inmiddels beduimelde en gekreukte brief had gevonden, herkende Claire het handschrift van haar moeder. Even bedacht ze met een licht schuldgevoel dat ze haar had moeten schrijven, om haar nieuwe adres door te geven en iets over haar plannen te vertellen, maar ze had eigenlijk geen plannen. En ze had haar moeder niet geschreven omdat ze wist dat al haar nieuws doorgegeven zou worden aan de afkeurende buren in Tottenville en de boze Tina. Ze stopte de brief in haar zak en bedankte Maudie, die haar ronde deed en haar gebruikelijke inkopen afrekende. Claire en mevrouw Patel wuifden haar uit.

'Een aardig meisje,' zei mevrouw Patel. 'Een beetje vreemd, maar heel lief voor haar kinderen, al zouden ze eens in bad moeten.'

Claire dacht aan mevrouw Watson en het badwater. 'Wat zij nodig hebben, is een fatsoenlijk huis,' zei ze. 'Mijn oude hospita houdt elke liter water in de gaten en ze beknibbelt op het wc-papier.'

Mevrouw Patel schudde haar hoofd. 'Weet je, toen mijn vader hier aankwam, had hij niets. Mijn oom, die er al was, heeft hem geholpen werk te vinden. Heel veel later kon hij deze winkel voor me kopen. Als dat niet was gebeurd... Tja, we hebben veel geluk gehad.'

Claire vroeg zich af hoe een alleenstaande moeder met drie kinderen en een vierde op komst, een vrouw die in een klein huis in een slechte buurt woonde, zichzelf gelukkig kon prijzen. Mevrouw Patel keek haar aan. 'En het was een geluk dat jij in ons leven kwam,' zei ze. 'Safta heeft net haar rapport gekregen en ze heeft heel mooie cijfers.' Mevrouw Patel keek om zich heen. 'Er komen elke week meer klanten, en elke week koop ik iets meer in. Het blijft lopen.' Ze glimlachte naar Claire. 'Dank je wel,' zei ze. Toen liep ze niet zoals anders naar de kassa om twintig pond te pakken, maar stopte een envelop in een tas die onder de toonbank stond. 'Een cadeautje voor je,' zei ze, en ze gaf de volle tas aan Claire.

Ze keek erin, maar het was niet de gebruikelijke mengelmoes van kruidenierswaren en schoonmaakmiddelen. In plaats daarvan zag ze iets wat in krantenpapier en bubbeltjesplastic was verpakt. 'Maak het pas open als je thuis bent,' zei mevrouw Patel. 'Ik wil niet dat je het breekt of beschadigt.'

Claire haalde diep adem. Vanavond kon ze mevrouw Patel het nieuws met geen mogelijkheid vertellen.

53

Op zondagochtend sliep Claire uit. De zaterdag was zo enerverend geweest dat ze uitgeput was en mevrouw Patels cadeau niet eens had uitgepakt, maar ze werd uitgerust wakker. De schone, vrolijke kamer was zonnig, haar breiwerk lag op de leunstoel en op de toilettafel stond niet alleen het blikje van Michael, maar ook het programma van *Lucia* dat Toby haar had gegeven.

Bij de gedachte aan Toby glimlachte ze. Ze was dol op zijn gezelschap, en ze moest hem voor van alles bedanken en hem over het succes van haar lessen vertellen. Ze had de hele ochtend en middag vrij en besloot een cadeautje voor hem te kopen. Niet gewoon bonbons, zoals de vorige keer, maar een substantiële blijk van waardering. Het mocht niet te persoonlijk zijn, want ze kende hem niet goed genoeg en wilde haar gevoelens niet tonen, maar iets onpersoonlijks was de moeite van het geven niet waard.

De gedachte aan een cadeautje voor Toby herinnerde haar aan de volle tas van mevrouw Patel, en die herinnerde haar weer aan de brief van haar moeder. Claire sprong uit bed, trok haar ochtendjas aan, zette water op en ging zich opfrissen. Ze deed zachtjes, al wist ze niet of Imogen en Malcolm er waren. Het was jammer dat ze niet met hen had kunnen borrelen. Misschien kon ze een keer voor hen koken.

Ze pakte de envelop en het pakje. Toen moest ze een mes uit de keuken halen, want het brede plakband was niet los te peuteren, maar zodra ze dat had doorgesneden, gleed het papier moeiteloos weg.

Claire hield haar adem in toen ze de perfecte vaas zag. Hij was van een soort metaal, ingelegd met mozaïek in een verfijnd patroon van ranken, bloemen en vogels. Claire draaide hem langzaam in haar handen rond. Het licht haalde het roze van de mozaïeksteentjes op en gaf het blauw meer diepte. Claire keek naar de fijnmazige ranken en de ongelooflijk gedetailleerde vogels op de takjes. Waar kwam die vaas vandaan? Was het een familiestuk van mevrouw Patel? Hoe oud was hij? En was het niet geweldig dat mevrouw Patel de vaas aan haar had gegeven?

Telkens als Claire de vaas omdraaide, ontdekte ze een nieuw detail, een nieuw staaltje vakmanschap. De vaas was glad en koel in haar handen, en ze hield hem tegen haar wang. Als je hoofdpijn had, zou die vaas op je voorhoofd helpen. Ze zette hem op het bureau en keek ernaar. Hoe kon ze zo'n waardevol geschenk aannemen nu ze haar baan bij mevrouw Patel moest opzeggen? En hoe zou ze er ooit weer afstand van kunnen doen?

Ze maakte de envelop open. Er zat een buideltje in met een vel uit een schrift van Safta erop geplakt. *Voor jou, voor je hulp en de tuin. Safta, Devi, Fala. En voor de winkel.* Mevrouw Patel had haar naam er niet eens onder gezet. Claire trok voorzichtig het plakband weg en tot haar grote verrassing viel er een bundeltje smoezelige biljetten van vijf pond in haar schoot. Claire keek er verbijsterd naar. Honderd pond! En ze had ook nog eens vijftig pond van mevrouw Venables gekregen. Een halve maand huur! Of genoeg om Toby op een etentje te trakteren, en dan had ze nog geld over. Ze zou een theepot en koppen en schotels kunnen kopen. Of...

Ze legde het geld in de la van het bureau. Ze propte het pakpapier en de envelop in de plastic tas, maar ze wilde mevrouw Patels briefje bewaren en stopte het met plakband en al in *Hons and Rebels.* Toen schonk ze een kop thee in, ging bij het raam zitten en pakte de brief van haar moeder.

Nippend van haar thee keek ze door het raam naar de tuinen beneden in de zon. Een kat sloop over een hek, de goudenregen wuifde met zijn bladeren en de kat sloeg ernaar. Claire voelde een puur geluk. Ze had vreemd genoeg binnen twee maanden een thuis voor zichzelf geschapen in deze onbekende stad die haar lief was, een thuis dat veel aangenamer was dan 'haar' Staten Island was geweest. Ze had het zeker getroffen met deze kamer, maar een deel van de charme van haar nieuwe leven bestond eruit dat ze weinig had, maar dat alles noodzakelijk, mooi of allebei was. Ze hield van al haar bezittingen, van haar waterkoker tot en met haar regenjas. De gedachte aan haar slaapkamer in Tottenville met de snuisterijen, de saaie prenten aan de wand en de onflatteuze kleren in de kast stond haar tegen.

Toch wachtte Tottenville op haar. Ze zuchtte, dronk haar thee op en maakte de brief van haar moeder open.

Beste Claire,
Wat bezielt jou? Je bent zomaar vertrokken. Tina zegt dat je een verhouding hebt met iemand van kantoor, klopt dat? Jerry zegt dat hij wel getrouwd zal zijn, maar dat wil ik niet geloven. Waarom kom je niet naar huis? Tina zegt dat je ontslag hebt genomen. Ben je zwanger?

Ik heb een kaars voor je gebrand in de kerk. Pastor Frank zei dat ik voor je moest bidden, maar ik heb gezegd dat je kaart vrolijk genoeg was. Lekker sightseeën en erop los leven terwijl andere mensen moeten werken.

Echt, Claire, ik sta versteld. Je was altijd een stille, maar een stiekemerd ben je nooit geweest. Ik durf de andere vrouwen in de kerk niet onder ogen te komen. Als je maar niet met een kind terugkomt.

Toen ik de rekening van Saks kreeg, ging Jerry door het lint. We hadden het over een vakantiehuisje in Sugarbush in Vermont, maar dat kunnen we nu wel vergeten. Leuk, hoor. Jerry zegt dat we jouw kamer en die van Fred moeten verhuren, net zoals de O'Connors van de overkant. Ik heb de laatste tijd niets van Fred gehoord, dus ik weet niet wanneer hij uit Duitsland terugkomt, maar we kunnen het geld goed gebruiken. Zeker nu we met die rekening van Saks zitten. Hoe haal je het in je hoofd? Tweehonderdtien dollar voor een paar schoenen? Als je sieraden en schoenen wilt hebben, laat je die toch door je getrouwde vriendje betalen?

Ik weet nog niet wat we met jullie kamers gaan doen. De onroerendezaakbelasting zal wel weer omhooggaan. Laat je me weten wanneer je terugkomt en wanneer je die rekening gaat betalen? Ik betaal nu alleen de rente, maar Jerry zegt dat het veel geld is om elke maand weg te gooien. Pastor Frank zei dat hij wel een huurder voor ons kon vinden, maar ik weet nog niet of ik dat wel wil.

Claire kneep de brief in haar hand tot een prop, zette in een opwelling het raam open en gooide de prop zo ver mogelijk weg. Ze had geen rust meer, dus ijsbeerde ze door de kleine kamer. Wat mankeerde de mensen toch? Misschien had ze haar moeder moeten vertellen dat ze naar Londen ging, maar had ze dan vriendelijker gereageerd op het nieuws dat ze er bleef? Hoe kwam haar moeder erbij dat ze iets met een getrouwde man zou willen? Of dat ze zwanger was? Dat kon Tina niet gezegd hebben. Ze mochten dan geen vriendinnen meer zijn, Tina zou haar nooit verraden.

Ze liep naar het bureau, pakte al haar geld, ook dat van mevrouw Patel en mevrouw Venables, en telde het. Het was op geen stukken na genoeg om haar moeder terug te betalen, en als ze het haar gaf, kon ze misschien niet meer blijven.

Ze had het nog niet gedacht of ze wist zeker dat ze bleef. Ze ging nooit meer terug naar Tottenville, haar moeder, Tina, Jerry, Crayden Smithers en haar hele vorige leven. Pas toen ze hier het geluk had geproefd, was ze gaan beseffen hoe ongelukkig ze was geweest.

En toen dacht ze aan haar vader en zijn vroege dood. Hij had het zo vaak gehad over alles wat hij nog wilde doen, maar hij had er de kans niet voor gekregen. En misschien was het er nooit van gekomen, hoe oud hij ook was geworden. Claire nam zich voor elke dag te leven alsof het de laatste was.

54

De volgende ochtend had Claire iets belangrijks te doen, en hoewel ze nerveus was, was ze ook heel vastbesloten. Ze had tot diep in de nacht over de brief van haar moeder, haar oude leven, haar nieuwe leven in Londen en haar toekomst liggen piekeren. Ze had het gedurfde plan bedacht haar retourticket in te wisselen, haar moeder terug te betalen en definitief in Londen te blijven, en terwijl ze de deur van het kantoor van de luchtvaartmaatschappij in Regent Street opende, sprak ze zichzelf moed in.

De lange rij kroop vooruit. Claire probeerde haar zenuwen in bedwang te houden door naar de affiches aan de muur te kijken en zich voor te stellen dat ze op Kreta of in Amsterdam, Luzern of Milaan was. Misschien zou ze er ooit nog eens naartoe kunnen. De mooiste affiche was die voor Nice, en de reis die werd aangeprezen leek een koopje: het was een vierdaagse excursie inclusief de vlucht, het hotel en twee diners. Ze vroeg zich af of Fred ooit vakantie van zijn legerbasis in Duitsland had genomen.

Ze was aan de beurt. De oudere vrouw achter de balie knikte naar Claire en ze stapte glimlachend naar voren en legde het ticket en haar paspoort neer. 'Ik wil dit ticket graag inwisselen,' zei ze. Ze hoorde haar hart bonken.

De vrouw, die volgens haar naamplaatje Sara Brackett heette, pakte het ticket en keek ernaar. Toen keek ze naar Claire. 'U had niet hoeven wachten,' zei ze. Claire voelde dat ze verbleekte. 'Dit is een eersteklas ticket. U had daar geholpen kunnen worden.'

Claire keek verbaasd in de richting die mevrouw Brackett aangaf en zag een andere medewerkster aan een laag bureau met twee comfortabele stoelen ervoor. 'Zal ik dan...'

'Nee, ik regel het wel,' zei mevrouw Brackett. Ze keek nog eens naar het ticket. 'Wilt u de terugreisdatum verlengen?'

Claire schudde haar hoofd. 'Ik wil gewoon mijn geld terug, alstublieft.'

Mevrouw Brackett keek weer naar het ticket. 'Ja, maar dit ticket is bij een reisbureau in New York aangeschaft. U zou daar uw geld moeten terugvragen.'

'Maar ik ga niet meer terug naar New York,' zei Claire. 'Dat is het nu juist. Ik ben hier voor zaken gekomen, maar toen... ben ik gebleven. En ik heb dit ticket nog. En ik...' Ze voelde de tranen prikken. Hoe kon ze uitleggen wat ze had beleefd en hoe ze was veranderd sinds ze in de limousine naar het vliegveld in New York was gestapt?

Mevrouw Brackett keek over haar leesbrilletje naar haar. 'Weet u wat?' zei ze. 'We kunnen dit ticket inruilen voor een veel goedkopere vlucht naar een andere bestemming en u de rest van het bedrag uitkeren. Weet u een andere bestemming?'

Claire zag haar kans en greep hem. 'Ja,' zei ze, 'kunt u me iets meer vertellen over die stedentrip naar Nice?'

'O, dat is een heel voordelige aanbieding, maar u reist dan niet eersteklas. Dat zou veel duurder worden, vrees ik.'

'Ik hoef niet eersteklas te vliegen,' zei Claire. 'Ik wil Nice zien en...' Ze probeerde snel iets geloofwaardigs te verzinnen. 'Hoe lang loopt het aanbod nog?'

'Even zien,' zei mevrouw Brackett. Ze keek op haar computerscherm en liep toen naar haar collega van de eersteklas. Claire keek met ingehouden adem toe hoe de twee vrouwen achteloos over haar toekomst beschikten.

Mevrouw Brackett liep met kordate pas terug. 'Ik vrees dat we een toeslag in rekening moeten brengen voor een eenpersoonskamer,' zei ze. 'Dat wordt vijftig pond.'

Claire dacht aan het enorme bedrag dat het ticket had gekost in vergelijking met de toeslag. 'Geen punt.' zei ze. Ze voelde zich als een fraudeur die een vervalste cheque int, maar in feite was het toch haar ticket? Het stond op haar naam, en niemand van Crayden Smithers had contact met haar opgenomen. Het ticket was niet geannuleerd, en dat hadden ze vast wel kunnen doen. Misschien had Tina het moeten doen en was ze het vergeten. Hoe het ook zat, Claire was dankbaar dat het ticket nog geldig was.

'Mag ik u een goede raad geven?' zei mevrouw Brackett zacht. 'Als u in deze tijd van het jaar naar Nice gaat, neem dan warm ondergoed mee. De reis is zo goedkoop omdat het nu koud kan zijn in Zuid-Frankrijk.' Claire bedankte haar en wachtte tot alles was geregeld.

Nog geen tien minuten later stond ze in Regent Street met een ticket naar Nice en een cheque van meer dan drieduizend pond in haar zak. Zodra ze tweeduizend dollar naar haar moeder had gestuurd, had ze geen schulden meer.

Claire liep naar de ondergrondse. Het was niet druk, en ze kon bij het raam zitten. Niet dat er veel te zien was, maar daar zat ze het liefst. Ze keek naar de voorbijzoevende tunnelmuur en bedacht dat ze haar leven tot nu toe net zo kleurloos voorbij had laten vliegen. Toen ze op een station een groot aanplakbiljet van een reisbureau zag hangen, dacht ze aan de kleine affiche voor Nice. Ze kon niet alleen haar moeder terugbetalen, maar ze ging ook weer op avontuur uit! Ze nam zich voor Toby te vragen of hij boeken had die in Nice speelden, en ze kon een reisgids kopen. Ze was trots op alles wat ze vandaag had bereikt: ze had het ticket durven inwisselen, ze ging zomaar naar Nice en ze had een cheque in haar tas.

Toen ze het station uitliep, kwam ze langs een bloemenkraam en hield haar pas in. Ze zou een boeket voor mevrouw Venables kopen en een bescheiden bos bloemen voor in haar vaas van mevrouw Patel. En als ze toch bezig was, kon ze ook bloemen voor Imogen kopen.

Beladen met lelies, rozen, gipskruid, violier en seringen liep ze naar huis. Ze vulde twee vazen, bedankte Imogen in een briefje voor haar komst naar de les, bewonderde haar kamer met de exquise vaas vol roze rozen en ging naar de wolwinkel.

Daar aangekomen zag ze tot haar genoegen dat er klanten binnen waren. De drie vrouwen en mevrouw Venables keken allemaal naar haar toen ze binnenkwam.

'Wat een schitterende bloemen,' zei een van de vrouwen.

'O, ik ben dol op die vroege seringen,' zei een bazig klinkende vrouw, en ze glimlachte naar Claire, die opeens zag dat het mevrouw Lyons-Hatchington was. 'Trouwens, kan ik deze katoen gebruiken in plaats van wol? Maakt het iets uit?'

'Dat hangt ervan af wat u wilt breien,' zei Claire.

'Nou, ik dacht aan een zomertrui, maar...' Claire hielp mevrouw Lyons-Hatchington een keuze te maken en liep toen naar mevrouw Venables achter de toonbank, die naar het boeket keek en grote ogen opzette.

'Jeetje!' zei ze. 'Wat een boeket. Bof jij even.'

Claire knikte. 'Ja, inderdaad, maar die bloemen zijn voor u.'

'Nee maar,' zei mevrouw Venables, en ze keek perplex naar de bloemen. Claire duwde haar het boeket in de hand en hielp de vrouw die stond te wachten om af te rekenen. Ze dacht dat ze haar bij mevrouw Venables in de les had gezien. 'Veel plezier ermee,' zei ze toen ze de vrouw haar aankopen overhandigde.

'O, dat komt wel goed. En bedankt voor de lessen. Ik vind het enig om nieuwe mensen te ontmoeten, en ik had nooit verwacht dat breien zo ontspannend zou zijn. En als je iets bruikbaars maakt van een kluwen wol is het net, nu ja, alsof je goud uit stro spint.'

Claire, die niet wist hoe ze die lof in ontvangst moest nemen, keek naar mevrouw Venables. 'Zal ik boven een vaas pakken?' vroeg ze.

'Nee, kind, dat kan ik zelf wel.' Mevrouw Venables keek naar de bloemen. 'Ze zijn echt schitterend. Dat had je nou niet moeten doen.' Ze keek Claire quasi streng aan. 'Je wilt toch niet de hele winst uitgeven voor hij binnen is?' Ze schoot in de lach. 'Ik lijk Nigel wel, hè?'

Alsof de duivel ermee speelde, kwam Nigel op dat moment binnen. 'Zal ik toch maar een vaas gaan halen?' vroeg Claire snel aan zijn moeder. 'Dan hoeft u de trap niet op.'

'Graag,' zei mevrouw Venables, en ze richtte zich tot haar zoon. 'Nigel, wat een leuke verrassing. Kom je zomaar langs of wil je wol kopen? Ik vrees dat we bijna door de voorraad heen zijn, maar ik kan altijd iets voor je bestellen.'

Claire, die naar de trap liep, verborg haar glimlach. Ze wilde niet te lang boven blijven, want ze wist zeker dat Nigel haar niet vertrouwde. Ze zag een vaas op tafel staan en vulde hem snel met lauw water. Op weg naar beneden hoorde ze Nigels stem en bleef staan.

'Ze is zomaar uit het niets gekomen, begint met die lessen, koopt je om met bloemen...'

'Nigel, er is geen sprake van omkoperij. En praat niet zo hard. Het was heel slim van haar, het is een slimme meid en...'

'Moeder, pas toch op! Je bent veel te naïef. Wat weten we nu helemaal van haar?'

Claire liep rood aan. Misschien had ze niet zo kil tegen hem moeten doen toen hij haar tijdens de koffie begon uit te horen, maar ze was dat wantrouwen niet gewend. Ze had niets kwaads in de zin. Hoe kwam hij op het idee? Ze schraapte haar keel en stampte de trap af zodat ze haar konden horen.

Toen ze beneden was, kwam er weer een klant binnen. Het was Leonora Atkins. Claire zag tot haar opluchting dat Nigel aanstalten maakte om te vertrekken.

'Ik stoor toch niet?' zei Leonora tegen mevrouw Venables.

'Welnee, dat was Nigel maar, mijn zoon,' zei die geruststellend.

Claire liep naar de vrouwen toe en zette de vaas op de toonbank. 'Leonora, leuk je te zien,' zei ze. Ze schikte de bloemen in de vaas en zette hem opzij. 'Alles goed?'

'Nou, nee. Volgens mij maak ik fouten, en ik hoopte dat jullie me konden helpen. Ik heb nog een halfuur middagpauze. Willen jullie even kijken?' Leonora legde haar breiwerk op de toonbank.

'Help jij haar maar, kind,' zei mevrouw Venables tegen Claire. 'Ik heb nog wat administratie te doen.'

Claire pakte de naalden op. 'Laat maar eens zien.' Ze keek naar de rijen steken en legde Leonora uit wat ze fout had gedaan. Ze zag Leonora's niet-begrijpende gezicht en vroeg: 'Kom je er zo uit?'

'Nou, ik moet eigenlijk terug naar mijn werk. Heb je morgen tussen de middag tijd? Dan kan ik beter naar je uitleg luisteren en misschien kunnen we samen een paar toeren breien.'

Claire dacht na. 'Mevrouw Venables, kunt u me morgen een uurtje missen?' vroeg ze aan haar werkgeefster.

Mevrouw Venables keek op van haar administratie. 'Ja, hoor. Neem maar zoveel tijd als je nodig hebt.'

Leonora gaf Claire haar adres. 'Fantastisch. Heel erg bedankt,' zei ze, en ze pakte haar breiwerk in. 'Tot ziens, mevrouw Venables.' Ze wuifde en liep de winkel uit.

'Zo,' zei mevrouw Venables tegen Claire. 'Ben jij even geliefd! Heb je niet ook een afspraak met de gravin?'

'Ja, dat klopt. U vindt het toch niet erg dat ik de dames buiten de lesuren help? Als u ertegen bent, begrijp ik dat wel. Dit is een gezamenlijke onderneming.'

'Claire, ik vind het prima.' Mevrouw Venables liep naar de toonbank. 'Ik vind het juist heel goed dat je erop uitgaat en nieuwe mensen ontmoet.' Ze glimlachte en pakte Claires hand. 'Je bent een heel bijzonder meisje, Claire,' zei ze, en ze gaf een kneepje in Claires hand.

Toen Claire de winkel uit liep, was ze weer trots op zichzelf. Ze had twee baantjes, ze raakte bevriend met een paar vrouwen van de breicursus en nu was ze op weg naar de gravin van Kensington.

Tot haar eigen verbazing was ze heel kalm. Als ze Tina bij zich had gehad, zou ze helemaal opgewonden zijn over haar ontmoeting met iemand van adel. Claire glimlachte en drukte op de bel. Nog voordat ze haar vinger had laten zakken, ging de deur open.

'Mevrouw Bilsop, komt u binnen,' zei de formeel geklede heer die haar verwelkomde. Hij hielp haar uit haar jas en hing hem in een kast. 'De gravin verwacht u in de salon.' Hij ging haar voor naar een grote deur met snijwerk en glimmende messing knoppen. Hij hield de deur voor haar open en verkondigde: 'Gravin, mevrouw Bilsop.'

De gravin, die er broos uitzag, zat met een deken om zich heen op de bank. 'Claire, wat fijn dat je er bent. Dank je, William.' De heer maakte een lichte buiging en vertrok stilletjes. 'Het spijt me, maar Ann had een vergadering waar ze niet onderuit kon.'

'Ik begrijp het,' zei Claire. 'Jammer dat u zaterdag niet kon komen. Voelt u zich al wat beter?'

'Ja, hoor. En hoe is het met mevrouw Venables?'

'Heel goed. Ze vindt het heerlijk om breiles te geven.'

'Het is ook heerlijk, dat breien.' De gravin pakte een tas van de vloer. 'Ik heb nijver gebreid. Hoe ziet het eruit? Kom naast me zitten en vertel me wat je ervan vindt.'

Claire ging zitten en inspecteerde het breiwerk. 'Het ziet er goed uit, maar ik zie een paar verdraaide steken en aan de randen te zien hebt u de gewoonte steken samen te breien en ze later weer terug te winnen. Daar worden de randen kronkelig van.'

'O, jee. Moet ik alles uithalen?'

'Nee, dit is maar een proeflapje.'

Claire wees de fouten aan die de gravin had gemaakt, legde uit wat ze de vorige les hadden gedaan en leerde haar een paar nieuwe steken voor het geval ze nog een les zou moeten missen.

Claire had gedacht dat iemand met een titel een luxueuze, uitbundige levensstijl zou hebben, maar de gravin deed haar denken aan de oude dametjes uit Tottenville. Toen ze klaar was, vroeg Claire de gravin of ze de groeten aan lady Ann wilde doen en zei ze dat ze hoopte hen beiden zaterdag weer in de les te zien.

'Die willen we voor geen goud missen,' verzekerde de gravin haar.

55

'Ongelooflijk, dat je me niet eens hebt verteld dat je bij de gravin bent geweest,' riep Imogen naar Claire.

Claire zat zich voor de spiegel in de badkamer voor te bereiden op een lunch met Leonora. Na de paasdagen was het warmer geworden, maar nu was het regenachtig. Imogen, die zwaar verkouden was, verspreidde niet alleen de gebruikelijke manuscripten, maar ook veel natte zakdoeken door het appartement. En de verkoudheid maakte haar chagrijnig.

'En nu ga je nog lunchen ook,' zei Im. 'Is er een nieuwe man in je leven?'

Claire durfde bijna niet over Leonora Atkins te beginnen, want ze had geen idee of Imogen haar zou goedkeuren. 'Nee, ik ga gewoon met een vriendin,' zei ze.

'O. Een Amerikaanse?' vroeg Im een stuk minder geïnteresseerd.

Claire kwam uit de badkamer, pakte haar tas en regenjas en schudde haar hoofd, maar Im, die over haar werk gebogen zat, zag het niet. Claire riep vrolijk tot ziens en vluchtte de regen in.

Toen ze doorweekt in het restaurant aan Brompton Road aankwam, zat Leonora al aan een tafel. Ze droeg een grijs mantelpak en een wit T-shirt en heel even dacht Claire aan Katherine Rensselaer, maar toen Leonora glimlachte en haar breiwerk pakte, vervloog het onaangename beeld.

'Nou, zeg maar eens wat ik fout doe,' zei Leonora, en ze liet haar werk in wording aan Claire zien.

Claire pakte de beige sjaal en keek ernaar. 'Je hebt je verteld.' Ze wees de steek aan. 'Hier is het begonnen,' zei ze. 'Je had maar één averecht moeten breien. Daardoor is de hele rij versprongen.'

'Moet ik nu alles uithalen?'

'Ja,' zei Claire. 'Helemaal tot aan de fout.'

'Daar was ik al bang voor.' Claire zag aan Leonora's kleding, tas en perfecte kapsel dat dit geen vrouw was die een fout in haar werk zou laten zitten. 'Jammer dan,' zei Leonora, en ze stopte haar breiwerk weg en pakte de kaart. 'Ik kan je de peperbiefstuk aanbevelen, of ben je vegetarisch?' Claire verzekerde haar dat ze vlees at en ze bestelden allebei de biefstuk.

Toen kwamen de gebruikelijke vragen: waar kom je vandaan, wat heeft je hierheen gevoerd en wat deed je hiervoor? Tot Claires opluchting vroeg Leonora echter niet waar haar familie vandaan kwam.

'Wat deed je in Wall Street?' vroeg Leonora toen ze hun biefstuk aansneden.

'Niets bijzonders.'

'Ik werk in de City. Ik ben gespecialiseerd in de detailhandel, ik volg de aandelen van winkelketens als The Body Shop en Benetton. Maar goed, toen bedacht ik dat breien echt een trend is. Ik zag op internet dat iedereen breit. Heb je ooit overwogen een eigen winkel te beginnen?'

Claire schudde haar hoofd.

'Het zou zo goed kunnen lopen dat je een hele keten kunt beginnen – ik bedoel, het wordt geen wereldwijde onderneming, maar ik voorspel wel een snelle groei.'

Claire legde haar mes neer en keek Leonora aan. 'Ik weet er niets van,' zei ze. 'Ik heb nooit een zaak gehad en ik heb geen geld om er een te beginnen. Ik werk bij mevrouw Venables, en dat wil ik blijven doen.'

'Loyaliteit is goed,' zei Leonora, 'maar groot denken is misschien nog beter.'

Claire keek haar recht aan. 'Ik denk klein,' zei ze met een glimlach. 'Het past bij me.'

Leonora haalde haar schouders op. 'Het was maar een idee,' zei ze luchtig. 'Misschien niet zo'n goed idee,' voegde ze eraan toe. 'Smaakt de biefstuk?'

Ze praatten over van alles en nog wat. Leonora bleek ook van tuinieren te houden, en Claire vertelde haar over de tuin bij de Patels. Leonora beloofde Claire een kaartje voor de opening van de Chelsea Flower Show te bezorgen.

Na de prettige lunch stond Leonora erop de rekening te betalen. 'Je hebt me tenslotte met mijn sjaal geholpen. Ik zal zaterdag mijn werk meenemen.'

Ze namen afscheid in Brompton Road. Het regende nog steeds, maar Claire ging lopend terug naar de wolwinkel.

Er bleven de hele middag klanten komen, en mevrouw Venables besloot iets langer open te blijven. Er kwamen niet alleen vrouwen die ze van de lessen kenden, maar ook anderen, en ze leken allemaal net zo graag te willen praten als kopen. Claire en mevrouw Venables hoorden verhalen aan over lastige schoondochters, schattige kleinkinderen en de vestjes die waren gebreid door oma's die al jaren dood waren. Claire vond veel vrouwen aardig, maar van haar leeftijdsgenotes leek Leonora Atkins haar de aardigste.

Voor Claire het goed en wel besefte, was het vier uur. Ze moest eigenlijk naar de Patels, maar toen mevrouw Venables haar thee aanbood, kon ze geen nee zeggen. Het was even stil in de winkel, en mevrouw Venables stelde voor naar boven te gaan. 'Daar zitten we veel prettiger, en we horen de winkelbel wel.' Ze installeerden zich met de theepot en koekjes op de bank.

'Claire, ik sta versteld,' zei mevrouw Venables. 'Je bent echt geniaal. Ik had nooit gedacht dat we zoveel respons zouden krijgen.'

Claire dacht aan Nigel en zijn wantrouwen, maar toen zag ze mevrouw Venables' oprechte blauwe ogen en vergat hem. Ze praatten nog wat over de wol die ze wilden inkopen en de klanten, en opeens was het kwart over vijf.

'Ik moet weg,' zei Claire.

'O, sorry dat ik je zo lang heb opgehouden, maar we moeten het echt over je salaris hebben, het... geld.'

'O, dat komt wel goed,' zei Claire. 'Ik laat het helemaal aan u over.'

De winkelbel klingelde. 'Ik ga wel kijken,' zei Claire, 'dan kunt u afruimen. En dan moet ik echt weg.'

Ze rende de trap af, maar bleef stokstijf staan toen ze Nigel door de winkel zag benen. Hij keek verbaasd en afkeurend naar haar op. Tja, zij mocht hem ook niet. 'Wat doe jij boven?' vroeg hij. 'Er is toch niets met mijn moeder?'

'Nee hoor,' zei Claire. 'We hebben een kop thee gedronken.' Ze was beneden aangekomen en liep naar de deur. 'Ze komt zo de winkel sluiten,' zei ze. Ze had haar hand al op de deurknop gelegd toen zijn stem haar tegenhield.

'Ik wil je graag even spreken,' zei Nigel koel.

'Ik vrees dat ik geen tijd heb,' antwoordde Claire minstens zo koel.

'Daar neem ik geen genoegen mee,' zei Nigel, en hij legde zijn hand op de hare. 'Ik wil weten wat jij in je schild voert.'

'Ik ga weg,' zei Claire.

'Je hebt nooit tijd, behalve voor mijn moeder,' zei Nigel bits. 'Ik weet niet wat je voor spelletje speelt. Wat verbeeld je je? Je brengt mijn moeder op ideeën, je beult haar af en brengt haar gezondheid in gevaar. Waarom? Wat wil je van haar?'

Claire werd woedend en voelde het bloed naar haar wangen stijgen, maar ze zei zo bedaard mogelijk: 'Ik speel geen spelletjes. Volgens mij voer jij iets in je schild. Je moeder houdt van de winkel. Het geeft haar iets te doen. En ze vindt het leuk om les te geven en nieuwe klanten te spreken. Wat is daar mis mee? Moet ze boven zilver gaan zitten poetsen?'

'O, dus je hebt boven rondgeneusd? En het zilver gezien?'

Claire snakte naar adem. Dacht hij echt dat ze een oud vrouwtje wilde bestelen? Maar voordat ze iets kon zeggen, zei mevrouw Venables vanaf de trap: 'Nigel, ik heb wel last van mijn ogen, maar niet van mijn oren. Hou onmiddellijk op met dat kruisverhoor.'

Nigel keek niet eens naar zijn moeder. 'O, nee. Dit deugt niet. Het is niet normaal. Een wildvreemde die de winkel nieuw leven komt inblazen? Dit is geen sprookje.' Hij richtte zich weer tot Claire. 'Waar ben je op uit? Geld? Een deel van de winkel? Wil je dat mijn moeder je in haar testament opneemt?'

Mevrouw Venables liep naar haar zoon toe en pakte hem bij zijn arm. 'Het spijt me,' zei ze tegen Claire. 'Ik moet weer mijn excuses aanbieden voor mijn zoon. Het is wel duidelijk dat ik hem slecht heb opgevoed.' Ze wendde zich tot Nigel en vervolgde met een stem die zo kil en vorstelijk was dat Claire ervan schrok: 'Nigel, naar boven. We hebben het er straks over.'

'Maar moeder...'

'Nigel!' Het was een bevel, en Nigel gehoorzaamde. Mevrouw Venables pakte Claires hand. 'Luister maar niet naar hem,' begon ze.

'Maar hij denkt... U weet dat ik niet...'

'Natuurlijk niet. Hij wil me beschermen en hij heeft financiële problemen. Ik denk dat hij de winkel had willen verkopen, en een goedlopende zaak past niet in zijn straatje.'

Claire voelde een traan over haar wang biggelen.

'Hier, kind,' zei mevrouw Venables, en ze gaf haar een zakdoek. 'Nigel moet zijn excuses aanbieden en jij moet proberen hem te vergeven. Hij is niet altijd zo dwars. En ik heb in tijden niet zo'n lol gehad.' Ze verhief haar stem, zodat Nigel haar boven wel moest horen. 'Toevallig is dit pand voor de helft van mij, en al sluit ik de winkel, dan ga ik nog niet verhuizen. Hij zal moeten wachten tot ik dood ben voordat hij het huis krijgt.' Ze vervolgde zachter: 'En volgens mij valt hij op je. Daar wordt hij altijd kregel van.'

Claire keek naar de oude dame. Was ze gek? Nigel had een hekel aan haar, en Claire zou zijn gedrag niet 'kregel' noemen, maar ronduit vijandig. Maar ze zei: 'Ik wilde geen moeilijkheden maken. Als u wilt dat ik...'

Mevrouw Venables gaf Claire een klopje op haar schouder. 'Ik wil dat je dit probeert te vergeten en morgen terugkomt om de catalogi met me door te nemen, en daarna moeten we de les van komende zaterdag voorbereiden. Goed?' Claire knikte. Mevrouw Venables keek op haar horloge. 'Ik vrees dat je te laat op je afspraak komt,' zei ze. 'Het is mijn schuld.'

Claire schudde haar hoofd. 'Maar ik moet nu echt weg,' zei ze, en ze rende naar buiten.

Toen ze bij mevrouw Patel aankwam, was het druk in de winkel. Claire gebruikte de tijd om te bedenken hoe ze mevrouw Patel moest vertellen dat ze een andere baan had.

Toen de laatste klant vertrok, liep ze naar mevrouw Patel, die op een kruk achter de kassa zat.

'Hallo, heb je de nieuwe dozen in gangpad vier gezien?' vroeg mevrouw Patel.

'Ja, maar ik wilde u eerst vragen waar de artikelen moeten staan.'

'O? Meestal bedenk je dat toch zelf?' Mevrouw Patel keek Claire vragend aan. 'Wat is er?'

'Ik weet niet hoe ik... Ik...'

'Voor de draad ermee, meid.'

'Dank u wel voor de prachtige vaas. U had me niets hoeven geven. Ik vond het leuk om in de tuin te werken, Safta bijles te geven en u in de winkel te helpen. Ik vind eigenlijk dat ik hem niet mag houden.'

'Onzin. Je verdient een beloning voor je goede werk. Ik wil hem niet terug,' zei mevrouw Patel gedecideerd.

'Maar u begrijpt het niet. Ik... Ik heb een baan dichter bij mijn huis aangeboden gekregen.' Claire was blij dat ze het eindelijk had gezegd.

Mevrouw Patel glimlachte. 'Heb je iets gevonden wat je liever doet? Dat breien waarover je me vertelde levert geld op, hè? En de reis hierheen kan niet prettig zijn.'

'Maar ik kan u nu toch niet in de steek laten?' Claire keek naar mevrouw Patels buik. 'U hebt me nodig.'

'Ik zoek wel een vervanger,' stelde mevrouw Patel haar gerust. Op dat moment ging de deur open en kwam Maudie met haar twee kinderen binnen. 'Ik zat eraan te denken om haar in dienst te nemen.' Mevrouw Patel wees naar Maudie, die net zo verbaasd keek als Claire.

'Wilt u dat ik bij u kom werken? En de jongens dan?'

'We zullen het zo moeten regelen dat je komt werken wanneer de meisjes naar school zijn. Neem de jongens maar mee. Devi vindt het vast gezellig. En misschien kan Claire nog een paar uur blijven werken tot we een goed schema hebben.' Mevrouw Patel keek naar Claire. 'Is dat niet goed voor ons allemaal?'

'Ja,' beaamde Claire met een opgeluchte glimlach.

56

'Zeg alsjeblieft ja,' smeekte Im. 'Je vindt het vast leuk.'

Claire had niet gedacht dat Imogen Faulkner haar ooit nog eens zou smeken. 'Het klinkt enig, Im, maar ik heb een vermoeiende week achter de rug en na de breiles van vandaag wil ik liever een warm bad nemen, uitrusten en een boek lezen,' zei ze.

'Wat saai. Ik wil je aan mijn ouders voorstellen en het is een bijzondere gelegenheid, Claire. Doe het dan voor mij. Alsjeblieft?' Claire zuchtte. 'Toby komt ook,' vervolgde Im. 'Hij vindt het heel jammer als je niet komt.'

Claire sloeg haar ogen neer. Ze had Toby niet meer gezien sinds ze hem in zijn winkel had geholpen, en ze had hem veel te vertellen. Ze keek op en grijnsde schaapachtig. 'Goed dan, ik ga mee. Dank je wel.'

Im omhelsde haar. 'Super! Ga je dan maar gauw opknappen. We mogen niet te laat komen.'

Een diner bij Imogens ouders in Londen was iets heel anders dan bij mevrouw Patel eten. Claire had zich met zorg gekleed: ze droeg een nieuwe jurk die ze pas bij Marks & Spencer had gekocht en vond dat ze er best chic uitzag met haar parels en slankere heupen. Ze had Imogen nooit eerder in feestelijke kleding gezien, want die liep meestal in haar ochtendjas rond, en in de taxi was het haar niet opgevallen, maar toen ze de weelderige salon betrad, zag ze dat Imogen, haar vriendin Georgina en mevrouw Faulkner zich stijlvol hadden gekleed. Niet zoals Tina wanneer ze iets te vieren had, met glimmende stoffen, felle kleuren en opzichtige sieraden, maar iets aan de stof en snit van hun kleding zei Claire dat hun jurken waarschijnlijk niet van Marks & Spencer kwamen. Ze was blij te zien dat Toby zijn gewone verfomfaaide zelf was, maar Malcolm en de beide andere mannen zagen eruit alsof ze bij de kleermaker waren geweest. Thomas, die haar vaag bekend voorkwam, droeg zelfs een smoking en Edward, die zo uit zijn werk kwam, droeg een maatpak en een gestreept overhemd met witte manchetten en een witte boord.

Edward was heel aantrekkelijk met zijn zwarte haar en lichtbruine ogen. Tijdens het aperitief vertelde hij Claire iets over zijn werk in de City.

Claire ging even naar de wc en toen ze terugkwam, werd ze door Imogen opgewacht. 'Vind je Edward leuk?' vroeg ze, en Claire knikte, hoewel ze niet echt op hem viel. 'Zijn vader is baron,' vertelde Im. 'Bevriend met de Mountbattens. Ze kennen iedereen. En Edward is een goeie jongen.' Ze pakte Claire bij de arm en leidde haar terug naar de groep.

Tijdens de gesprekken werd Claire zich ervan bewust dat Thomas haar vijandig opnam. Het idee dat ze hem eerder had gezien, bleef knagen. Toen gingen ze aan tafel, en Claire zat tussen Toby en Edward. De eetzaal was al net zo indrukwekkend als de salon, met een hoog plafond, zilveren armluchters en een mahoniehouten eettafel.

Meneer Faulkner, die lang en gezet was, praatte over de euro en het naderende tennistoernooi, en toen hij langdradig werd, gaf Toby Claire een porretje. Zodra het hoofdgerecht was opgediend, eiste Edward Claires aandacht echter op. Hij stelde haar vragen en vertelde over zijn studietijd met Imogen en Toby. Toen hij haar onverhoeds vroeg wat haar naar Londen had gebracht, haalde ze haar schouders op. 'Een man,' zei ze. 'In een vliegtuig.'

Edward lachte. Voordat hij verder kon vragen, werd het dessert opgediend. Ze keek naar Toby, maar die ging op in een gesprek met Georgina dat ze niet kon volgen.

Na het dessert en de begeleidende zoete wijn tikte meneer Faulkner tegen zijn glas. 'We zijn heel blij dat jullie allemaal konden komen,' hief hij aan. 'Mijn vrouw en ik willen een mededeling doen.'

Claire keek naar Imogen, die stralend aan de andere kant van de tafel zat, en vroeg zich af hoe het zou zijn om in zo'n huis op te groeien, zulke kleren te dragen en in Oxford te studeren. Het was kennelijk niet genoeg, want Imogen wilde duidelijk hogerop zien te komen. Claire was niet jaloers, maar ze voelde het verschil wel.

'Tot onze vreugde,' vervolgde meneer Faulkner, 'mogen we Malcolm in onze familie verwelkomen. Hij schijnt de moed te hebben met Imogen te willen trouwen.'

'George,' vermaande mevrouw Faulkner hem, 'ik geloof dat Malcolm blij mag zijn.'

'Wat je zegt,' zei meneer Faulkner. 'Daar drink ik op.' Iedereen hief het glas, dus Claire ook, maar ze dacht aan zichzelf in plaats van aan het gelukkige paar. Ims verloving was nu officieel, en als ze ging trouwen, zou Claire weer dakloos zijn. Ze kon alleen maar hopen dat het een lange verloving zou worden, want ze wilde niet terug naar mevrouw Watson. Claire verdrong de gedachte toen Toby iets geestigs zei en Imogen en Malcolm elkaar een kuise zoen gaven. Claire keek naar Toby, maar hij beantwoordde haar blik niet.

Toen het tijd was om te gaan, belde meneer Faulkner een taxi voor Claire. Imogen en Malcolm bleven bij de Faulkners logeren en hoewel de rit naar Kensington duur was, vond Claire het de moeite waard. Ze gaf Toby een afscheidszoen en Thomas een hand, en toen bood Edward haar tot haar verbazing een lift aan. 'Is dat niet om?' vroeg ze.

'Welnee, ik moet toch naar het westen. Ik doe het graag,' zei hij, en hij belde de taxi af.

Pas toen Claire Thomas met Toby zag weglopen, wist ze weer wie hij was. Hij had de folder voor haar opgemaakt en gedrukt. De graficus naar wie Toby haar had gestuurd. Ze herinnerde zich dat hij haar toen ook al niet aardig leek te hebben gevonden. Voordat ze er verder over na kon denken, begon Edward haar over zijn flat aan de Theems, zijn spaniël en zijn stamcafé te vertellen. 'We kunnen er wel een keer samen heen. Geef maar een seintje.' Hij noteerde zijn nummer voor Claire, die het met een beleefde glimlach aannam.

Tijdens de autorit zeiden ze niet veel. Claire keek naar de stad en dacht over de avond na. Het eten was verrukkelijk geweest, het huis prachtig en de ontvangst hartelijk, en ze prees zichzelf gelukkig. Ze woonde mooi, ze had goede vrienden, leuk werk en genoeg geld. Haar jurk was niet chic genoeg geweest, maar het was wel een maat 38. En hoewel Toby geen avances had gemaakt, had hij wel vaak naar haar geglimlacht. Het diner was een succes, stelde Claire vast, net als haar leven in Londen.

57

Claire merkte dat ze talent had voor het bevoorraden van de wolwinkel en dat ze goed met de klanten kon omgaan. Ze was oprecht geïnteresseerd in hun breiplannen en hielp hen graag met het uitzoeken van patronen en het oplossen van hun soms letterlijk warrige problemen. En wanneer er geen klanten waren, praatte ze eindeloos met mevrouw Venables. Claire vond haar verhalen over haar traditionele Engelse opvoeding sprookjesachtig, en mevrouw Venables luisterde geboeid naar Claires verhalen over Tottenville, Manhattan en Tina. Claire breide in een mum van tijd haar deken af en mevrouw Venables stond erop dat ze hem tijdens de eerstkomende breiles aan de cursisten liet zien, die verbijsterd, complimenteus en afgunstig reageerden.

Er vielen een paar vrouwen af, maar de rest bleef trouw komen, en Claire gaf nu elke zaterdag drie lessen. Ze geloofde dat haar leerlingen net zo genoten van de gelegenheid tot rust te komen en met elkaar te babbelen als van de lessen zelf. Ze leerde een aantal van hen beter kennen en toen Leonora een groepje van de les van negen uur op een avond te eten vroeg, ging Claire ook, en ze had het naar haar zin. En Leonora gaf haar inderdaad een kaartje voor de bloemententoonstelling.

Claire bleef de gravin thuis lesgeven wanneer ze niet naar de winkel kon komen. Haar dochter Ann, die een vaardig en toegewijd breister werd, had haar eigen pr-bureau en stopte Claire vaak uitnodigingen voor de recepties en feesten van haar beroemde cliënten toe bij wijze van dank voor haar goede zorgen. Claire haalde het niet in haar hoofd erheen te gaan, maar toen ze een paar uitnodigingen aan Toby liet zien, was die niet meer te houden.

Imogen was al net zo enthousiast, en ze vergezelde Claire soms, maar het kwam net zo vaak voor dat Claire haar een uitnodiging doorspeelde en ze met Malcolm ging. 'Ik word zelf alleen maar uitgenodigd voor van die saaie boekpresentaties,' beklaagde Im zich. 'Op de laatste heeft mijn schrijver het weer verprutst. Hij werkt als een buffel, drinkt als een kameel en wordt zo ziek als een hond.'

'Mijn god, die man is een kinderboerderij!'

Im lachte. 'Ja, en het kan nog erger. En dan heb ik die vervelende afscheidsfeesten nog. Er gaat altijd wel iemand van de ene uitgeverij naar de andere. Nee, dan lady Ann, die weet hoe ze publiciteit moet maken. Ze weet altijd mensen op te trommelen. Kon ik haar maar een paar van mijn boeken laten promoten.' Ze zuchtte. 'Daar hebben we geen geld voor, vrees ik. Maar goed, het is leuk om naar de beroemdheden te kijken, en vergeet de gratis drank niet. Ik lust wel een glaasje, zoals je weet.'

Claire had duidelijk aan status gewonnen bij Imogen. Wat ze niet wist, was dat Toby haar had verteld dat Claire afstamde van de Bilsops van Staten Island en de Murrays van Newport, dat de familie bulkte van de huizen aan zee maar daar, zoals het de oude rijken betaamt, heel discreet over deed.

Ook zonder dat ze dat wist, moest Claire zichzelf bekennen dat Imogen een snob was en dat ze in Imogens achting was gestegen door haar vriendschap met lady Ann (die haar titel zelf zelden gebruikte, had Claire gniffelend vastgesteld). Ze was niet langer de kamerhuurster, maar een gelijke, al deed ze nog steeds het grootste deel van de huishouding, en Imogen nodigde haar vaker uit.

Op een zaterdag wilde Imogen dat ze mee uitging met haar, Malcolm en Edward. Toen Claire bedankte omdat ze uitgeput was van al haar lessen, bleef Imogen aandringen. 'Kom op, joh. Doe niet zo saai.'

'Ik wil alleen nog maar in bad en naar bed,' zei Claire. 'Ik ben bekaf.'

'Maar Edward is een goede vangst, hoor,' zei Imogen. 'En ik heb je verteld dat hij op je valt.'

Claire dacht aan de flegmatieke Edward. Hij was heel attent geweest tijdens het diner bij Imogens ouders, en het was aardig van hem dat hij haar thuis had gebracht, maar ze was hem zo weer vergeten. Hij was niet half zo spannend en aantrekkelijk als Michael, en Toby was veel geestiger en belezener.

'Laat ik hem dan maar geen valse hoop geven,' zei Claire dus. 'Ik val niet op hem.'

'O, Claire, dat weet je toch niet? Ik kende Malcolm al jaren voordat de vonk oversprong.' Claire geloofde het grif, maar hield wijselijk haar mond. 'Claire, je leeft als een non. Je werkt met vrouwen en hier komt ook nooit een man.' Ze zweeg even. 'Je bent toch niet lesbisch?'

Claire bloosde ervan. 'Nee, maar weet je...' Ze weifelde. Imogen was haar vriendin, maar ze roddelde graag. Toch vond Claire dat ze iets moest zeggen. 'Weet je, ik vind Toby zo leuk.'

'Ja, natuurlijk. We zijn allemaal dol op Toby. Hij heeft zijn carrière verprutst en hij is lui, maar hij heeft wel charme.'

Claire deed er het zwijgen toe.

'Ga maar in bad,' zei Imogen. 'Daar knap je van op, en als je iets met je haar doet, kun je zó met ons uit eten.'

'Beslist niet,' zei Claire. 'Ik ben moe, ik heb geen trek en ik wil geen valse verwachtingen wekken bij Edward, want ik ben verliefd op Toby.'

'Verliefd?' Imogen zweeg, plofte op de bank en schoot in de lach. 'Je bedoelt toch niet...' Ze bleef maar lachen, en Claire werd bang. Ze wilde niet van Imogen horen dat ze hem niet kon krijgen. Misschien had ze niet in Oxford gestudeerd, maar ze wist dat hij haar aardig vond.

'Hij mag me graag,' zei ze, en ze voelde dat ze bloosde.

'Natuurlijk. Natuurlijk, maar niet op die manier. Claire, hij is homo. En hij heeft een relatie met Thomas.'

Daar stond Claire dan in haar ochtendjas. Heel even voelde ze teleurstelling, en vervolgens werd ze overspoeld door schaamte. Natuurlijk was Toby homo. Had ze het niet altijd al geweten? Hij had niets verwijfds, maar het ontbreken van seksuele spanning tussen hen had haar moeten zeggen, had haar bijna gezegd...

'Wat een bak! Wist je het echt niet?' Imogen keek op. Toen ze Claires gezicht zag, kwam ze van de bank en sloeg een arm om haar heen. 'Jee, je wist het niet.'

'Het komt gewoon doordat de mannen hier zo, nou ja, zo anders zijn.'

'Lijken ze allemaal homo?'

'Nee, maar ik kan niemand plaatsen. Toby, lady Ann...'

Imogen gaf haar een zoen. 'Het geeft niet. Ik bedoel, je hebt jezelf toch niet voor schut gezet? Je hebt je toch niet aan hem opgedrongen?'

'Nee, natuurlijk niet,' zei Claire. Ze wilde alleen nog maar naar haar kamer, de deken over haar hoofd trekken en huilen.

'Ga toch met ons mee uit eten. We zuipen ons allemaal een stuk in de kraag en wie weet ga je Edward dan toch nog leuk vinden.'

'Nee, echt niet,' zei Claire. 'Ik heb barstende hoofdpijn. Ik neem een paar aspirines en ik kruip in bed.'

Imogen zuchtte. 'Goed, dan moet ik Malcolm maar even bellen.' Ze liet Claire teruggaan naar haar kamer, en Claire trok dankbaar de deur achter zich dicht.

Ze ging met opgetrokken knieën op haar bed liggen. Waarom was ze zo'n sukkel als het om mannen ging? Toby had heel vriendelijk geleken, en dat wás hij ook, maar ze had zijn signalen helemaal verkeerd geïnterpreteerd. Het was gênant.

Hoe kon ze Toby nog onder ogen komen?

Er werd geklopt en Imogen stak haar hoofd om de deur. 'Post,' zei ze, en ze kwam met een brief binnen. 'O, wat zie je er beroerd uit. Zou het griep zijn?'

Claire had haar hoofd wel willen schudden, maar was bang voor de rampzalige gevolgen. 'Nee,' zei ze dus zwakjes. 'Het is gewoon hoofdpijn.'

'Wil je een whisky? Dat helpt soms.'

Claire werd al misselijk bij het idee, maar ze bedankte vriendelijk en nam de brief van Imogen aan. Ze werd er niet vrolijker op toen ze Tina's handschrift herkende. Wat stond haar nu weer te wachten?

'Roep maar als je iets nodig hebt,' zei Im. 'Ik werk aan dat vijverboek tot Malcolm komt.'

Claire wachtte tot Imogen weg was voordat ze de brief las.

Misschien vind je het leuk om te horen dat Mike zich met Katherine Rensselaer gaat verloven. Ik krijg het heel druk met de voorbereidingen voor mijn eigen bruiloft en de hunne. Anthony heeft me een achttien karaats gouden kruis met twee diamantjes voor mijn verjaardag gegeven. Ik heb het altijd om. Het ziet er net zo uit als dat van Madonna op de hoes van haar tweede cd. Maar jij hebt het natuurlijk te druk om aan mijn verjaardag te denken. Abigail Samuels vertelde dat je haar had geschreven. Nu je in Londen woont, zul je je andere vriendinnen wel vergeten zijn.

Maar goed, ik wilde je het nieuws even vertellen.

Claire trok de dekens over haar hoofd en vroeg zich af waarom haar verliefdheden altijd op een teleurstelling moesten uitdraaien. Het kon niet erfelijk zijn. Haar grootmoeder was bijna vijftig jaar getrouwd geweest, en haar moeder kon mannen genoeg krijgen, al waren het dan klaplopers zoals Jerry. Alleen zij was een grote mislukkeling.

58

De volgende dag maakte Claire een lange wandeling door Regent's Park. Ze liep uren, en hoewel ze een paar keer verdwaalde, deed de vermoeidheid haar goed. De onthulling over Toby gaf haar het gevoel dat ze een stommeling was, maar daar zou ze zo langzamerhand aan gewend moeten zijn. Ze was blij dat ze hem haar gevoelens niet had getoond en hem niet achterna had gezeten. Misschien kwam je niet ver met bescheidenheid, maar ze had zich tenminste niet hopeloos belachelijk gemaakt.

Ze was ook blij dat er niemand thuis was toen ze terugkwam, en dat ze de volgende ochtend weer bij mevrouw Venables moest werken. Ze ging in het leunstoeltje zitten, met haar zelfgebreide deken over haar benen, en keek over de tuinen uit. Ze probeerde na te gaan hoe groot haar teleurstelling om Toby was. Ze zouden nog wel goede vrienden kunnen blijven, ze konden elkaar gewoon blijven zien, maar ze was niet van plan om hem te blijven treuren. Ik heb de Kanjer afgewezen, en wie dat kan, kan iedere man de rug toekeren, dacht ze.

Een tuinlamp wierp dansende schaduwen van takken op haar plafond. Laat ik maar eens thee gaan zetten, dacht ze, en ze glimlachte om zichzelf. Misschien word ik nog eens een echte Engelse, dacht ze. Ze zuchtte. Nee, Toby moest haar nog steeds als een buitenstaander zien, wel vermakelijk, maar niet iemand om in je leven op te nemen.

Claire zuchtte weer, stond op en legde de deken over de stoel. Ze trok haar nachtpon aan en kroop in bed. Ze zou haar teleurstelling wegstoppen om haar waardigheid ten opzichte van Imogen niet te verliezen. Ze dacht terug aan Tottenville, waar ze was geboren en getogen, maar zich toch een buitenstaander had gevoeld. Hier, waar alles leek te kloppen en ze zich echt thuis voelde, wás ze een buitenstaander. Dat moest ze goed in haar oren knopen.

De volgende ochtend werd ze na een gezonde nachtrust iets vrolijker wakker. Ze was tenslotte dol op haar nieuwe leven. Ze kon nu betrekkelijk laat opstaan, in alle rust theedrinken en ontbijten en het was maar een klein stukje lopen naar de wolwinkel. Vroeger was ze twee uur onderweg geweest naar haar werk, en wat ze nu deed was veel leuker. Ze vond het heerlijk om met wol te werken, mevrouw Venables liet haar de inkoop doen en ze mocht zelf de winkel inrichten. De gesprekken met de klanten waren boeiend en het was een genot om geld in de kassa te stoppen. Het leek elke dag drukker te worden in de winkel. Ze waren van plan naast de drie zaterdagse lessen ook een cursus op woensdagavond te gaan geven voor diegenen die in het weekend geen tijd hadden. Ja, dacht Claire, ik heb het goed getroffen. Misschien was het fiasco met Toby wel niet zo gênant als ze dacht. Ze zou hem een tijdje ontwijken en daarna de draad van de vriendschap weer oppakken. En wat kon Michaels verloving haar schelen? Niets. Haar leven was hier.

Toen ze bij de winkel aankwam, zat de deur op slot. Mevrouw Venables was nergens te bekennen. Claire liep naar de makelaar aan de overkant en vroeg of ze even mocht bellen. Mevrouw Venables nam niet op.

Claire werd ongerust. Als mevrouw Venables een vrije dag had genomen, had ze het haar wel verteld. 'Ik maak me zorgen,' zei ze tegen meneer Jackson, de directeur van het makelaarskantoor. 'Ze heeft de winkel niet opengedaan en ze neemt niet op.'

'Ik heb de sleutel,' zei meneer Jackson. 'Het pand staat al een tijdje bij ons in de verkoop.' Het was nieuws voor Claire, maar ze maakte zich te ongerust om mevrouw Venables om er lang bij stil te staan. Meneer Jackson rommelde in een la met sleutels. 'Ik heb hem al,' zei hij. 'Nigel vindt het wel goed. Als je de sleutel straks maar terugbrengt.'

Claire beloofde het en rende terug naar de winkel, waar niemand was, en haastte zich de trap op. Mevrouw Venables was niet in de woonkamer of de keuken, maar toen Claire haar naam riep en aarzelend naar de slaapkamer liep, dacht ze iets te horen.

De slaapkamerdeur stond een stukje open. Claire klopte. 'Mevrouw Venables? Bent u daar?' Ze duwde de deur open en zag een lange, blote voet op de vloer liggen.

Mevrouw Venables lag op haar buik op de vloer. Claire dacht een verschrikkelijk moment lang dat ze dood was, maar toen hoorde ze dat geluid weer, dat kermende gekreun dat ze in de gang ook had gehoord. Ze knielde bij mevrouw Venables, maar durfde haar niet aan te raken. Zou ze gevallen zijn en haar heup gebroken hebben? Of had ze een hartinfarct gehad? Misschien was ze gewoon duizelig geworden of uit bed gevallen. 'Mevrouw Venables?'

Claire legde haar wang op de vloerbedekking, zodat haar gezicht vlak bij dat van mevrouw Venables kwam. 'Bent u ziek?'

Mevrouw Venables maakte een geluid. Het was geen praten, maar het beantwoordde Claires stomme vraag. Claire wist niet of ze moest proberen mevrouw Venables overeind te hijsen of haar moest laten liggen tot er hulp kwam, en opeens besefte ze dat ze het alarmnummer van Londen niet wist. Het koude zweet brak haar uit en ze rilde, maar ze pakte mevrouw Venables' hand. De oude dame maakte weer een geluid en probeerde een kneepje in Claires hand te geven. 'Stil maar, het komt allemaal goed,' zei ze, hoewel ze het zelf betwijfelde. 'Ik ben er nu.' De hand van de oude vrouw was ijskoud. Claire voelde aan de blote voet, die nog kouder was. Ze begon mevrouw Venables langzaam en voorzichtig om te draaien, gespitst op de kleinste blijk van pijn.

Zodra mevrouw Venables op haar rug lag, pakte Claire het kussen en de sprei voor haar van het bed. Mevrouw Venables volgde haar bewegingen met haar ene oog, terwijl het andere lukraak heen en weer rolde, als een blauwe knikker in een doos. Ze moet een beroerte hebben gehad, dacht Claire, en ze werd nog banger. 'Niets zeggen,' zei ze. 'De dokter komt zo.'

Ze wist niet of het waar was, maar ze pakte de telefoon bij het bed, belde de centrale en gaf het adres door. Toen ging ze weer bij mevrouw Venables zitten en pakte haar hand, die iets warmer aanvoelde. Claire wreef hem voorzichtig warm tussen haar eigen handen. 'Het komt allemaal goed,' zei ze weer. 'Ik zal Nigel bellen, dan kan hij hierheen of naar het ziekenhuis komen.' Mevrouw Venables maakte een geluid, een soort beangstigend gegorgel. 'We gaan naar het ziekenhuis,' zei ze, 'en dan komt Nigel ook en dan maken ze u weer beter.' Ze zweeg even. 'Ik zal u sokken aantrekken,' vervolgde ze. Ze zocht in een paar laden en vond een paar stokoude gebreide sokken.

In afwachting van de ambulance wreef Claire mevrouw Venables' voeten warm en trok haar behoedzaam de sokken aan. Het leek alsof ze al uren op de vloer zat, maar het was nog geen tien uur op de wekker. 'Ik ga Nigel bellen,' zei ze.

Claire keek in de bovenste la van het nachtkastje, maar vond alleen tissues, een pen, hoestpastilles en wat haarspelden. Ze zei een schietgebedje. 'Ik kijk nu in de tweede la.' Haar gebed werd verhoord, want toen ze de la opentrok, zag ze een leren boekje liggen waar met gouden letters 'adressen' op stond. Claire griste het uit de la. Hoe zou een moeder haar zoon in haar adresboekje zetten? Onder de V van Venables, onder de Z van zoon of onder de N van Nigel? Toen zag ze opeens dat niet alleen mevrouw Venables' eigen naam en adres op de eerste bladzij stonden, maar ook die van Nigel, met een aantal telefoonnummers waarvan sommige waren doorgestreept. Claire zei weer een schietgebedje, nu om af te smeken dat de nummers nog in gebruik waren. Het waren er drie. Ze belde het eerste en kreeg geen gehoor. Het tweede nummer bleek van een fax te zijn. 'Ik ben hem aan het bellen,' zei ze over haar schouder, en ze koos het derde nummer, dat haar bekend voorkwam van het bord in de etalage van de winkel. Nigel nam op.

'Met Nigel Venables,' zei zijn stem koeltjes. 'Ik kan nu niet aan de telefoon komen. Spreek uw nummer in, dan bel ik u terug.'

Claire wachtte op de piep. 'Ik zit hier bij je moeder. Ze is ziek. Ik heb een ambulance gebeld en die zou er nu elk moment moeten zijn, of dat hoop ik tenminste. Ik weet niet waar ze haar naartoe brengen, maar ik ga mee en ik bel vanuit het ziekenhuis weer. Als je dit bericht hoort, bel dan alsjeblieft meteen terug.' Ze keek op de klok en vervolgde: 'Het is nu negen over tien.' Toen hing ze op en ging weer naast mevrouw Venables op de vloer zitten. 'Het komt allemaal goed,' zei ze. 'We gaan u naar het ziekenhuis brengen en dan komt Nigel ook zo snel mogelijk.'

59

Maar Nigel kwam niet, en hij belde niet terug. Toen de ambulance er was, rende Claire naar de overkant om tegen meneer Jackson te zeggen waar ze naartoe gingen. Mevrouw Venables werd naar het Chelsea and Westminster gebracht en Claire week geen moment van haar zijde, behalve tijdens de onderzoeken.

Dokter Winters, de eerste arts die mevrouw Venables onderzocht, nam Claire apart. 'Ik heb geen zekerheid tot het neurologisch onderzoek achter de rug is, maar het lijkt me een beroerte. Een zware zelfs. Was u erbij toen ze onwel werd?' Claire schudde haar hoofd en vertelde dat ze mevrouw Venables op de vloer had gevonden.

'Jammer,' zei de arts. 'Het is moeilijk te zeggen hoe lang ze daar heeft gelegen, en bij een beroerte is het herstel in hoge mate afhankelijk van een snelle behandeling. Mevrouw woont alleen?'

'Ja, ik werk bij haar.'

'Als gezelschapsdame?'

'Nee, in haar winkel. Ze heeft een winkel.'

'Dus tot u haar vandaag vond, was ze nog actief? Geen symptomen van neurologische afwijkingen?'

Claire wist niet wat die symptomen waren, maar mevrouw Venables had in elk opzicht gezond geleken, op haar reumatische knieën na. 'Ik dacht het niet, ze leek me normaal voor een vrouw van haar leeftijd.'

'Geen verwarring? Geen zwakte in haar handen? Ze sleepte niet met haar voeten?'

Claire schudde haar hoofd. 'Nee, ze was gezond,' zei ze iets zekerder van haar zaak. 'Haar handen waren beslist nog goed. Ze breit. Ze heeft een wolwinkel.'

'Nou, maar haar handen zijn nu niet meer goed. De linker in elk geval niet.'

'Maar dat is toch tijdelijk?' vroeg Claire angstig.

'Moeilijk te zeggen. We moeten de testuitslagen en het neurologisch onderzoek afwachten. Heeft ze familie?'

'Ja, een zoon.' Claire voelde ergernis opkomen. 'Ik heb hem nog niet kunnen bereiken.'

'Zeg zodra u hem te pakken krijgt dat hij meteen moet komen,' zei de arts. Hij liep de gang in, en Claire ging weer bij mevrouw Venables zitten. Daar bleef ze het grootste deel van de dag. Ze hield haar hand vast en praatte met haar, en verliet haar post alleen wanneer er een arts kwam of de oude dame werd weggehaald voor een onderzoek. Dan dronk Claire snel een kop thee, of ze at een broodje, en ze kocht een telefoonkaart waarmee ze telkens opnieuw probeerde Nigel te bereiken.

Om vijf uur 's middags waren mevrouw Venables en Claire allebei uitgeput. Mevrouw Venables deed haar ogen dicht, tot Claires opluchting, want het dwalende oog had haar afgeleid. Claire zou het liefst zelf ook even gaan liggen, maar waar? Er was een koffiekamer voor bezoek waar ze misschien even op de aftandse bank kon gaan liggen, maar ze moest er niet aan denken dat mevrouw Venables alleen in een vreemde kamer wakker zou worden.

Pas toen ze weer probeerde Nigel te bereiken, dacht ze aan Toby. Ze schaamde zich voor haar gevoelens jegens hem voordat Imogen haar ruw uit de droom had geholpen, maar daar kon ze zich nu niet druk om maken. Ze had hulp nodig en ze wist dat ze op hem kon bouwen.

'Je zit daar helemaal alleen,' zei hij toen ze de situatie had uitgelegd. 'Waar is die rotzoon?' Ze had Toby al eerder verteld over haar problemen met Nigel.

'Ik heb geen idee. In China, voor mijn part,' zei ze, en ze dacht even aan haar eigen reisje naar Nice, komende zaterdag. Ze had het al met mevrouw Venables overlegd, maar ze kon nu met geen mogelijkheid meer gaan. 'Ik weet het gewoon niet. Meestal heeft hij zijn mobiele telefoon bij zich.'

'Nou, je bent heel vindingrijk en loyaal geweest,' zei Toby. 'Ik bel Imogen om te vragen of ze schone kleren voor je pakt en dan kom ik naar je toe. Heb je al gegeten?'

'Een broodje,' zei Claire.

'Dat moet van dat smerige ziekenhuisvoer geweest zijn. Toen Thomas in het ziekenhuis lag, heb ik de catering gedaan. Zal ik wat gerookte zalm voor je meebrengen? Ja, dat doe ik,' zei hij zonder haar antwoord af te wachten.

'Dank je, maar je hoeft er niet speciaal voor mij op uit te gaan.' Ze keek naar de gehaaste mensen in de gang. 'Ik moet weer terug naar haar kamer,' zei ze. Ze gaf Toby de afdeling en het kamernummer door en repte zich toen terug naar mevrouw Venables, die nog sliep. Ze soesde zelf ook een paar keer weg, maar schrok telkens wakker en controleerde dan angstig of mevrouw Venables nog ademde.

Toen Toby iets meer dan een uur later kwam, fleurde ze op. Hij had bloemen bij zich, broodjes, een thermosfles met thee, schone kleren en uiteraard ook een paar boeken. 'Arm kind,' zei hij, en hij keek haar vol genegenheid aan. 'Die bloemen zijn van Imogen. Ze stond erop. Morgen komt ze langs, zei ze.'

Claire waste zich, trok de schone kleren aan en nam haar post weer in. 'Kijk eens wat ik ook nog voor je heb?' zei Toby triomfantelijk, en hij haalde een tas tevoorschijn met haar breiwerk erin. Claire slaakte een zucht van verlichting. Zolang ze kon breien, was ze in staat naast mevrouw Venables te zitten en haar moeizame ademhaling aan te horen.

'Toby, hoe kan ik je bedanken?' Ze was blij dat hun vriendschap onveranderd leek te zijn. Misschien zou ze het toch niet zo moeilijk vinden zich bij de situatie neer te leggen.

'Doe niet zo mal,' zei hij terwijl hij thee voor haar inschonk. 'Je hebt me al bedankt.'

Een tijdje later kwam een verpleegster aanbieden het van Claire over te nemen, zodat ze kon rusten. Claire gaf Toby een afscheidszoen en ging op de oude bank liggen.

Toen de verpleegster haar wakker schudde, leek het alsof ze maar heel even had geslapen. 'Hij is er,' zei ze. 'De zoon van mevrouw Venables.'

Nigel zat bij het bed van zijn moeder, met haar slappe hand in zijn beide handen en bijna net zo bleek als zij. Toen hij naar Claire opkeek, dacht ze tranen in zijn ogen te zien. Hij had een wit overhemd met opgestroopte mouwen aan; zijn dure colbert had hij achteloos in de vensterbank geslingerd. 'Ze vermoeden dat je moeder een beroerte heeft gehad,' zei Claire zo kalm als ze kon. 'Ik heb haar vanochtend vroeg op de vloer gevonden. Ik weet niet hoe lang ze daar al lag.'

'Ik heb het net gehoord. Ik heb mijn mobieltje vanochtend in een taxi laten liggen... op weg naar Bristol... Jackson heeft me te pakken gekregen. Ik was in de rechtbank in Bristol,' zei hij zowel afwerend als verwijtend. 'Waarom heb je mijn kantoor niet gebeld? Dan had ik hier uren geleden al kunnen zijn.'

Claire liep naar het bed. Ze praatte zacht, maar ze kon haar opgekropte frustratie niet binnenhouden. 'Omdat ik het nummer van je kantoor niet heb. Je moeder ook niet, of anders heeft ze het niet bij je andere nummers genoteerd. Neem maar van mij aan dat ik mijn uiterste best heb gedaan om je te bereiken. Ik ken al je nummers uit mijn hoofd. Er staan tien berichten op je antwoordapparaat, en ik heb je andere nummer zeker dertig keer gebeld.' Ze keek hem aan. 'Denk je dat ik het leuk vind om die verantwoordelijkheid te dragen? Denk je dat ik niet uit alle macht heb geprobeerd je te pakken te krijgen?' Nigels bezorgdheid om zijn moeder werd duidelijk vertroebeld door zijn wantrouwen ten opzichte van Claire – en misschien door zijn schuldgevoel. 'Het spijt me als je vindt dat ik dit verkeerd heb aangepakt, maar ik heb nooit eerder met een medisch noodgeval te maken gehad. Ik ben al sinds tien uur vanochtend bij je moeder in het ziekenhuis, veertien uur in totaal. Ik heb ervoor gezorgd dat ze werd onderzocht en ik heb haar hand alleen losgelaten wanneer er iemand anders bij haar was. Ze is geen moment alleen geweest.'

'Het spijt me. Het spijt me echt.' Nigel schudde zijn hoofd en wreef in zijn ogen, die rood waren van vermoeidheid en verdriet. 'Ik ken je gewoon amper en...'

'Ik ben Claire Bilsop uit Tottenville in New York,' onderbrak ze hem. 'Tegenwoordig woon ik in Londen, ik werk voor je moeder en het zou kunnen dat ik haar leven heb gered.' Ze pakte haar tas. 'De neuroloog is nog steeds niet met de testresultaten langsgekomen. Ze denken dat het een zware beroerte is, en ik neem aan dat hij dat zal bevestigen. Je moet nog weten dat ze niet lijkt te kunnen praten en dat ze geen controle heeft over haar linkeroog. Nu ga ik naar huis.' Ze zuchtte. Toen zag ze dat Nigel echt van streek was, pakte een papiertje uit haar tas en krabbelde Imogens telefoonnummer erop. 'Ik heb geen mobiele telefoon, maar dit is het nummer van mijn huisgenote, mocht je willen bellen. Ik kom morgen terug, als je het goedvindt.' Ze legde het papiertje op het bed, draaide zich om en liep de kamer uit.

60

Hoe uitgeput Claire ook was, ze sliep die nacht slecht. Telkens wanneer ze haar ogen dichtdeed, zag ze mevrouw Venables weer languit op de vloer liggen. Ze begon over haar eigen toekomst te piekeren. Wie zou er voor haar zorgen wanneer ze oud was? Haar familie in elk geval niet. Haar moeder had Jerry, Tina had Anthony, Imogen had Malcolm, Toby had Thomas en Michael Wainwright scheen Katherine Rensselaer te hebben. Ze hadden ook allemaal broers en zussen, ooms en tantes en god weet hoeveel neven en nichten. Na een paar uur tobben in het donker wist Claire niet meer wie ze zieliger vond, die arme mevrouw Venables of zichzelf.

Toen ze er langer over nadacht, begreep ze echter dat een huwelijk en kinderen je niet konden beschermen. De echtgenoot van mevrouw Venables was al twintig jaar dood en Nigel, haar enige kind, was niet onfeilbaar. Welke zoon wel? Fred zat ergens in Duitsland en na zijn diensttijd... Wie weet? Het leek niet waarschijnlijk dat hij in de buurt van zijn moeder in Tottenville zou gaan wonen.

Om vier uur die nacht, het uur van de wolf, waren Claires gedachten bijna ondraaglijk geworden. Mevrouw Venables' humor, wijsheid en menselijkheid zouden voorgoed verdwenen kunnen zijn in de wazige momenten voor haar val. Misschien zou Claire haar nooit meer iets horen zeggen. En wat moest ze nu beginnen? Ze wilde niet egoïstisch zijn, maar ze besefte dat ze misschien geen baan meer had, en ze had alleen nog het geld van haar eersteklas ticket. Hoe moest ze een andere baan vinden? Ze had niet eens een werkvergunning. Zelfs als mevrouw Patel haar terug wilde nemen, kon ze niet genoeg verdienen om van te leven, en bovendien wilde ze Maudie niet van haar baan beroven.

De vogels in de tuinen begonnen al te tjilpen toen Claire eindelijk in slaap viel. Toen ze wakker werd, was het bijna tien uur. Ze hoorde Imogen, die in de woonkamer liep te telefoneren en nog vrolijker klonk dan anders. Claire wreef haar ogen uit, liep naar de spiegel en keek naar haar gezicht. Ze was heel bleek, afgezien van haar rode ogen en opgezette oogleden. Haar blik viel op de mooie vaas en het prachtige blikje ernaast. Bij daglicht zag het er allemaal een stuk beter uit. Ze had al avonturen beleefd en vrienden om zich heen verzameld. Haar boeken, de plekken die ze had gezien en de mensen die ze had ontmoet: het waren geschenken die allemaal getuigden van het leven dat ze de afgelopen paar maanden had geleid, een veel authentieker leven dan haar vorige.

Misschien gold dat net zo goed voor mevrouw Venables, Toby of mevrouw Patel: je verzamelde ervaringen, goede en slechte. Zolang ze echt waren, zolang ze je in je hart raakten, gebruikte je je leven op een manier die je wezenlijk verrijkte, en dan was je nooit echt alleen. Je droeg je herinneringen en de liefde die je in de loop der jaren had gegeven en ontvangen altijd bij je. Met die gedachte troostte Claire zichzelf toen ze zich voorstelde hoe die arme mevrouw Venables nu bijna bewusteloos in het ziekenhuis lag. Misschien kon ze zich alle heerlijke dingen herinneren die ze met haar man had gedaan, alle plaatsen die ze had gezien, de beeldjes, schilderijen en meubelen die ze met veel liefde hadden verzameld. Misschien herinnerde ze zich hoe leuk Nigel als dreumes en schoolkind was geweest, en hoe trots hij haar later had gemaakt.

Claire trok haar ochtendjas aan en liep naar de keuken, waar Imogen net de telefoon neerlegde. 'Hallo,' zei ze, 'leer je eindelijk uitslapen?' Claire knikte en besloot niets over de problemen van de vorige dag te vertellen. Imogen zou toch al te laat op haar werk komen. 'Heb je het nieuws gehoord?' vroeg Imogen.

Claire knikte. Natuurlijk had ze het nieuws gehoord. Ze had zelf aan Toby gevraagd het aan Imogen door te geven.

'Koffie?' vroeg Imogen, en ze wuifde naar de pot. Claire schudde haar hoofd. Ze hield zo langzamerhand echt meer van thee. 'O, heeft Toby het je verteld? Ik had kunnen weten dat hij zich niet zou kunnen bedwingen. Hij is gek op bruiloften, die jongen.'

'Een bruiloft?' zei Claire. Ze hadden elkaar dus verkeerd begrepen. Imogen had het zoals gebruikelijk over zichzelf gehad, en dat betekende dat Malcolm en zij... 'Hebben jullie een datum geprikt?'

'We gaan over twee maanden trouwen. Ongelooflijk, hè? Hij is naar Hong Kong overgeplaatst, voor een jaar, maar toch, en nou ja, je snapt het wel. Mijn moeder is in de wolken, maar ze heeft geen idee hoe ze het trouwontbijt op tijd moet regelen. Malcolms moeder is natuurlijk teleurgesteld.' Imogen snoof. Toen lachte ze weer. 'Maar zijn vader is dol op me, en ze draait wel bij, zeker als ik haar een kleinkind schenk.'

Claire vulde de waterkoker en zette hem aan. Ze wist dat ze blij moest zijn voor Imogen, al leek het goede nieuws helemaal los te staan van de ziekte van mevrouw Venables. 'Gefeliciteerd,' zei ze, en ze gaf Imogen een zoen. 'Malcolm draagt je op handen, en je wordt een beeldschone bruid.'

Imogen gaf haar een knuffel. 'Je wilt mijn bruidsmeisje toch wel zijn?'

Claire was ontroerd. Ze wist dat ze niet echt deel uitmaakte van Imogens wereld, en dit was een onverwacht hartelijk gebaar. 'Graag,' zei ze. 'Ik zal iets moeten gaan breien voor jullie huwelijk.'

'O, echt?' zei Imogen. 'Zal ik het zeggen als ik weet in welke kleuren we het huis gaan inrichten?' Claire knikte en glimlachte. Dat was Imogen ten voeten uit. Waarschijnlijk had ze al een sprei uitgezocht voordat ze Claire het nieuws vertelde. 'We gaan natuurlijk verhuizen. Malcolms vader heeft een paar huizen in St.-John's Wood. Er zijn er twee in appartementen opgedeeld, maar het derde is nog intact, en volgend jaar loopt het contract van de huurders af. Malcolm heeft tegen zijn vader gezegd dat het een ideaal huis voor ons zou zijn en dat we het op eigen kosten willen opknappen.'

Claire keek om zich heen. 'Je gaat dus weg,' zei ze, in het besef wat dit voor haar zou betekenen.

'Ja, ik ga na de bruiloft natuurlijk met Malcolm mee naar Hong Kong. Waarschijnlijk gaan we eerst op huwelijksreis naar Bali. En als we dan terug zijn, gaan we het huis inrichten.' Ze zweeg en Claire zag een denkrimpel in haar voorhoofd, die bijna net zo snel weer verdween als hij was gekomen. 'Wees maar niet bang,' zei ze geruststellend. 'Jij kunt hier blijven wonen. Ik bespreek het wel met mijn oom.'

Het water kookte en Claire pakte haar kop en schotel. Ze rinkelden toen ze ermee naar de waterkoker liep – ze was zo van streek dat haar handen beefden. Ze zou met geen mogelijkheid de huur van het hele appartement kunnen betalen. Imogen had wel gezegd dat ze niet veel betaalde, maar het moest toch minstens duizend pond per maand zijn, en dat kon Claire zich niet veroorloven. Claire probeerde haar kop vol te schenken, maar morste kokend water op haar schotel en het aanrecht. Ze zette de waterkoker veel harder neer dan ze had bedoeld en kreeg zo niet haar gevoelens, dan toch haar gezicht in bedwang. Ze draaide zich naar Imogen om. 'Dank je,' zei ze. 'Dat is heel vriendelijk aangeboden. En ik ben heel blij voor je. Het klinkt allemaal heel opwindend.'

Imogen knikte en keek op de klok. 'O, mijn god. Ik kom veel te laat. Ik moet mijn baan ook nog opzeggen. Mag ik eerst in de badkamer?'

Claire knikte. Het was Imogens appartement. Dat was het altijd geweest, en straks zou Claire het ook niet krijgen. Ze liep met haar thee naar haar kamer, al zou het niet lang haar kamer meer zijn. Het nieuws over Toby was een klap geweest, de beroerte van mevrouw Venables was nog veel erger en dat ze haar kamer ook nog eens kwijtraakte, kon er niet meer bij. Ze voelde de tranen in haar toch al pijnlijke ogen prikken.

Ze zag wazig, maar het op haar spiegel geplakte ticket bleef scherp. Nice. Ze had zaterdag weg zullen gaan. Het laatste wat ze nu wilde, was met vakantie gaan, en ze kon mevrouw Venables zo niet achterlaten. Toch was het zonde dat ze naar Tottenville terug moest zonder Frankrijk gezien te hebben.

Want het zag ernaar uit dat ze terug zou moeten. Anders zou ze weer helemaal opnieuw moeten beginnen, en ze betwijfelde of ze daar de moed voor had. Sommige geluksvogels kregen bij elke stap die ze zetten een rijker, evenwichtiger leven, maar Claire had het gevoel dat ze een berg beklom die elk moment onder haar kon verzakken, en dan zat ze weer aan de voet, waar ze begonnen was.

Imogen riep gedag en Claire dronk haar thee op, douchte en kleedde zich aan. Ze moest de sleutels nog aan meneer Jackson teruggeven, maar eerst wilde ze de kassa in de winkel leegmaken en een bordje achter het raam hangen. Daarna zou ze weer naar het ziekenhuis gaan.

Ook al was Nigel daar, ze ging toch bij mevrouw Venables op bezoek. Ze pakte wat extra geld uit de la om bloemen te kopen. Op weg naar buiten zag ze dat er een envelop met plakband aan haar deur was bevestigd. Het schoot even door haar heen dat het de uitnodiging voor

Imogens bruiloft kon zijn, maar die had ze vast nog niet verstuurd. Toen zag ze de Amerikaanse postzegel en het handschrift van haar moeder. O, nee, niet wéér.

Claire maakte het plakband voorzichtig los, scheurde de envelop open en haalde de twee in vieren gevouwen velletjes papier eruit.

Lieve Claire,
Hopelijk maak je het goed en heb je een swingende tijd in Londen. Hier is het niet zo swingend. Jerry en ik zijn uit elkaar. Ik heb nog nooit zo'n egoïst gezien. Ik deed alles voor hem en zelfs als we uitgingen, betaalde ik meestal het eten en de drank. Toen ik hem vroeg of hij wilde helpen de rekeningen te betalen, zei hij dat hij dat 'niet redde'. Dat geloof je toch niet? En dan te bedenken hoeveel cadeautjes ik hem heb gegeven, en hoe vaak ik voor hem heb gekookt. Wist je dat ik zijn was ook deed? Ik ben bij pastor Frank gaan biechten en mocht voor het eerst sinds Jerry bij me introk weer ter communie gaan. Het is een hele troost.

Er volgden nog een paar alinea's vol geklaag, maar Claire herlas alleen het eind van de brief en kromp in elkaar.

Ik zei dus dat hij dat wel kon vergeten, maar ik had niet gedacht dat hij zomaar weg zou gaan. Ik dacht dat hij wat minder gierig zou worden, maar in plaats daarvan is hij bij die blonde snol van Tiny's Tavern ingetrokken. Hij doet maar. Ze mag dan twintig jaar jonger zijn, ze is minstens tien kilo zwaarder dan ik. En we zullen eens zien hoe snel ze het zat is dat hij zijn onkosten uit haar fooienpot betaalt.

Maar goed, ik mis mijn dochter. Ik heb Fred geschreven en hij heeft me een cheque gestuurd, maar ik zou willen dat je weer thuis kwam. We zouden het heel gezellig kunnen maken. Jerry wilde een appartement van jullie slaapkamers maken, maar dat vond ik niet goed. Jullie zijn tenslotte mijn kinderen, en jullie kunnen altijd bij me terecht.

Ik hoop dus dat je gauw terugkomt. Ik kwam Tina tegen, en die zei dat er een belangrijke vrouw bij Crayden Smithers is die je graag mag, dus je kunt je oude baan waarschijnlijk wel terugkrijgen. Schrijf gauw terug en laat me weten wanneer je terugkomt. Je hebt een lan-

ge vakantie gehad, en ik hoop dat je ervan hebt genoten, maar iederen in Tottenville mist je.
Liefs,
je moeder

Claire bad in stilte dat ze niet terug zou hoeven keren naar het huis waar ze 'altijd terecht kon'. Ze hoopte dat haar gebed ook zonder bemiddeling van pastor Frank gehoord zou worden. Ze kon zich er moeilijk bij neerleggen dat nog maar vijf dagen geleden alles er zonnig uit had gezien. De kring was rond; het enige dat haar nog te doen stond, was naar New York teruggaan.

61

Claire ging elke dag naar het ziekenhuis, waar ze probeerde vrolijk tegen mevrouw Venables te doen terwijl ze over haar sombere toekomst piekerde. Ze hield mevrouw Venables' hand vast en las haar voor, of ze breide en vertelde haar over haar leven in Tottenville, haar grootmoeder en haar vader, die altijd zo hoog had opgegeven van de familie Bilsop. Ze voerde haar ook, want ze dacht dat mevrouw Venables liever niet door een vreemde gevoerd wilde worden.

Na een paar dagen probeerde mevrouw Venables te praten, maar haar geluiden waren onverstaanbaar. Claire luisterde zo aandachtig mogelijk, en nog een paar dagen later kon ze woorden onderscheiden: drinken, koud, Nigel, dokter en haar eigen naam.

Wanneer Nigel kwam, meestal na vijven, ging Claire weg. Ze ging een keer uit eten met Toby en Thomas, die zich minder vijandig leek op te stellen, en ook een keer met Imogen, Malcolm en Edward, die zich niet liet afschrikken door haar totale gebrek aan belangstelling. Het kwam in haar op dat Edward best aardig was, verre van arm en dat hij vermoedelijk een toegewijde echtgenoot zou zijn. Ze kon in Engeland blijven en misschien zelfs een wolwinkel openen of die van mevrouw Venables overnemen. Maar telkens als ze naar zijn blozende gezicht keek, wist ze dat ze het niet kon.

Op een middag begroette Nigel haar niet met een stijf knikje, maar vroeg hij of ze met hem meeging naar de koffiekamer, want hij wilde met haar praten. 'Ik denk dat ik een verzorgingshuis voor mijn moeder zal moeten zoeken,' zei hij. 'Ze gaat wel vooruit, maar de dokter zegt dat haar linkerkant niet veel beter zal worden. Ze kan beslist niet meer zelfstandig wonen.'

Claire schrok, maar probeerde haar stem kalm te houden. 'Nigel, dat zou ze verschrikkelijk vinden. Je kunt toch wel iemand vinden die bij haar in wil trekken?'

'O, en die iemand ben jij zeker? Is dat jouw plan? En hoe moet het dan met de trap? En de wc?'

Claire trok zo wit weg als Nigel zelf meestal was. Ze werd zelfs duizelig. 'Je beledigt me,' zei ze. 'En het huis kan vast wel aangepast worden.' Ze wist dat ze gelijk had. 'Heb je soms een koper voor het pand gevonden? Is dat het?'

'Absoluut niet,' zei Nigel. 'Ik heb alleen het welzijn van mijn moeder op het oog.'

'Nou, als dat echt zo is, zoek dan een paar verpleegsters voor haar en laat een traplift installeren. Ik ben niet in staat voor haar te zorgen. Misschien ga ik zelfs wel terug naar Amerika.' Ze liep langs hem heen de gang in, terug naar mevrouw Venables. Nu ze haar 'plannen' hardop aan Nigel had verteld, waren het echte plannen geworden. Ze nam aan dat ze eens moest beginnen met pakken en een goedkoop ticket naar huis kopen.

Zodra ze bij mevrouw Venables' bed ging zitten, deed de oude dame haar ogen open. Het was Claire al opgevallen dat het linkeroog niet meer zo dwaalde, en nu leek mevrouw Venables echt met twee ogen naar haar te kijken. 'Dag Claire, kindje,' zei ze. En hoewel haar stem nog een beetje onduidelijk klonk, kon niet alleen Claire haar goed verstaan, maar ook Nigel, die in de deuropening was opgedoken.

'Moeder,' zei hij, en zijn ogen straalden.

Haar ogen draaiden zijn kant op. 'Nigel,' zei ze duidelijk verstaanbaar. 'Weer ondeugend?' vroeg ze.

Nigel bloosde, maar niet van woede. Hij zette een stoel aan de andere kant van het bed en pakte de goede hand van zijn moeder. Mevrouw Venables gaf met haar zwakke linkerhand een goed voelbaar kneepje in die van Claire.

'Het gaat stukken beter met haar,' zei Claire over het bed heen. Toen keek ze naar mevrouw Venables. 'Ja toch?' vroeg ze. De oude dame gaf nog een kneepje in haar hand en leek te knikken.

'We hebben fysiotherapie en logopedie voor je geregeld,' zei Nigel. 'Zodra je sterk genoeg bent.' Mevrouw Venables knikte weer. Nigel sloeg zijn ogen neer, en Claire zag een traan in zijn ene ooghoek hangen.

'Ik zal jullie alleen laten,' zei Claire. 'Binnenkort kunt u weer breien, en misschien kunt u makronen voor me bakken.' Ze wist zeker dat ze ook de verslapte linkermondhoek van mevrouw Venables iets omhoog zag gaan.

Tot haar verbazing kwam ze Leonora Atkins en de gravin in de gang tegen. Ze leken allebei heel onzeker tot ze Claire in het oog kregen. 'Hoe gaat het met haar?' vroeg de gravin. 'Leonora had van de makelaar aan de overkant gehoord dat mevrouw Venables ziek was, en toen heb ik mijn dochter gebeld...'

'Wat heeft ze?' vroeg Leonora. 'Ik heb gebeld, maar er werd niet opgenomen, en de winkel was dicht.' Ze keek naar Claires afgetobde gezicht. 'Het ziet er niet goed uit, en jij ook niet,' zei ze. 'Iedereen wil weten hoe het met haar is.'

Claire vond hun bezorgdheid ontroerend. Blijkbaar was ze niet de enige die besefte hoe bijzonder mevrouw Venables was. 'Ze heeft een beroerte gehad,' vertelde ze, en ze gaf zo goed mogelijk een korte uitleg.

'En jij staat op het punt naar Frankrijk te gaan, hè?' vroeg Leonora.

Claire schudde haar hoofd. 'Dat kan nu niet,' zei ze.

'Natuurlijk niet,' zei de gravin instemmend, en ze gaf een klopje op haar hand. 'Ik heb heel zachte cake meegebracht, en ik zou soep kunnen brengen, voor haar of voor jou. Er gaat niets boven runderbouillon om het bloed te versterken.'

'Ik geloof dat het bloed juist verdund moet worden na een beroerte, maar goed,' zei Leonora. 'Claire, je ziet er vreselijk uit. Kom een kop thee met ons drinken. We willen haar vandaag niet storen. Ik zag dat haar zoon er was.'

Claire knikte en ging mee naar de kleine koffiekamer, waar een automaat met smerige thee en pakjes nog smeriger koekjes stond. Ze praatten zo opgewekt mogelijk. Toen ze weggingen, stopte de gravin Claire de cake toe. 'Ik zal een paar andere breisters bellen,' beloofde ze, maar Claire betwijfelde of mevrouw Venables hen zou kunnen ontvangen. Claire pakte haar spullen en liep naar de lift, waar ze door Nigel werd ingehaald. 'Ga je echt terug naar Amerika?' vroeg hij.

Claire knikte. 'Waarschijnlijk. Ik weet geen andere oplossing.'

'Mijn moeder zou het verschrikkelijk vinden als je wegging, zeker nu.' De lift kwam en de deuren schoven open. 'Mag ik je vergezellen?' vroeg Nigel.

Claire knikte weer. Hij gedroeg zich vreemd vormelijk, en pas nu bedacht Claire dat wat zij altijd voor arrogantie had aangezien, verlegenheid zou kunnen zijn. Daar had ze zelf genoeg ervaring mee. Toen ze uit de lift stapten, keek Nigel om zich heen. Hij loodste haar naar de ongemakkelijke banken in de wachtruimte. 'Mag ik iets zeggen?' vroeg hij, en Claire knikte. Wat nu weer? dacht ze. Gaat hij me ervan beschuldigen dat ik het horloge van zijn moeder heb gestolen, of in haar portemonnee heb gegraaid?

Maar Nigel ging zwijgend tegenover haar zitten en boog zijn hoofd. Hij zei iets, maar niet op zijn gebruikelijke snijdende toon. Hij mompelde en Claire moest hem vragen wat hij zei.

Hij keek naar haar op. Zijn ogen waren net zo blauw als die van zijn moeder. 'Ik zei dat ik je misschien onterecht verwijten heb gemaakt. Ik moet de toestand van mijn moeder wel aan overwerktheid toeschrijven, maar ik geloof niet dat je het kwaad bedoelde. Ze is erg op je gesteld en... en jij ook op haar, denk ik. Ik ben je heel dankbaar dat je zo goed voor haar hebt gezorgd.' Hij wendde zijn blik af. 'Ik heb het heel druk, ook met mijn financiën, en mogelijk heb ik daardoor, in combinatie met mijn bezorgdheid, iets te fel gereageerd.' Hij keek haar weer aan. 'Ik doe mijn best voor haar, maar dat verandert niets aan het feit dat ze dol op je is. Moet je echt weg? Ik bedoel net nu, nu ze zo ziek is?'

Hij gaf zich bloot, en Claire kreeg een beter beeld van hem. Misschien had ze hem ook niet rechtvaardig beoordeeld. Hij had zijn moeder alleen te veel in bescherming willen nemen. Ze mocht hem niet, maar ze moest toegeven dat hij haar ontroerde. Desondanks geloofde ze geen moment dat hij haar aardig vond. Hij had haar gewoon nodig.

'Ik blijf de komende weken nog hier, en ik zal zo vaak mogelijk naar je moeder gaan. Niet omdat jij het vraagt, maar omdat ik zo dol op haar ben.' Zonder een antwoord af te wachten stond Claire op en liep het ziekenhuis uit.

Toen Claire thuiskwam, was ze afgepeigerd door alle gebeurtenissen van de dag. Toen ze op de rand van het bed ging zitten om haar schoenen uit te trekken, zag ze twee enveloppen tegen de voet van de lamp op het nachtkastje staan. Tot haar opluchting was de ene brief van Abigail, maar de andere, van Tina, was verontrustend. Ze besloot het ergste voor het laatst te bewaren.

Dank je voor je bezorgdheid. Brady maakt het goed, al baalt hij van de kraag om zijn nek. De heupoperatie lijkt geslaagd te zijn, maar hij mag zijn hechtingen er niet uit bijten, vandaar die kraag. Ik vind het heel zielig voor hem, maar ik ben blij dat het weer goed komt. Het regent hier verbluffend vaak. Alle regen hoort toch in Londen te vallen? Ik kijk elke dag in de Herald Tribune, *en zo te zien hebben jullie beter weer dan wij. Geniet ervan zolang het duurt. We hebben hier nog geen lentedag gehad.*

Ik heb het druk, want op 15 april sluit ons fiscaal jaar, al vinden de meeste ondernemingen dat ouderwets. Maar goed, de bonussen worden straks uitgedeeld en ik vrees dat de verrassing niet voor iedereen aangenaam zal zijn. De envelop van de jonge Wainwright is heel plat, maar ik hoop dat hij slim genoeg is om dankbaar te zijn dat hij nog een baan heeft. De zaak van de riskante beleggingsadviezen is overgewaaid, maar het heeft flink gestormd bij meneer Crayden en de raad van bestuur en er zijn veel zoete broodjes gebakken.

Claire las de rest snel. De Kanjer leek toch een paar onvolkomenheden te hebben. Ze voelde medelijden, al was zijn schamele bonus waarschijnlijk meer dan zij ooit had verdiend. Toch zou het voor zo'n zondagskind moeilijk zijn kritiek op zijn reputatie en prestaties te moeten incasseren.

Pas aan het eind van de brief las Claire weer met aandacht.

Trouwens, de gelouterde heer Wainwright heeft naar je gevraagd. Hij had gehoord dat ik je adres had en wilde weten waar je woont. Ik heb gezegd dat hij mij een envelop kon geven, en toen is hij afgedropen. Ik wilde je maar even laten weten dat ik niet de enige ben die aan je denkt.

Dat werd nog eens bewezen door de brief van Tina die voor Claires neus lag. Ze zette Michael Wainwright uit haar hoofd. Het deed er niet toe dat hij naar haar had gevraagd. Het had haar bijna twee maanden gekost om over hem heen te komen. Niet slecht, want ze was meer dan een jaar bezeten van hem geweest. Gelukkig had Abigail hem haar adres niet gegeven, want als ze dan geen brief van hem had gekregen, was ze teleurgesteld geweest, en wat had het voor nut? Ze hadden elkaar niets meer te zeggen.

Tina daarentegen leek van alles te vertellen te hebben.

Je had gelijk wat Michael Wainwright betreft. Het is een grote klootzak. Hij heeft zijn verloving verbroken en hij heeft het hier zo vreselijk verprutst dat ik maar tweehonderdvijftig dollar bonus heb gekregen. Marie 2 en ik kunnen het allebei wel schudden. Mike en Junior hebben zich in de nesten gewerkt en de firma is woest, maar waarom moet ik daaronder lijden? Anthony zegt dat ik moet zeggen dat ze kunnen barsten en mijn ontslag nemen, maar ik wil niet bij mijn moeder werken, al heb ik mijn kappersdiploma. Ik hoop dat het goed met je gaat. Abigail zegt dat je in een appartement in een dure buurt woont. Misschien kunnen Tony en ik je komen opzoeken tijdens onze huwelijksreis! Trouwens, heb je gehoord dat het uit is tussen je moeder en die leegloper van een Jerry? Hij deed het met Jessica O'Connell, je weet wel, die twee klassen hoger zat dan wij. Kun je het je voorstellen?

De rest van de brief was kort en saai, maar Claire had al genoeg onthullingen gelezen om de brief weg te leggen en iets sterkers te willen dan een kopje thee. Waren Michael Wainwright en Katherine Rensselaer ook uit elkaar? Op de een of andere manier leek het door al die verbroken relaties alsof haar wereld in New York drastisch was veranderd.

Maar dat was niet echt zo, bedacht Claire. Het had niets met haar te maken. Stellen kwamen en gingen, maar zij zou in haar eentje doorgaan, desnoods in New York.

62

Hoe onzeker Claires situatie ook was, ze had het drukker dan ooit. Als ze niet in het ziekenhuis was, hielp ze Maudie bij mevrouw Patel, die hoogzwanger was en niet goed meer kon bukken en zelfs niet lang meer kon staan. Claire pakte de kartonnen dozen uit die elke dag werden bezorgd, vrachtwagens vol, leek het wel, en vulde de vakken bij. Het was duidelijk dat de zaken steeds beter gingen, maar mevrouw Patel bood niet aan Claire meer te betalen en dat verwachtte ze ook niet. Ze verdiende alleen niets in de wolwinkel, waardoor haar reserve snel slonk. Jammer genoeg had ze geen geld teruggekregen van het reisje naar Nice. Het werd elke dag duidelijker dat het een dwaas plan was geweest in Londen te blijven, en dat het nog maar een kwestie van tijd was voordat ze naar New York terug zou moeten gaan.

Op de elfde dag van mevrouw Venables' ziekenhuisverblijf ging Claire iets eerder naar huis omdat ze bekaf was. Ze liep naar haar kamer zonder de verhuisdozen en de chaos in het appartement op te merken en kroop in bed. Pas de volgende ochtend drong het tot haar door wat de wanorde te betekenen had: Imogen was aan het pakken! Claire had haar tranen een week bedwongen, maar nu huilde ze luid en met veel gesnotter.

Nadat ze een bad had genomen, zich had aangekleed en met moeite wat thee en toast naar binnen had gewerkt, voelde ze zich beter. Toen zag ze de envelop op tafel liggen, naast twee dozen, half onder een krant en vloeipapier. Ze voelde ergernis opkomen. Kon Im haar post niet op haar kamer leggen? Was dat te veel gevraagd? Ja, nam ze aan. Hopelijk zou ze ooit zelfstandige woonruimte krijgen.

Ze zag dat de brief van Abigail kwam. Het handschrift was haar nu al vertrouwd.

Het weer is eindelijk opgeknapt en de bloemen in mijn bakken tieren welig. Waarom heeft niet iedereen hier bloembakken? In Londen heeft iedereen ze, en het moet er magnifiek uitzien. Een teken van beschaving.

Ik moet je vertellen dat Michael Wainwright, die een paar zware maanden heeft gehad, pertinent je adres wilde hebben. Ik heb hem afgesnauwd, maar uiteindelijk heb ik het hem gegeven, zij het met tegenzin. Ik denk dat hij vol zelfbeklag zit, maar als ik jou was zou ik niets met hem te maken willen hebben tot hij heeft geleerd met anderen mee te leven. Ik vrees dat dat in zijn geval nog een paar decennia zou kunnen duren, maar ik ben een pessimist. Brady blijft opknappen. Hij dartelt als een puppy door het park. De operatie is echt wonderbaarlijk goed uitgevallen. Was hij maar weer een puppy... Hij is al twaalf, dus... Tja, het probleem is dat alles wat je liefhebt, ten slotte sterft of bij je weggaat. We kunnen maar beter boeddhist worden, denk je ook niet?

Claire kon zich niet voorstellen dat Michael ooit aan haar dacht. Zou Abigail overdrijven? Misschien wilde hij zijn blikje terug. Ze pakte het op en liet haar vingers over het gladde email glijden. *Remember me.* Ze zette het blikje terug en besloot de raad niet op te volgen.

Ze haalde snel een borstel door haar haar. Ze zou bij mevrouw Venables in het ziekenhuis gaan kijken en dan de rommel hier zo goed mogelijk opruimen.

Ze maakte de bovenste la van haar bureau open en pakte de envelop met biljetten van vijf pond die ze daar had opgeborgen. Ze telde ze zorgvuldig na, en toen nog eens. Ze had haar moeder beter niet kunnen terugbetalen, want nu was ze bijna blut. Als een enkele reis New York tweehonderd pond kostte, had ze nog maar... Claire huiverde. De harde werkelijkheid drong zich op. Ze moest terug naar Tottenville en zien daar een leven op te bouwen, zo mogelijk. Haar moeder zou haar met open armen ontvangen nu Jerry weg was, maar alleen omdat ze eenzaam was en geld nodig had. Claire was niet naïef genoeg om iets anders te geloven, en als er door een wonder een nieuwe man in het leven van haar moeder opdook, zou Claire blij mogen zijn als ze haar kamer mocht houden. Misschien kon ze voor een eigen appartement sparen.

Claire zette de gedachten aan haar toekomst van zich af en ging naar het ziekenhuis. Naarmate ze dichter bij de ingang kwam, ging ze sneller lopen. Ging het nog wel goed met mevrouw Venables? Ze stapte uit de lift en rende door de gang.

Toen ze de hoek naar de afdeling neurologie omkwam, botste ze tegen iemand op. Ze liet haar tas vallen, de ander bukte zich om hem op te rapen en pas toen hij zijn rug rechtte, zag Claire tot haar verbazing dat het Nigel was, die al net zo verbaasd keek.

'Je moeder...'

'Claire!'

Ze klapten allebei hun mond weer dicht. Claire wreef over haar pijnlijke schouder en zag met een stiekeme voldoening dat de rode plek op zijn wang een bult begon te worden. Nigel gaf haar haar tas terug. 'Ik ben blij je te zien,' zei hij, en vervolgens pakte hij tot haar verbijstering haar hand. 'Sinds je gisteren bent weggegaan, praat moeder onophoudelijk over je.'

'Praat je moeder?' vroeg Claire.

'Ze is niet te stuiten. De verpleegsters staan paf. Zelfs de neuroloog zegt dat hij nog nooit zo'n snelle vooruitgang heeft gezien, althans niet bij een vrouw van haar leeftijd. En gisteravond vroeg ze om breipennen. Is het niet ongelooflijk?'

Claire knikte. Als zij niemand anders had om mee te praten dan Nigel, zou ze ook willen breien. Maar het nieuws was te fijn voor zulke kleingeestigheden. 'Is ze wakker?' vroeg ze.

'Ze is net naar fysiotherapie gebracht. Ik wilde even een kop koffie gaan drinken. Ga je mee?'

Eigenlijk had Claire er helemaal geen zin in, maar Nigel maakte een verzoenend gebaar en ze vond dat ze het moest aannemen.

Nigel haalde een kop koffie voor haar en een schaal met koekjes die zo hard waren dat ze er hun initialen mee in het groezelige raam hadden kunnen krassen. Zodra Nigel tegenover haar aan het hoektafeltje ging zitten, viel er een onbehaaglijke stilte. Het enige wat ze tot nog toe gemeen hadden, was mevrouw Venables, tenslotte.

De stilte werd meer dan onbehaaglijk. 'Wil je suiker in je koffie? Neem me niet kwalijk dat ik het niet meteen heb gevraagd. Zal ik wat voor je halen?'

Nigels overdreven beleefdheid herinnerde Claire aan haar theorie dat hij verlegen was. Aangezien ze dat zelf ook was, vond ze het hoogst irritant.

'Moeder kan na haar ontslag uit het ziekenhuis niet terug naar huis,' verkondigde Nigel.

'O, heb je een koper gevonden?' vroeg Claire met een onoprechte glimlach, maar toen ze Nigels gezicht zag betrekken, voelde ze zich schuldig. Eigenlijk was hij niet zo slecht. Waarschijnlijk was hij zelfs een goede zoon voor zijn moeder. Ze vroeg zich af waarom hij niet getrouwd was; misschien was hij ook homoseksueel. Ze kon het hier niet aan de mannen zien, helaas.

'Nee, toevallig niet. Bovendien kan ik het pand niet zonder moeders toestemming verkopen. Ik denk dat ze naar een verzorgingshuis moet, en misschien eerst naar een revalidatiecentrum.'

'Ik kan me niet voorstellen dat je moeder zich door anderen de wet zou laten voorschrijven, laat staan dat ze zou verhuizen. Ze is dol op haar huis,' sprong Claire voor mevrouw Venables in de bres.

'Ze zal zich erbij neer moeten leggen. Ze heeft geen keus.' Nigel nam een slokje koffie.

In het grijzige licht dat door het groezelige raam viel zag hij er aristocratisch uit en, zoals Claire al eerder was opgevallen, zelfs knap. Zijn nobele voorhoofd en lichte haar benadrukten zijn ogen, die net zo blauw waren als die van zijn moeder, en ondanks zijn smalle lippen had hij een aantrekkelijke glimlach, áls hij een keer glimlachte.

Hij deed er nu een poging toe. 'Ze went er wel aan, op den duur.' Claire bleef hem uitdrukkingsloos aankijken, en hij gaf het op. 'Hoor eens, ik verwacht niet dat je me aardig vindt, of nu ja, misschien wel, maar dat is mijn verwaandheid. Ik weet dat ik me beestachtig heb gedragen en ik schaam me diep. Mag ik je mijn welgemeende excuses aanbieden?' Hij keek haar aan en zijn bleke wangen werden rood, misschien echt van schaamte. Zijn ogen staken extra blauw af bij zijn blos. God, dacht Claire, als ik Nigel sexy ga vinden, moet ik wel echt wanhopig zijn.

Ze gaf een klopje op zijn hand. 'Excuses aanvaard,' zei ze. 'Zit er maar niet over in. Je wilde je moeder in bescherming nemen.'

'Nee, ik ben stom geweest. Ik weet nog steeds niet veel van je, maar je bent geweldig geweest.'

Claire was meer dan verbaasd door Nigels bekentenis; ze stond perplex. Ik mag dan geen gelukkig leven hebben, dacht ze, maar het is tenminste opwindend. Het was nog nooit zo opwindend geweest. O, wat zou ze het erg vinden dit alles te moeten opgeven voor een baantje in Manhattan.

'Ik wil je bedanken voor alles wat je voor mijn moeder hebt gedaan,' vervolgde Nigel. 'Ze raakt niet over je uitgepraat. En ze wil zelfs terug naar de winkel. Ik weet niet of het kan, maar goed, is er iets... Kan ik iets voor je doen?'

Claire keek naar de schaal op tafel en knikte. 'Je kunt eetbare koekjes voor me zoeken,' zei ze.

'Kind!' zei mevrouw Venables vanuit een bed dat werd omringd door zo veel kaarten en bloemstukken dat ze op een pop in een etalage in Knightsbridge leek. Ze articuleerde nog steeds niet goed, maar iedereen zou haar inmiddels kunnen verstaan, niet alleen Claire. Het was een verbazingwekkende vooruitgang. Claire liep naar het bed en nam mevrouw Venables' slappe hand in haar beide handen. 'Wat ziet u er goed uit,' zei ze. 'Iemand heeft uw haar gedaan.'

Mevrouw Venables knikte. 'Ik heb het zelf geprobeerd, maar het lukte niet met de spelden... nog niet. Daarom heeft Nigel me geholpen.' Claire zag iets bij haar mondhoek trillen, maar het leek haar eerder een onderdrukte giechel dan een zenuwtrekking. 'Hij heeft het goed gedaan. En ik heb nieuws. De dokter zegt dat ik snel naar huis mag.'

'Wat fijn,' zeiden Claire en Nigel in koor.

'Ja. Ik heb geboft. Hij zal het met Nigel overleggen. Ik moet thuiszorg hebben, en meer logopedie en fysiotherapie, maar dat kan allemaal thuis. En Nigel kan dat malle idee dat ik niet meer thuis kan wonen wel uit zijn hoofd zetten.'

'Fantastisch. Echt fantastisch. Wilt u nu niet liever rusten?' vroeg Claire.

'Ja,' gaf mevrouw Venables toe, 'maar zou je een kijkje in de winkel willen nemen? Misschien is er post.' Ze deed haar ogen dicht. Claire keek hoe haar gezicht verslapte van uitputting en voelde haar eigen moeheid.

'Zal ik je thuisbrengen?' bood Nigel aan. 'Je woont hier toch ergens in de buurt?'

Claire liet zich door hem bij de arm nemen en hij leidde haar naar de lift en de taxistandplaats. Hij hielp haar in de taxi en ze deed haar ogen dicht. Ze moest zelfs in slaap gevallen zijn, want toen ze haar ogen opendeed, reed de taxi door Brompton Road. 'Het is de tweede zijstraat links,' zei ze een beetje gegeneerd. Nigel keek discreet de andere kant op.

'Oké,' zei hij, en hij klopte op het schot tussen hen en de chauffeur om het door te geven. Even later stopten ze voor Imogens huis.

'Dank je wel voor de rit,' zei Claire.

'Ik ga vanavond weer naar mijn moeder. Zal ik je oppikken?' bood hij aan.

Claire schudde haar hoofd. 'Ik moet nog een paar dingen doen en dan ga ik vanmiddag weer naar het ziekenhuis.'

'Dan zie ik je daar misschien.'

Claire knikte en stapte uit. Ze wuifde de taxi uit en draaide zich om, en pas toen zag ze dat er een man bij de voordeur stond, met zijn brede rug naar haar toe. Ze dacht even dat het Malcolm was, maar deze man was een stuk langer. Toen draaide hij zich om. Tot haar onuitsprekelijke verbazing was het Michael Wainwright.

63

Claire bleef als aan de grond genageld staan. Zag ze het wel goed? Toen liep Michael op haar af en wist ze zeker dat ze zich niet vergiste. Hoe had hij haar gevonden? En wat kwam hij in vredesnaam doen? Probeer gewoon te doen, dacht ze, al was het een bespottelijk idee.

'Hallo, Claire,' zei hij toen hij bij haar was, en hij pakte haar hand. Ze was vergeten hoe knap hij was.

'Dag Michael,' antwoordde ze. 'Wat kom je doen? Heb je fotokopieën nodig?' Ze kon haar tong wel afbijten, maar ze had het nu gezegd. Ze zag hem in elkaar krimpen.

'Die zit,' zei hij.

Claire haalde diep adem. 'Wil je binnenkomen?' vroeg ze.

Hij keek om zich heen. 'Misschien kunnen we ergens iets gaan drinken?' stelde hij voor.

Claire knikte. 'Er is een café om de hoek,' zei ze. Het was een pretentieus grand café en hoewel het tegenover de wolwinkel zat, was Claire er nog nooit binnen geweest. Ze liep een stukje voor hem uit, zodat ze zijn gezicht niet hoefde te zien en hij het hare niet kon zien. Wat wilde hij van haar? Ze probeerde haar gedachten te ordenen, maar het lukte niet. Na al haar dagdromen en ingebeelde gesprekken was hij er nu echt, knapper dan ooit, en nu stond ze met haar mond vol tanden.

Michael hield de deur van het café voor haar open en ze liepen naar binnen. Het was nog vroeg en er zat alleen een man van middelbare leeftijd aan een tafel bij het raam. Michael en zij liepen zonder een woord naar het eind van de zaal en gingen zitten. Hij nam haar op. 'Je hebt geen idee hoe moeilijk het was om je te vinden,' zei hij.

'Waarom zocht je me?'

'Tja.' Hij haalde diep adem. 'Je zult me wel niet geloven, en je zult wel boos op me zijn, en daar heb je het volste recht toe, maar sinds je het hotel uit bent gelopen, denk ik steeds aan je.'

Claire schoot in de lach. Ze had zich vaak gesprekken met Michael voorgesteld, maar dit was nooit in haar opgekomen. Nooit. 'Moet ik nu ook in de kerstman geloven?' zei ze.

Er kwam een ober naar hun tafel en Michael bestelde zonder haar iets te vragen twee glazen chablis.

'Ik hou niet van chablis,' zei Claire voordat de ober weg kon lopen. 'Mag ik een beaujolais?' Ze was er heel trots op dat haar stem vast klonk. Wat verbeeldde Michael zich? Pas op, Claire, riep ze zichzelf scherp tot de orde, want ondanks haar assertiviteit voelde ze de oude aantrekkingskracht weer.

Toen de ober weg was, keek Michael haar weer aan. Hij leek tenminste het fatsoen te hebben om te doen alsof hij zich schaamde, maar ze herinnerde zich hoe hij zich had gedragen toen hij haar over zijn 'zakendiner' vertelde, en bij de herinnering aan die vernedering huiverde ze onwillekeurig. 'Heb je het koud?' vroeg hij.

En toen herinnerde ze zich ook weer hoe attent hij kon zijn. 'Nee, hoor,' zei ze. 'Het gaat prima,' en ze had het niet alleen over haar lichaamstemperatuur. Het probleem was dat ze zich twee weken geleden echt prima had gevoeld, maar dat het nu, gezien alle problemen van de afgelopen tijd en haar onzekere toekomst, niet echt waar meer was.

'Claire, ik weet dat ik de kans op dit gesprek niet eens verdien,' zei hij, 'maar ik hoop dat je me wilt aanhoren.'

De ober kwam de wijn brengen en ze maakte een vrijblijvend gebaar. Haar hart klopte iets minder snel en ze nam een teug wijn om kalm te blijven.

'Goed,' zei hij. 'Om te beginnen weet ik dat ik me heb misdragen.' Hij zweeg. Ze reageerde niet. 'Je hebt me met Katherine gezien, hè?' Ze knikte. 'Het spijt me,' zei hij. 'Dat was echt stom en verkeerd van me.' Ze haalde haar schouders op.

'Misschien wel,' zei ze, 'maar je kon doen en laten wat je wilde. We hadden geen afspraken gemaakt. Je hebt geen belofte gebroken.' Ze hoorde zelf hoe truttig en boos het klonk, maar ze kon er niets aan doen. Ze wás truttig, en ze wás boos.

'Hé,' zei hij. 'Ik verwacht niet dat je naar me luistert, maar ik vraag het je toch. Als je zegt dat ik weg moet gaan, ga ik meteen, maar ik zou willen dat je me drie minuten liet uitpraten.' Hij deed zijn horloge af en legde het op tafel. 'Drie minuten maar,' herhaalde hij. 'Is dat goed?'

Claire knikte zwijgend. Wat kon ze zeggen? Ze was veel te nieuwsgierig om hem weg te sturen, al had ze zich vaak genoeg voorgesteld dat ze zelf rechtsomkeert zou maken als ze hem tegenkwam.

'Ik zal je vertellen wat er is gebeurd,' zei hij. Even was ze bang dat hij een verhandeling over Crayden Smithers zou beginnen, maar dat deed hij goddank niet. 'Toen ik je vroeg of je met me meeging naar Londen, wist ik me geen raad. Ik had een paar vrouwen op sleeptouw en de relatie met Katherine begon serieus te worden. In mijn radeloosheid heb ik jullie allebei heel slecht behandeld.' Hij wendde zijn blik af. Claire wees zichzelf erop dat hij bij Crayden Smithers verkooppraatjes moest houden, en dat hij dat nu ook deed. Meer is het niet, zei ze tegen zichzelf.

'Maar toen raakte ik jullie allebei kwijt.' Michael stak zijn hand op. 'En zeg nu niet dat ik je nooit heb gehad, dat weet ik ook wel. Ik dacht alleen aan mezelf. Dat wordt in Wall Street aangemoedigd. En je weet dat ik een paar goede jaren had gehad.' Ze knikte. 'Maar goed, ik heb een paar fouten gemaakt bij Crayden Smithers en daarna is het niet veel beter geworden. Daar zit ik niet mee. Waar ik wel mee zit, is dat ik tijd had om na te denken, en wat ik dacht, stond me niet aan. Ik ben voor de relatie met Katherine teruggedeinsd omdat ze eigenlijk niet veel voor me betekende. Oppervlakkig klopte het wel: de bul van Harvard, haar baan, haar uiterlijk en, nou ja, je weet wel, haar milieu.'

Claire probeerde niet in elkaar te krimpen. Dit was misschien wel het moeilijkste gesprek dat ze ooit had gevoerd, en dat zonder dat ze zelf een woord zei. Er kwam van alles in haar op, maar ze slikte haar woorden in.

'Maar in wezen mocht ik haar niet, en ik kon niet met haar lachen.' Hij reikte naar haar hand. 'Met jou wel, Claire.'

Ze trok haar hand weg voor hij haar kon aanraken. Ja, dacht ze, en ik ben de koningin van Bulgarije. Ze pakte haar tas met haar ene hand en tilde met de andere zijn horloge op. 'Je tijd is om,' zei ze.

'Geef me nog een minuut,' zei Michael, en hij reikte naar zijn horloge. Zijn hand streek langs de hare toen hij het van haar overnam.

'Waarom vertel je me dit allemaal?' vroeg ze.

'Omdat ik je niet kan vergeten,' zei hij. 'Ik ken niemand die zomaar zijn oude leven achter zich heeft gelaten en opnieuw is begonnen. Dat was heel moedig van je.'

'Of heel stom,' zei Claire.

'Dat denk ik niet,' zei hij. 'En al pakt het niet ideaal uit, je hebt tenminste iets totaal onverwachts gedaan. Dat heb ik nog nooit gepresteerd. Ik heb op kostschool gezeten, aan de juiste sporten gedaan en een goede universiteit bezocht. Ik ging met de juiste meisjes uit en kreeg een baan bij de juiste firma. Ik woon in de juiste buurt, ga naar de juiste restaurants en zou me moeten verloven met het juiste meisje en in het juiste huis in Connecticut moeten gaan wonen. Dan krijg ik kinderen die dat ook weer allemaal gaan doen.'

'Klinkt goed,' vond Claire.

Hij keek naar haar op en ze zag tranen in zijn ogen. 'Ik weet dat ik niet mag zeuren,' zei hij, 'en zeker niet tegen jou, nadat ik me zo slecht heb gedragen, maar... Nou ja, het vrijen met jou was anders. Ik voelde het toen al, maar ik heb het verdrongen. Jouw gezelschap is anders. Je bent zo... aanwezig. Begrijp je wat ik bedoel?'

Ze schudde haar hoofd. Als hij loog, deed hij het verdomd goed.

Hij keek haar diep in de ogen tot ze haar blik afwendde. 'Ik mag het je niet vragen en ik snap het wel als je nee zegt, maar ik blijf hier een week en ik zou je heel graag nog eens willen zien. Gewoon, om te praten.'

Ze schudde haar hoofd, maar hij strekte zijn hand weer uit. 'Denk er eens over na,' zei hij. Hij gaf haar zijn kaartje, waar hij een telefoonnummer in Londen op had geschreven. 'Ik zit in het Berkeley.' Hij was zo fatsoenlijk erbij te blozen. 'Wil je erover nadenken?' smeekte hij. 'Alsjeblieft?'

Ze knikte tegen beter weten in. De ober kwam langs. 'Wilt u nog iets drinken?' vroeg hij. Claire schudde haar hoofd.

'Ik moet weg,' zei ze, en ze stond met moeite op, keerde Michael de rug toe en liep naar buiten.

De zon en het verkeer overvielen haar. Het voelde alsof ze uren in het café had gezeten en het al donker had moeten zijn. Het was alsof ze op klaarlichte dag uit de bioscoop kwam en ze voelde zich gedesoriënteerd.

Ze liep langs het makelaarskantoor, bleef op de hoek staan en keek bewust naar rechts en naar links voordat ze overstak. Ze was zo van slag dat ze niet eens wist of ze alles wel goed zag. Michael had geen slechter moment kunnen kiezen. Ze had geen werk, bijna geen geld, geen dak boven haar hoofd en geen toekomst in Londen of New York. Had mevrouw Venables die beroerte maar niet gekregen, dacht ze.

Toen keek ze op en zag dat de wolwinkel vol papiertjes was geplakt. Ze liep erheen en zag dat het allemaal briefjes waren. *'Ik kwam voor de les, maar er was niemand.' 'Neemt u nog nieuwe cursisten aan?' 'Zijn de lestijden gewijzigd?' 'Kan iemand me helpen afhechten?'*

Claire maakte de briefjes een voor een los en vouwde ze op. Het was ongelooflijk. Mevrouw Venables en zij waren gemist, en er zaten zelfs boze briefjes bij. Ze waren onmisbaar! En dit waren alleen nog maar de briefjes van mensen die de fut hadden gehad er een op te hangen. Misschien waren er meer mensen langsgekomen om inkopen te doen, te kletsen of te breien. Ze pakte met bevende hand de sleutel. Toen ze de deur opendeed, zag ze tot haar verbijstering dat er nog veel meer briefjes onder de drempel door waren geschoven. Ze raapte ze op, trok de deur achter zich dicht en deed het licht aan. Toen dacht ze diep na en hing een groot bord in de etalage: MORGEN WEER GEWOON LES.

Ze zag niet dat Michael Wainwright vanuit het café aan de overkant naar haar keek.

64

De volgende ochtend ging Claire vroeg naar de winkel. Ze had niet met mevrouw Venables en Nigel overlegd en geen toestemming gevraagd. Ze vond gewoon dat ze hun trouwe volgelingen niet mocht teleurstellen. Ze zou degenen die nog niet op de hoogte waren vertellen dat mevrouw Venables ziek was en iedereen zo goed mogelijk helpen. Want ze kon helpen, in elk geval tot ze wegging. Wanneer dat precies zou zijn, wist ze niet, want hoewel Imogen al wel een huwelijksdatum had geprikt, had ze nog steeds niet verteld (of besloten, vermoedelijk) wanneer ze ging verhuizen. Claire kon dus nog een afscheidsles geven.

Nigel had haar gebeld om te zeggen dat zijn moeder maandag uit het ziekenhuis ontslagen zou worden. Ze zou de eerste tijd hulp nodig hebben, maar de artsen verwachtten dat ze zich uiteindelijk weer alleen zou kunnen redden. Het was een opluchting voor Claire. De arts had haar verzekerd dat de lessen niet de oorzaak van de beroerte waren, maar ze had zich toch schuldig gevoeld.

Claire had de winkel vroeg geopend, maar zo'n toeloop had ze niet verwacht. De eerste stroom vrouwen was er al voor negen uur. Ze hielp een paar vrouwen steken meerderen, zette een mouw in voor mevrouw Willis, leerde Charlotte en haar vriendinnen minderen en hielp Julie Watts met de hielen in twee paar sokken. Tegen elf uur was ze uitgeput, en toen kwam de tweede lading. Claire bleef steken ophalen, patronen ontcijferen en adviezen geven tot in de middag, toen de derde stroom kwam. Na drieën kwamen er nog mensen bestellingen halen en moest de nieuwe voorraad worden uitgepakt. Ze had niet eens tijd om een kop thee te drinken, laat staan om aan Michael te denken.

Claire moest niet alleen breiproblemen oplossen en praktische vragen beantwoorden, maar ook haar verontschuldigingen aanbieden voor de vervallen lessen, uitleggen wat er met mevrouw Venables was, blijken van medeleven in ontvangst nemen en aankondigen dat de winkel zou sluiten.

Er werd verschillend op gereageerd. Sommige vrouwen vonden het jammer en lieten dat duidelijk blijken, andere namen het laconiek op. Tot haar verbazing waren er echter ook vrouwen die woedend werden. 'Bespottelijk,' snauwde mevrouw Lyons-Hatchington. 'Waar moet ik dan breien? Dit is een uitstekende locatie. Mevrouw Venables heeft geen enkele reden om de winkel te sluiten. Jij kunt de winkel toch draaiend houden?' En haar vriendin, mevrouw Cruikshank, liet geen steek, maar haar hele trui vallen toen ze het hoorde. 'Ongelooflijk,' zei ze. 'Het breien geeft me zoveel voldoening. Ik sta het niet toe.'

Claire glimlachte. Sommige vrouwen konden heel bazig zijn, en door hun status waren ze gewend hun zin te krijgen, maar Claire kon met hun reacties omgaan. Ze vond het niet alleen fijn dat ze kennelijk werd gewaardeerd, maar genoot er stiekem ook van dat ze nee tegen die vrouwen kon zeggen. Nee, mevrouw Venables zette de zaak niet voort en nee, zij ook niet. Nee, de winkel bleef niet open. Nee, ze ging de lessen niet elders voortzetten (alsof ze in drommen naar Camden zouden komen om thee te drinken in de achterkamer van mevrouw Patel!). Claire glimlachte, gaf hulp en raad, zei dat ze het ook jammer vond, pakte aankopen in en sloot de winkel aan het eind van de middag.

Net toen ze de sleutels in haar tas stopte, kwam Leonora Atkins aangerend. Ze was niet op de les verschenen, en Claire nam aan dat ze hulp of wol nodig had. 'Het spijt me, ik heb net afgesloten,' zei ze, 'maar als je iets nodig hebt, kan ik...'

'Ik moet je spreken,' zei Leonora. 'Zal ik met je meelopen? Je woont hier toch vlakbij?' Claire knikte.

'Ik weet dat we het al over een wolwinkel hebben gehad en dat je geen belangstelling had, maar ik heb mijn licht opgestoken en ik weet hoe je aan startkapitaal kunt komen. Ik dacht dat je je misschien had bedacht, gezien de toestand van mevrouw Venables...'

Claire schudde haar hoofd. Het zou niet eerlijk zijn tegenover mevrouw Venables; ze zou het gevoel hebben dat ze van haar pech profiteerde. En ze had momenteel niet de emotionele kracht voor zo'n onderneming.

Claires gevoelens waren kennelijk van haar gezicht te lezen, want Leonora pakte glimlachend haar hand. 'Je hoeft nu natuurlijk niets te beslissen. Ik weet hoe... betrokken je bij de zaak bent, maar ik zou niet willen dat iemand anders dat gat in de markt inpikte. Dit zou ideaal voor je zijn. En winstgevend.' Claire zei niets terug en Leonora schokschouderde. 'Het was maar een idee,' zei ze. 'Ik zeg het je als vriendin.' Ze waren bij een hoek gekomen. 'Ik moet hier linksaf,' zei ze snel, alsof ze voelde dat haar plan in het water was gevallen.

'Tot ziens,' zei Claire, en ze liep door.

Pas toen had ze tijd om over Michael na te denken, maar niet veel. Ze moest mevrouw Patel spreken. Zonder zich thuis even op te frissen of om te kleden liep ze door naar de ondergrondse, en pas toen ze in de trein zat, kreeg ze de kans om over Michaels verzoek na te denken. Hun ontmoeting van de vorige dag leek al weken geleden. Over een paar dagen ging hij weg. Ze had niets te verliezen, maar ook niets te winnen bij een nieuwe ontmoeting. Een etentje, een nacht in het Berkeley? Zijn geflirt en aandacht zouden heel prettig zijn, maar wat leverde het haar uiteindelijk op? Claire herinnerde zich hoeveel tijd en verdriet het haar had gekost om van zijn wangedrag te herstellen, en de leegte die hij had achtergelaten, een leegte die ze nog steeds voelde. Ze zat niet op nog zo'n klap te wachten, maar ze herinnerde zich ook hoe zijn lichaam naast het hare had gevoeld.

De gedachte aan mevrouw Patel gaf haar rust. Ze ging vandaag niet naar haar toe om te werken, maar omdat ze vermoedde dat mevrouw Patel haar zou begrijpen. Zij had zich tenslotte tegen een man verweerd en haar eigen leven ingericht.

Zodra ze de winkel binnenkwam, zag ze dat haar vermoeden klopte. Mevrouw Patel zag haar gezicht, rekende met haar klant af en sloot de deur achter Claire. 'Wat is er? Is ze overleden? En het ging zo goed.'

'Nee, nee, mevrouw Venables gaat maandagmiddag weer naar huis.'

'Wat is er dan? Ga zitten. Je ziet er niet goed uit.'

'Gaat u liever zitten,' zei Claire met een blik op mevrouw Patels opgezwollen enkels.

'O, ik zit de hele dag al. Maudie heeft alles gedaan. Vertel op.' Claire aarzelde, maar mevrouw Patel liet zich niet afschepen.

'Vooruit met de geit,' drong ze aan.

Claire ging op een doos zitten en sloeg haar handen voor haar gezicht. Ze vertelde mevrouw Patel het hele lange verhaal over Michael en besloot met het gesprek in het café.

'Dat spant de kroon. Dus je bent om hem naar Londen gegaan?' Claire knikte. 'En nadat je hem had laten zitten heb je nooit meer iets van hem gehoord of gezien?' Claire schudde haar hoofd. Ze kon wel huilen, maar ze was over hem heen. Ze wist het zeker. 'En nu is hij terug?' Mevrouw Patel kneep haar ogen tot spleetjes. 'O, wat een slimmerik. Heeft hij er zo lang over gedaan om je goede eigenschappen te ontdekken? Te stom om voor de duvel te dansen, zeker?'

Claire lachte door haar tranen heen. 'U begrijpt het niet. Ik was een nul in New York. Ik was administratief medewerkster op een kantoor. Ik...'

'Jij hebt echt niet door wat voor effect je op anderen hebt,' zei mevrouw Patel. 'Jij bent niet zomaar iemand, hoor.' Claire knipperde verbaasd met haar ogen. Ze had zelf wel het gevoel dat ze zomaar iemand was, maar dan misschien nog saaier. Mevrouw Patel snoof. 'Waarom zou hij je weer hebben opgezocht, denk je? Om dezelfde reden als waarom Lak bij mij terug bleef komen: omdat we zo goed zijn in wat we doen, zo zeker van onze zaak, dat het voor hen onweerstaanbaar en irritant is omdat zij dat niet zijn. Weet je waarom Lak me sloeg? De werkelijke reden?' Claire schudde haar hoofd, vol afgrijzen, maar ook gefascineerd. 'Omdat hij jaloers was. Ja, het klinkt idioot, maar toch is het zo. Ik kon allerlei dingen die hij niet kon. Hij probeerde me aan te praten dat ik stom was.' Mevrouw Patel lachte wrang. 'Eerst geloofde ik hem, maar toen kwam ik erachter dat híj stom was, niet ik. Of misschien niet echt stom, maar traag van begrip. Ik wist veel dingen niet, maar ik kon ze leren. Hoe kon hij iets leren zolang hij niet wilde toegeven dat hij niet alles al wist? Hij was door zijn familie altijd als een vorst behandeld. Toen kwam hij hier in Londen, bij mij, en hij kon zich er moeilijk bij neerleggen dat hij uiteindelijk toch niet zo fantastisch en belangrijk was. Ik was sneller, sterker en dapperder. Die last moeten wij vrouwen torsen.'

Claire dacht weer aan Michael. Er zat een zekere logica in het wereldbeeld van mevrouw Patel. Was Michael er ook niet achter gekomen dat hij niet zo bijzonder was, niet zo'n uitblinker in alles wat hij deed? En had hij niet gezegd dat hij bewondering had voor haar moed of zoiets? Claire schudde verbaasd haar hoofd.

'Spreek me niet tegen,' zei mevrouw Patel, die het gebaar verkeerd begreep. 'Ik ben met een krankzinnige getrouwd geweest. Ik kan het weten.' Ze hief haar hand en zwaaide met haar wijsvinger naar Claire alsof ze Devi een standje gaf. 'Doe nou maar niet alsof je niet weet hoe bijzonder je bent. Dat flatteert je niet.' Ze legde haar handen op haar buik. 'Nou, hoe ga je die malloot aanpakken?'

'Ik weet het niet,' bekende Claire. 'Ik denk dat ik hem beter niet kan bellen, maar de verleiding is groot. Ik wilde het eerst met u bespreken.'

Mevrouw Patel sloeg voldaan haar armen over elkaar. 'Heel verstandig,' zei ze, 'maar waarom zou je hem niet bellen?'

Claire stond versteld. Had mevrouw Patel dan helemaal niet geluisterd? 'Omdat hij me heeft gekwetst,' zei ze. 'En omdat ik hem niet vertrouw.'

'Daar heb je gelijk in. Je hebt geen reden om hem te vertrouwen. Maar vergeet niet dat hij je niet kende, en dat iedereen fouten maakt, vooral mannen. Ik geloof niet dat ik er verkeerd aan heb gedaan Lak nog een kans te geven. Maar zo véél kansen, dat was dom. Hij was natuurlijk de vader van mijn kinderen, dat is anders.' Mevrouw Patel kneep haar ogen weer tot spleetjes. 'Ik denk dat je het er wel op kunt wagen, zeker als je op je hoede blijft. En als hij de waarheid spreekt, kan het je veel voordeel brengen.' Ze ging zitten. 'Ik zal je nog eens iets vertellen. Doe niet alsof hij nooit iets heeft misdaan. Toen Lak me voor het eerst had gesmeekt of hij terug mocht komen, deden we allebei alsof er niets aan de hand was. Die man heeft je pijn gedaan, misschien wel net zo erg als Lak mij. Vertel hem dus wat je van hem denkt. En zeg dat je hem pas weer wilt zien als hij je garanties geeft. Hij moet je blijken van betrouwbaarheid in gedrag en goederen schenken.'

Claire dacht even dat ze in een soek in Pakistan verzeild was geraakt. Blijken van betrouwbaarheid in gedrag en goederen? Ze stelde zich voor dat Michael zwierig een zijden tapijt uitrolde en schoot bijna in de lach. 'Wat bedoelt u?'

'Ik bedoel dat je hem naar zijn intenties moet vragen. Het zou natuurlijk beter zijn als een mannelijk familielid het deed, maar je kunt het ook zelf. Vraag hem of hij van plan is voor je te zorgen en je te beschermen. Zo ja, hoe laat hij dat dan blijken? Je hebt het recht dat te weten voordat je een beslissing neemt.'

Het klonk zo logisch en gedurfd dat Claire grote ogen opzette. 'Moet ik dat gewoon vragen?' zei ze.

'Waarom niet? Dat is de eerste stap. Families arrangeren al duizenden jaren huwelijken, hoor.'

'Maar we hebben het niet over...'

'Natuurlijk wel. Je wilt toch geen affaire? Zonde van je tijd. Je moet zijn bedoelingen achterhalen, en dan moet je uit zijn gedrag opmaken of hij het echt meent. Hij heeft je onrecht aangedaan, en dat moet hij goed maken. Heeft hij je een aanzoek gedaan? Dat is hem geraden.'

'Maar hij kent me nauwelijks,' bracht Claire ertegen in.

'Hij kent je goed genoeg om de hele oceaan voor je over te steken. En waarom zou je iemand moeten kennen? Je denkt twintig jaar lang dat je iemand kent en dan kom je erachter dat hij onbetrouwbaar is. Maar als ze zeggen dat ze betrouwbaar zijn en je garanties in de vorm van gedrag en goederen geven, kun je voorzichtig vertrouwen.'

Het had allemaal een krankzinnige logica die Claire fascinerend vond. 'Wat voor goederen?' vroeg ze.

'Misschien een ring, om mee te beginnen. Of een huis.'

'Bent u gek geworden? Moet ik hem om een huis vragen?'

'Dat heb je toch nodig?'

Mevrouw Patel ging te ver. 'Maar we zijn maar vier dagen samen geweest,' friste Claire haar geheugen op.

'Vier uur, vier dagen, vier jaar... Je hebt je aan hem geschonken, is dat dan niets waard? Ik weet niet of hij zijn woord zal kunnen houden. Dit soort keuzes is altijd een gok. Om beter te kunnen beslissen, moet je dus weten wat voor garanties hij te bieden heeft. Ze mogen niet te gemakkelijk zijn. Als hij rijk is, zoals jij zegt, moet hij je kostbare geschenken geven. En als zijn ouders aanzien genieten, moet hij je zeker aan hen voorstellen.'

Claire schudde haar hoofd. 'Dat doet hij niet. Wij hebben een andere cultuur,' zei ze.

'O, doe toch niet of we het over een pak yoghurt hebben,' zei mevrouw Patel. 'Met mannen en vrouwen is het altijd hetzelfde. Elk verhaal is hetzelfde. Liefde en eer of verraad en schande. Wat is er verder nog?'

Er werd op de deur geklopt. Een van de vaste klanten stond buiten naar zijn horloge te wijzen.

'Ha, meneer Jepson komt zijn eieren halen.' Mevrouw Patel zuchtte. Ze stond op om de deur open te doen en gaf Claire een schouderklopje. 'Denk er maar eens goed over na, juffertje.'

Toen werd het druk, en daarna aten ze met Devi, Safta en Fala. Claire hielp mee afsluiten, maar tijdens de rit naar huis dacht ze diep na.

65

Claire zorgde ervoor dat ze maandagmiddag ruim op tijd in het ziekenhuis was. Nigel was er nog niet eens. Mevrouw Venables was al op en aangekleed, maar haar spullen moesten nog ingepakt worden. Daar hield Claire zich mee bezig terwijl de fysiotherapeute verslag kwam uitbrengen. 'We zijn heel goed vooruitgegaan,' zei ze. Claire vond het 'we' pijnlijk, maar was blij met het nieuws. 'Hier is het dossier met aanbevelingen. Het adres van de kliniek staat erbij, maar als ze er moeilijk kan komen...'

'Welnee,' zei mevrouw Venables duidelijk, hoewel te veel praten nog steeds afmattend voor haar was.

De vrouw, die haar toon niet hoorde, glimlachte. 'O, wat gaat het goed met ons,' jubelde ze. Mevrouw Venables schudde haar hoofd, maar Claire kon niet zien of het een zenuwtrekking of een afkeurend gebaar was. Ze was hoe dan ook opgelucht toen de fysiotherapeute vertrok.

'Alles is ingepakt,' zei Claire. 'Zullen we bij het raam gaan zitten tot Nigel komt?'

Mevrouw Venables keek haar aan. 'Vind je hem nu aardiger?' vroeg ze. De vraag verbaasde Claire, maar voordat ze iets terug kon zeggen, kwam Nigel de kamer in. Zijn moeder hield haar hoofd schuin om zijn zoen in ontvangst te nemen, zag Claire. Ze was echt heel snel opgeknapt, en daar was Claire innig dankbaar voor. Al zou ze waarschijnlijk uit Londen weg moeten, ze wilde niet dat mevrouw Venables eenzaam en gehandicapt achterbleef. Maar ze zou natuurlijk niet eenzaam zijn, want ze had Nigel. Hij stopte de plaid om haar benen in, klaar om de rolstoel te duwen, en opeens voelde Claire zich overbodig. Ze was tenslotte pas een paar maanden bevriend met mevrouw Venables. Die verliet zich op haar zoon, haar eigen vlees en bloed. De arts die de ontslagformulieren kwam brengen, richtte zich alleen tot

Nigel. Om iets te doen te hebben, keek Claire in de laden en onder het bed of ze niets vergeten waren. Toen konden ze gaan.

'Er staat een taxi te wachten,' verzekerde Nigel hun.

Claire liep met de twee tassen die ze had ingepakt naast Nigel. Ze hielp hem mevrouw Venables achter in de taxi te krijgen en keek toe hoe hij de rolstoel in de kofferbak opborg. 'Zal ik naast mijn moeder gaan zitten?' opperde hij.

Claire dacht aan zijn lange benen, maar als ze voorstelde zelf in het midden te gaan zitten, zou dat opdringerig kunnen lijken, dus liet ze hem eerst instappen.

'Dit moet heel vermoeiend voor u zijn,' zei ze tegen mevrouw Venables. 'Maar u bent zo weer thuis.'

Mevrouw Venables knikte en zakte iets onderuit. Nigel pakte haar hand. 'Jullie zijn allebei een grote steun voor me geweest,' prevelde ze.

Toen legde Nigel tot Claires grote verbazing zijn andere hand op de hare. Het kwam zo onverwacht dat ze niet wist hoe ze erop moest reageren. Ze bleef dus stil zitten, met haar gezicht naar het raam en haar hand slap in de zijne. Een bocht op een rotonde gaf haar de kans tactvol haar hand terug te trekken. Ze wierp een steelse blik op Nigel en dacht opluchting op zijn gezicht te zien.

Toen ze er waren, hielpen ze mevrouw Venables uit de auto, die meteen de winkel wilde zien. Ze liep licht wankelend rond, gesteund door Nigel, en voelde hier aan een streng wol en gaf daar een klopje op een tafel, zichtbaar blij dat ze terug was. De trap was een obstakel. Uiteindelijk tilde Nigel zijn moeder gewoon op en droeg haar naar het bovenhuis. Claire volgde verbaasd.

Boven stelde Nigel hen voor aan mevrouw Britten, de verpleegkundige die hij had ingehuurd. Die stopte mevrouw Venables in bed en kwam toen bij hen zitten. 'Ze moet rusten,' zei ze. Claire was zelf ook moe. 'Ik ga bij haar zitten, dan ben ik er als ze iets nodig heeft,' vervolgde mevrouw Britten, en toen pakte ze tot Claires verrukking een breiwerkje uit haar tas. Claire zag het als een teken dat alles goed zou komen.

Nigel was naar de keuken gegaan en kwam met een pot thee terug. 'Wil je een kopje?' vroeg hij. Claire knikte en hij kwam schutterig naast haar op de bank zitten.

'Ze zag er goed uit,' zei Claire.

'Ja, dat vond ik ook.'
'En ik kon haar vanochtend uitstekend verstaan.'
Nigel zette zijn kopje neer. 'O? Wat zei ze dan?'
Claire dacht aan mevrouw Venables' merkwaardige vraag en bloosde. Ze kon het niet zeggen. 'Dat ze zich goed voelde. En ze heeft die kwezelige fysiotherapeute op haar nummer gezet.'
'Nou, dat is goed nieuws. Haar geest is nog intact.' Hij keek Claire aan. 'Ik weet dat we al veel beslag op je tijd hebben gelegd, maar kun je vanavond met me uit eten?'
Claire gaapte hem aan en betrapte zichzelf. 'Nee, het spijt me,' zei ze. 'Ik heb al een afspraak.' Ze was bij Toby uitgenodigd.
'Maar natuurlijk.' Nigel stond op, hoewel hij zijn thee nog lang niet ophad. Claire voelde zich afgewezen, maar toen herinnerde ze zich dat hij misschien net zo verlegen was als zij. En ja, hij vermande zich. 'Wat dacht je dan van morgen?'
Claire had het hart niet om weer nee te zeggen, al zou ze de Patels moeten laten schieten. 'Goed. Ik kom morgenmiddag bij je moeder kijken,' zei ze, 'en daarna schikt het wel.' Ze keek op de klok en zag dat ze meteen weg moest, wilde ze nog op tijd bij Toby komen. 'Ik moet gaan,' zei ze.
'Goed,' zei hij. Hij tastte in zijn zak. Een afschuwelijk moment lang dacht ze dat hij haar geld wilde aanbieden, zoals Michael ooit had gedaan, maar hij pakte een paar sleutels en gaf ze aan haar. 'Hier. Van het huis. Mocht je ze ooit nodig hebben.'

Het eten bij Toby was bijzonder boeiend. Ze had hem ontlopen sinds duidelijk was geworden dat zijn belangstelling voor haar hooguit platonisch was, maar ze had zijn huis nog nooit gezien en was er benieuwd naar. Ze keek ervan op hoe anders het was dan de boekwinkel eronder. Toby had de twee bovenverdiepingen tot een grote, lichte ruimte samengevoegd, met een slaapvide boven de keuken. De rest was open en hoog, wit, modern en onberispelijk netjes. Toen ze aankwam, waren Toby en Thomas de salade aan het maken. Op de voor zes personen gedekte tafel stond champagne in een koeler. 'Ik heb Imogens aanstaande huwelijk nog niet echt gevierd,' legde Toby uit. 'Ik wilde het zo doen.'
Claire knikte, maar keek vol angstige vermoedens naar de zesde plaats

aan tafel. En Edward kwam inderdaad, zoals ze had gevreesd. Voor een jonge vrouw met zo weinig sociale kansen als zij werd ze overspoeld met ongewenste mannen. Edward, Michael, Nigel... Ze ging bijna terugverlangen naar haar eenzame boterhammen met kaas in haar armoedige kamer bij mevrouw Watson.

Toen Edward iedereen had begroet, trok Claire achter zijn rug om een gezicht naar Toby. Die haalde zijn schouders op en Thomas grijnsde naar haar, maar hem kon ze niets verwijten. Dit was duidelijk een list van Imogen en Toby.

Malcolm en Im kwamen erbij. 'Ha! Bubbels,' zei Imogen toen ze de champagne zag. Toby schonk in en het gesprek kwam op gang. Claire vertelde hoe het met mevrouw Venables ging en toen was het tijd om aan tafel te gaan.

Claire bleef heimelijk naar Toby kijken. Ze kon er nu niet meer bij dat ze niet had gezien dat hij homo was. Ze zag hem voor het eerst sinds ze erachter was gekomen, op die keer in het ziekenhuis na, maar toen was ze te moe en te ongerust geweest om er lang bij stil te staan. Goed, in haar ogen leken alle Engelse mannen, vrachtwagenchauffeurs en voetbalvandalen eventueel uitgezonderd, een beetje verwijfd in vergelijking met Amerikanen, maar hier, in zijn eigen omgeving, met Thomas naast hem, was Toby's seksuele geaardheid onmiskenbaar. Claire keek naar haar bord en bloosde.

Alsof dat nog niet erg genoeg was, wekten Edwards onhandige attenties ongewenste herinneringen aan Michaels charme. Ze hoorde de woorden van mevrouw Patel weer: 'Blijken van betrouwbaarheid in gedrag en goederen.' Claire keek om zich heen en vroeg zich af hoe de anderen zouden reageren als ze over Michael vertelde, en over de door mevrouw Patel voorgestelde strategie. Thomas zou ongetwijfeld bulderen van het lachen. Imogen zou haar aanraden die louche Amerikaan links te laten liggen en zich op Edward te concentreren, de goede vangst. Edward zou sip kijken, maar waarschijnlijk niet teleurgestelder zijn dan wanneer zijn oude rugbyteam van een andere kostschool verloor. Malcolm zou grinniken en haar een por geven. Alleen Toby zou iets zinnigs kunnen zeggen, iets uit een roman misschien. Als Thomas haar de kans gunde, zou ze het onder vier ogen met Toby bespreken, nam ze zich voor.

De kans kwam echter niet, en Claire belandde weer in Edwards auto. 'Zal ik je thuis afzetten of zullen we eerst een stukje rijden?' vroeg hij.

Claire moest er niet aan denken. 'Nee, echt niet,' zei ze. 'Ik moet morgenochtend vroeg naar mevrouw Venables.'

'Ach ja, dat is ook zo,' zei Edward. 'Je bent een engel. Zal ik je dan maar naar huis brengen?'

Toen ze in bed lag, hoorde ze Edward telkens weer zeggen dat ze een engel was. Zo had Michael haar ook genoemd, met zoveel tederheid in zijn stem dat het nog steeds moeilijk te geloven was dat hij het niet had gemeend. Ze kon hem bijna horen. Na een uur woelen en draaien stond ze op, liep naar de telefoon en belde het Berkeley.

66

Toen Claire dinsdagochtend uit haar kamer kwam, liep Imogen nog in haar pyjama. 'Moet je niet naar je werk?' vroeg Claire.

'Altijd werken en nooit winkelen is niet goed,' verkondigde Im. 'En trouwens, ik moet een soort uitzet bij elkaar zien te krijgen voordat moeder met me gaat winkelen, dit weekend, want dat wordt pas echt een ramp.' Claire knikte. De winkelmiddagen met haar eigen moeder waren een aaneenschakeling van rampen geweest, al was ze er zeker van dat mevrouw Faulkner Imogen nooit een Wonderbra zou opdringen, zoals haar eigen moeder. 'Ik heb thee gezet,' zei Imogen. 'Ga zitten. Wat heeft Edward allemaal tegen je gezegd? Hij is smoorverliefd op je. Val je echt niet op hem? Malcolm zegt dat hij tonnen op Jersey en de Cayman Islands heeft weggestopt.'

Claire schudde lachend haar hoofd, schonk zichzelf thee in en ging naast haar vriendin zitten. 'Immy,' zei ze. Het was voor het eerst dat ze het verkleinwoordje durfde te gebruiken waarmee Malcolm en Ims ouders Imogen aanspraken. 'Ik moet terug naar New York. Ik ben bang dat ik het appartement niet kan overnemen.'

'O, wat jammer. Is er thuis iets gebeurd?'

Claire had graag gezegd dat alles thuis mis was, maar wat had het voor zin? 'Er is niemand ziek of zo, maar... Nou ja, ik heb geen echte baan meer en ik kan hier niet blijven zonder werkvergunning. Die krijg ik niet, en dus kan ik het appartement niet betalen, hoe mooi ik het ook vind.' Claires onderlip trilde, maar ze deed haar best om niets te laten merken. 'Ik zal gewoon terug moeten,' zei ze.

Claire had zich niet groot hoeven houden. Imogen zag uiteraard niet dat ze van streek was, maar dacht alleen aan de gevolgen die het nieuws voor haarzelf zouden hebben. 'Maar je zou naar mijn bruiloft komen,' zei ze. 'En weet je zeker dat er thuis niet iemand is die je mist? Een man?'

Claire schudde haar hoofd, vermande zich en glimlachte. 'De man die ik leuk vind, is toevallig hier in Londen,' zei ze. 'Ik ga vanavond met hem eten.'

'O, stiekemerd! Ik wist dat er iemand was. Nou? Wanneer krijg ik hem te zien? Ga je met hem mee terug naar Amerika?'

'Ik weet het niet,' zei Claire, en ineens kon ze zich niet meer bedwingen en vertelde alles over Michael Wainwright. Tegen de tijd dat ze over het gesprek in het grand café had verteld, was Imogen helemaal in de ban van het verhaal.

'Ik zou ook balen, reken maar, maar het klinkt heel romantisch,' zei ze. 'Ik zou dit zó als opzet voor een roman kunnen verkopen. Wat ga je nu doen?'

'Dat is het hem nou juist,' bekende Claire. 'Ik heb geen idee.'

'Nou, maar ik wel,' zei Imogen. 'Het is wel duidelijk dat je gek op hem bent en dat hij die hele reis heeft gemaakt omdat hij gek op jou is.'

Claire schudde haar hoofd. 'Ik vraag het me af,' zei ze. 'Misschien is hij hier voor zaken en heeft hij besloten me op te zoeken. Hij kan niet goed alleen zijn, en hij heeft zijn verloofde net gedumpt, of zij hem. Misschien zoekt hij troost.'

'Dat betwijfel ik.' Imogen vertelde over vriendjes van vroeger en hoe ze Malcolm aan de haak had geslagen. 'Het is een spel, Claire,' vatte ze haar relaas samen. 'Het is jammer, maar je moet het spelen. Geef ze het idee dat je wel wat beters te doen hebt en ze komen met hangende pootjes terug. Kijk maar naar Edward. De vrouwen staan voor hem in de rij. Jij toont geen belangstelling voor hem en je kunt hem zo binnenhalen.'

Claire schudde haar hoofd weer, maar Im vervolgde: 'Als je die Michael echt wilt hebben, moet je het zo spelen. Mannen zijn net katten: ze komen alleen naar je toe als je de krant zit te lezen en dan draperen ze zich eroverheen, smekend om aandacht. Kennelijk heb jij lang genoeg de krant zitten lezen en komt hij nu smeken.'

'O, maar zo hoeft het voor mij niet,' verweerde Claire zich. 'En zodra ik hem aandacht geef, laat hij me weer vallen, en dan voel ik me...'

'Nee, dat laat je niet gebeuren. Niet als je hem echt wilt. Speel dat je moeilijk te krijgen bent. Spreek met hem in een café af, maar kom met een andere man. Weet je wat? Je mag Malcolm van me lenen. Daar zal hij van opkijken. Jullie drinken wat en dan gaat Malcolm weg.'

Dat deed Claire dus.

'Mevrouw wil de tong en ik neem de garnalen,' zei Michael tegen de ober. Hij keek naar Claire, die tegenover hem zat. 'Wil je echt niets vooraf?' Claire schudde haar hoofd en streek haar jurk glad. Imogen en zij waren naar Harvey Nichols gegaan, waar ze de hele ochtend naar een geschikte jurk voor het etentje hadden gezocht. Uiteindelijk was het een simpele jurk van Anna Sui geworden in een felle, kersrode tint met een bladmotief. Ze had er schoenen met hoge hakken (heel hoge) bij gekocht in diezelfde krankzinnige kleur. En Imogen had een paar oorbellen voor haar gekocht die te veel flonkerden, maar perfect waren voor Vong, moest Claire toegeven.

Na het winkelen was ze naar mevrouw Venables gegaan en daarna had ze zich naar huis gehaast om haar nieuwe kleren aan te trekken.

Het restaurant zat om de hoek van het hotel, en het was er heel druk. Claire, die tot haar verbazing nu echt in maat 38 paste, voelde zich bijna op haar gemak in haar nieuwe kleren, maar ze had geen enkele belangstelling voor de kaart of het eten. Ze wilde alleen maar naar Michael kijken en zien hoe hij haar met zijn ogen verslond.

Ze hadden in de bar van het hotel afgesproken en daar had ze gezien hoe hij reageerde, zowel op haar uiterlijk als op Malcolm, die zijn rol met verve speelde. Nadat Claire Malcolm een afscheidszoen had gegeven, had Michael bijna bezitterig haar arm gepakt. En ze wist dat ze er goed uitzag, want toen ze bij Vong binnenkwamen, had de gerant haar als een prinses behandeld. Kleren maken de man, maar ze komen een vrouw ook goed van pas, dacht ze. Ze had altijd gevoeld hoe oneerlijk het leven was, maar vandaag, met een nieuwe lippenstift, veel mascara en de ideale kleren, kon ze de schade misschien een beetje inhalen.

'Wat wil je drinken?' vroeg Michael. 'Ik zal niet meer zo dom zijn te denken dat ik het wel weet. Ik dacht dat ik een goed beeld van je had, maar er klopt niets van.'

Claire glimlachte. 'Wat denk je van chardonnay?' stelde ze voor. 'We eten allebei vis.' Het was de enige witte wijn die ze kende, maar het klonk alsof ze goed op de hoogte was en Michael leek het grif met haar eens te zijn.

Toen ze op de ober zaten te wachten, viel er een ongemakkelijke stilte. Claire dacht aan wat Imogen en mevrouw Patel haar hadden aangeraden en spande zich in om de stilte niet te verbreken. Waarom zou ze het Michael gemakkelijk maken? Dat had hij voor haar ook niet gedaan.

'Zo, wat heb je allemaal uitgespookt?' vroeg Michael. Ze waagde een blik op zijn gezicht. Hij was nog steeds duivels knap, maar hij leek iets minder... glad? Zelfverzekerd? 'Heb je hier werk gevonden? En wie was die Malcolm?'

Claire boog haar hoofd om haar glimlach te verbergen. 'Ja, ik heb werk gevonden dat ik echt leuk vind.' Ze vertelde hem iets over de winkel, de lessen en mevrouw Venables. 'Het fijnste is wel dat ik er zo van geniet. Het voelt niet als werken. Ik vind het leuk om les te geven en wol in te kopen. Het is allemaal leuk.' Ze verzweeg dat de winkel gesloten zou worden en praatte nog even over de boeiendste klanten en hoe ze met de cursus was begonnen.

'Heel slim,' zei Michael. 'Ik lees steeds over beroemdheden die haken of zoiets. Breien lijkt echt de trend te zijn, de leesclub van de eenentwintigste eeuw. Van die trend profiteer jij nu.'

Claire schokschouderde. 'Ik breide als kind al,' zei ze. Ze keek weer naar hem. Hij was niet bleek, maar ook niet zonnebankbruin. Zijn huid zag er stralend gezond uit, ondanks de tegenvallers in de zaken en de liefde, en zijn haar glansde. Hij zag er zelfs knapper uit dan ooit met die gespannen blik in zijn ogen. Ze hield zichzelf streng voor dat ze er niet voor mocht bezwijken, maar ze kon niet ontkennen dat zijn uiterlijk haar iets deed. Ze keek naar zijn hand, die vlak bij de hare op tafel lag, en herinnerde zich hoe die haar had gestreeld. Toen dacht ze weer aan het advies van mevrouw Patel.

Tijdens het eten vroeg ze hem hoe het bij Crayden Smithers ging, en kreeg een oppervlakkig antwoord. Hij repte met geen woord over de problemen waarover Abigail had geschreven. Pas toen ze haar vis ophad, vroeg ze zo neutraal mogelijk: 'En hoe is het met Katherine Rensselaer?'

'Dat heb ik toch gezegd?' antwoordde hij. 'We gaan niet meer met elkaar om.'

Ze bestelden nog een dessert, hoewel Claire genoeg had gegeten, en pas toen de profiteroles waren gebracht, begon Michael over de eigenlijke reden van hun afspraak.

Hij leunde naar voren en probeerde haar hand te pakken, maar ze trok hem terug. 'Claire, je zult me wel verachten, maar ook als je me nooit meer wilt zien, wil ik je bedanken dat je me deze kans hebt gegeven om met je te praten. Ik heb je al gezegd dat ik me heb vergist en dat ik je niet uit mijn hoofd kan zetten. Je bent zo... origineel. Ik ken niemand zoals jij.'

Claire haalde haar schouders op. 'Dat geloof ik graag,' zei ze. 'Ik geloof niet dat jij in mijn kringen verkeert.'

'Kom op, Claire, dat is niet eerlijk. Ik ken Tina en veel van haar vriendinnen. Ik kam haar niet af, maar jij bent heel anders dan zij en ik denk dat je ook heel anders bent dan alle andere meiden met wie je bent opgegroeid. Je bent gewoon een heel speciaal mens, Claire.'

Claire dacht aan haar gesprek met mevrouw Patel. Had ze gelijk gehad? Ze wees zichzelf erop dat Michael zulke dingen waarschijnlijk tegen al zijn vriendinnen zei. Iedere vrouw wil tenslotte speciaal zijn, en als Michael Wainwright je speciaal vond, moest je wel heel bijzonder zijn. 'Dank je, Michael,' zei ze alleen maar, en ze meende het. Ook al was ze maar een van de vele vrouwen die Michael begeerde, ze voelde zich toch vereerd. Zolang ik me maar niet laat inpalmen, dacht ze, red ik het wel.

En toen stelde Claire de vraag waar iedere vrouw het antwoord op wil horen, het antwoord dat de meeste mannen niet goed kunnen geven. 'Wat is er dan zo speciaal aan mij?'

Michael hoefde er niet eens over na te denken. 'Je moed. Je hebt je helemaal aan me gegeven, zonder iets achter te houden, en vervolgens heb je al je schepen achter je verbrand. En kijk eens naar je werk en alle vrienden die je al om je heen hebt. Ik reis al twintig jaar op en neer naar Londen, maar jij hebt in twee maanden meer vrienden gemaakt en meer gedaan dan ik...' Hij zweeg even. 'Je hebt een groot hart, Claire. De meeste mensen die ik ken, denken alleen aan zichzelf, proberen overal een slaatje uit te slaan.'

Hij keek naar zijn onaangeroerde dessert. 'Ik moet je nog iets vertellen,' zei hij. 'Ik heb met Abigail Samuels gepraat.'

Claire schrok. Ze probeerde zich te herinneren wat ze Abigail precies had geschreven over haar gevoelens voor Michael en raakte bijna in paniek. Toen stelde ze zichzelf gerust met de gedachte dat Abigail haar vriendin was. Deze nieuwe ontwikkeling wekte ook haar nieuwsgierigheid. 'Waarover?' vroeg ze.

'Over jou.' Toen ik je adres vroeg, reageerde ze niet echt toeschietelijk.' Claire glimlachte, want ze kon zich voorstellen dat het geen prettig gesprek was geweest. 'Maar goed,' zei Michael, en hij grijnsde op zijn ouderwetse manier, 'ze heeft me de les gelezen. Ze zei dat ik een grote idioot was en ze had gelijk.'

Zijn grijns verflauwde en hij wendde zijn blik af. Claire kreeg medelijden met hem. Abigail zou er geen doekjes om hebben gewonden.

'Enfin, ze wilde je adres pas geven toen ik haar had bezworen dat het me ernst was, en zelfs toen deed ze het nog met tegenzin.' Hij schokschouderde en keek Claire weer aan. 'Ik weet dat ik me heb misdragen en dat ik een verwend ventje ben, maar weet je, Claire, ik heb veel tijd gehad om na te denken. Het zware financiële klimaat en mijn... nu ja, mijn slechte prestaties gaven me voor het eerst van mijn leven het gevoel dat ik... dat ik kwetsbaar ben. Niemand kan eeuwig blijven winnen. Ik wil niet al te filosofisch worden, maar zelfs als je jong, gezond en geslaagd bent, moet je uiteindelijk alles opgeven. De dood is de grote gelijkmaker. En ik wil mijn leven niet uitzitten zonder iemand aan mijn zij die ik kan vertrouwen en van wie ik kan houden. Ik weet dat ik je vertrouwen niet waard ben geweest, maar ik zweer je dat ik nu betrouwbaar ben. Je weet hoe goed ik me op mijn werk kan concentreren als ik dat wil, en nu wil ik me op iets anders concentreren. Althans een deel van mijn tijd. Ik wil mijn aandacht op jou richten.' Hij haalde diep adem. 'Zou je met me mee terug willen gaan naar New York?'

Claire had niet op zo'n aanbod gerekend. Ze had verwacht dat hij nog een tijdje door het stof zou kruipen en dan met haar naar bed zou willen. Misschien zou hij haar zelfs vragen een weekend met hem weg te gaan, want dat was een van zijn geliefde strategieën. Maar ze had niet verwacht dat hij haar zou vragen met hem mee terug naar New York te gaan. Wat bedoelde hij eigenlijk?

'Ik weet dat je hier een leven hebt opgebouwd,' zei hij. 'Je hebt hier werk en vrienden, maar zou je ondanks die Malcolm of hoe hij ook maar heet terug willen gaan?'

Claire dacht aan de harde realiteit. Eigenlijk was het oneerlijk dat ze Michael in de waan liet dat haar nieuwe leven was geslaagd, maar het was niet echt liegen, maakte ze zichzelf wijs. Imogen zou het beslist goedkeuren. Hij veronderstelde dingen en zij sprak hem gewoon niet tegen. Ze vond dat ze nu iets moest zeggen.

'Michael, geloof niet dat ik niet aan je heb gedacht. Ik heb veel aan je gedacht. Maar al voordat ik je met Katherine in het hotel zag, wist ik dat je me niet serieus nam en dat je dat nooit zou doen ook.'

Hij wilde iets zeggen, maar ze stak een hand op. 'Je bent me niets schuldig,' vervolgde ze. 'Integendeel. Zonder jou was ik nooit naar Londen gegaan, en deze reis heeft onnoemelijk veel voor me betekend. Ik heb mijn leven omgegooid, dat klopt, maar jij was de katalysator, en daar zal ik je altijd dankbaar voor zijn.'

Ze keek hem aan. Als hij haar nu kuste, kon ze dan zo kalm blijven praten of zou ze als een gehypnotiseerd konijn met hem meelopen naar zijn kamer? Hij was zo knap, zo volmaakt, dat Claire niet geloofde dat hij echt zoveel om haar gaf als hij zei. Loog hij, of *wílde* ze hem niet geloven?

Ze dacht weer aan mevrouw Patel. Hoe krankzinnig het ook was, ze zou haar strategie moeten gebruiken om Michael te testen. 'Michael, ik ben een verbazend ernstig mens. Ik ben niet zo goed in mannen versieren, uitgaan en kantoorintriges. Ik dacht altijd dat het een tekortkoming van me was, maar nu ik een andere manier van leven heb ontdekt, accepteer ik het gewoon. Zo ben ik nu eenmaal.' Ze schokschouderde. 'Als wij een stel worden, zal ik niets voor je carrière kunnen betekenen. Ik ben niet goed in feesten.'

'Daar gaat het me niet om,' zei Michael.

'Waar gaat het je dan om?'

'Om jou. Alleen om jou.'

Ze had kunnen smelten, maar ze wapende zich. 'Ik vrees dat ik daar geen genoegen mee kan nemen. Ik kan echt pas iets met je beginnen als...' Ze haalde diep adem. 'In tegenstelling tot jou heb ik geen familie die voor me zorgt. Mijn vader is dood en mijn moeder... Tja, die geeft niet zoveel om me. Ik heb het dus alleen moeten rooien en...' Ze hoorde zichzelf hakkelen. Mevrouw Patel zou willen dat ze zich sterker opstelde, maar ze had niet verwacht dat ze zich zo ongemakkelijk zou voelen. Voordat ze opnieuw kon beginnen, nam Michael het woord.

'Ik weet dat je een andere achtergrond hebt dan ik, maar daar geef ik niets om.'

Ze zette haar stekels op. 'Daar gaat het niet om,' zei ze. 'Waar het om gaat, is dat ik je naar je bedoelingen moet vragen.' Ze bloosde. Dit was beslist niet volgens Imogens regels.

'Mijn bedoelingen?' herhaalde Michael. 'Het is mijn bedoeling je te vragen met me mee terug te gaan naar New York en bij me in te trekken. Is dat niet duidelijk? Ik ben niet helemaal naar Londen gekomen om te vragen of je met me uit eten wilde, hoor.'

Claire liet van verbazing haar vork vallen. Vroeg Michael haar of ze met hem samen wilde wonen? Voorzover ze wist, had hij dat nog nooit aan een vriendin gevraagd. Toch vond ze het niet echt een blijk van betrouwbaarheid. Ze wist niet goed wat voor 'gedrag en goederen' ze moest verwachten of vragen, maar ze zou iets moeten verzinnen. Of hem iets laten bedenken, dat was nog beter. 'Ik vrees dat dat niet voldoende is,' zei ze. 'Ik kan niet alles hier achterlaten, bij je intrekken en dan maar afwachten of je je niet bedenkt. Ik weet dat het tegenwoordig heel gewoon is, maar we waren het erover eens dat ik anders ben dan andere vrouwen.' Ze had het gevoel dat de combinatie van mevrouw Patels strenge eerlijkheid en Imogens tactieken, die haar geen van beide lagen, niet gunstig uitviel en zuchtte. Ze was zichzelf niet, en ze kon niet goed doen alsof ze een ander was. Toch hadden de adviezen van beide vrouwen hun verdiensten, en ze had nooit echt succes bij de mannen gehad. Als ze echt zo moedig en spontaan was als Michael leek te denken, wat zou ze nu dan doen? Ze kon niet uit haar ervaring putten, want ze was zelden spontaan geweest. Wat wil ik nu echt? dacht ze.

Toen kreeg ze een idee.

Ze leunde naar voren en pakte Michaels hand. 'Ik zou willen dat je door je gedrag en... nou ja, een paar concrete dingen bewijst dat je aan een echte verbintenis toe bent, maar vraag eerst maar eens of ik met je meega naar je suite.'

Michael zette grote ogen op. 'Bedoel je...'

Claire glimlachte zelfverzekerd. 'Ja. Het vrijen met jou was echt onvergetelijk.'

'Dus je gaat met me mee terug naar New York?'

Claire keek hem kalm aan. 'Wat er ook gebeurt, ik zou niet weten waarom we niet eerst... de geschiedenis zouden kunnen herhalen.' Ze glimlachte verleidelijk. 'Ik weet een fantastisch hotel met een immense badkuip, een zacht bed en zijden lakens. Wat denk je ervan?'

67

Claire kwam de volgende ochtend opgewekt het hotel uit. De seks met Michael was heerlijk geweest, zo mogelijk nog beter dan ze zich herinnerde. Misschien echt beter. Tenslotte moest Michael zich nu bewijzen. Claire betwijfelde of mevrouw Patel dat met 'blijken van betrouwbaarheid in gedrag' had bedoeld, maar het hoorde erbij. Claire zou zich niet door seks alleen laten verleiden, maar het was een belangrijk onderdeel van een relatie, en Michaels hartstocht leek doordrenkt te zijn van een enorme tederheid.

Toen ze in de ondergrondse stapte, bedacht Claire dat ze nog twee goede redenen had gehad om met Michael te slapen: ten eerste was het heel lang geleden en ten tweede zou Michael beseffen wat er precies op het spel stond. Ze ging glimlachend zitten. De seks was heel bevredigend geweest, en ze dacht niet dat Michael haar snel uit zijn hoofd zou zetten.

Het probleem was dat het voor haar net zo moeilijk was om hém uit haar hoofd te zetten. Ze had wel geweten dat dat gevaar er was, maar niet verwacht dat haar behoefte aan liefde zo sterk zou zijn. Als je risico's neemt, is het leven gevaarlijk. Als je geen risico's neemt, heeft het geen zin.

Nu wachtte haar een pijnlijk afscheid van Londen, op welke manier dan ook. Thuis begon ze met een zucht haar bezittingen in te pakken. Imogen had besloten dat ze aan het eind van de maand weg zou gaan, en Claire wilde ruimschoots van tevoren vertrokken zijn. Terwijl ze haar kleren opvouwde, dacht ze aan Michaels verlangende gezicht en zijn stem. Ze deed haar ogen dicht en genoot na van het gevoel dat hij haar echt had begeerd. Het was nieuw voor haar, en ze vond het heel opwindend.

Ze hield op met inpakken en keek door het raam naar de tuinen. Ze zou het uitzicht missen. Hoe kon ze leven zonder bloembakken, parken en al die tuinen overal? Daar vielen New York en zelfs Michaels luxueuze appartement bij in het niet.

Ze nam zich vast voor niet met Michael mee te gaan bij gebrek aan een betere keuze. Ze zou niet voor de gemakkelijkste weg kiezen. En gemakkelijk werd het niet, want ze was de afgelopen maanden veel zelfbewuster geworden. Al had ze hier dan geen permanent leven kunnen opbouwen, ze had haar best gedaan en met iets meer geluk had ze kunnen slagen. Als ze terug moest naar New York, zou ze niet meer bij haar moeder gaan wonen. Alleen tijdelijk, als het niet anders kon. En ze wilde ook niet in Tottenville blijven. Als ze een kamer in Londen kon vinden, zou het haar in New York ook lukken. Ze wilde een eigen plek hebben waar ze zich op haar gemak kon voelen.

Ze dacht terug aan die avond toen ze had gedacht dat Michael met haar zou gaan eten en de honderd dollar die hij haar in plaats daarvan had gegeven. Waar andere mensen bij waren. Ze glimlachte bij de gedachte dat ze nu in een heel andere positie verkeerde, maar het was een spijtige glimlach. De vernedering en de teleurstelling waren er nog en ze zouden altijd blijven, al waren de rollen nu omgedraaid. Claire was niet wrokkig en ze wilde Michael niet kwetsen, maar ze was ook maar een mens. En dan was...

Nigel! Nigel was er ook nog. Ze was hun afspraak glad vergeten. Haar handen begonnen te beven. Nigel had zich in het begin onbehouwen en zelfs vijandig opgesteld, maar ze gingen nu zo hartelijk met elkaar om dat ze het heel erg vond dat ze hem had laten stikken, dat ze hem niet eens had opgebeld om de afspraak af te zeggen. Alleen wie zelf vergeten is, weet hoeveel pijn het doet, en zij was Nigel helemaal vergeten.

Ze liet het laken vallen dat ze stond op te vouwen en holde naar de telefoon. Toen moest ze weer terug naar de slaapkamer rennen om zijn telefoonnummers te zoeken. Op zijn kantoor en thuis kreeg ze een antwoordapparaat, en hij nam zijn mobieltje niet op. Misschien zag hij haar nummer en was hij te trots om op te nemen. Ze belde de andere nummers weer en sprak lange verontschuldigingen in. Ze was zogenaamd zo moe geweest dat ze in slaap was gevallen. Ze voelde zich maar een beetje schuldig om het leugentje om bestwil, want de waarheid was te kwetsend geweest. En ze vroeg hem of ze hem op een etentje mocht trakteren om het goed te maken.

Ze wilde niet denken aan het verdriet dat ze Nigel mogelijk had gedaan, maar ze kon niet ophouden met denken aan het verdriet dat Michael haar zou kunnen doen. De gedachte dat haar toekomst in zijn handen lag en dat ze zou moeten beoordelen of hij betrouwbaar was, maakte haar van streek, dus dacht ze telkens terug aan zijn armen om haar heen en zijn stem in haar oor. Ze schudde haar hoofd alsof ze de ongewenste gedachten zo kon verjagen. Ze had er waarschijnlijk niet goed aan gedaan met Michael te slapen, besefte ze, maar hoe had ze een verstandig besluit kunnen nemen als ze het niet had gedaan? En hoe kon ze verstandig blijven nu ze het wel had gedaan? Al haar zelfvertrouwen van die ochtend leek weg te ebben, en ze werd weer onzeker en bang. Michael had zoveel vrouwen gehad. Ze had geen enkele reden om te denken dat hij haar nog specialer zou vinden omdat hij met haar had geslapen. Integendeel, misschien. O, wat was het verwarrend allemaal.

Claire schudde haar hoofd weer. Als ze niet bezig bleef, werd ze gek. Al dat gepieker deed haar geen goed. Ze moest gewoon afwachten of Michael met 'blijken in gedrag en goederen' zou komen. De kans bestond dat hij haar niets zou bieden, dat ze nooit meer iets van hem zou horen. Misschien was ze weer een snelle verovering geweest, een beetje afleiding. Die gedachte was ondraaglijk. Claire pakte met een vastberadenheid die ze niet voelde haar tas en trui en een paraplu en begon aan haar taken voor die dag.

Ze had beloofd naar lady Ann te gaan, en ze was niet van plan nog meer afspraken te missen. Ze wist niet goed waarom lady Ann haar wilde zien. Het zou vast niets met haar breiwerk te maken hebben. Misschien had haar moeder een probleem. Ze nam de ondergrondse naar Bond Street en liep door South Molton Street tot ze het goede nummer had gevonden. Het was een kantoorpand, geen huis, en ze nam de lift naar de tweede verdieping. Ze kwam uit in een drukke ruimte die onder leiding van lady Ann leek te staan, want haar naam stond op de deur en achter de receptiebalie.

Ann Fenwick kwam haar halen en begroette haar hartelijk. 'Ga je mee naar mijn kamer?' vroeg ze. Ze liepen door een lange gang naar lady Anns kantoor, dat tot Claires verbazing heel knus was ingericht, met chintz en bloemetjesbehang. Ze ging op de bank zitten, en lady Ann koos een sleetse stoel rechts van haar. 'Slecht nieuws over mevrouw Venables,' zei ze. 'Mijn moeder was erg van streek. Ze zijn ongeveer even oud, zie je? Ze moet er niet aan denken dat ze hulpbehoevend wordt.'

'Het is niet zo erg als ze eerst dachten,' zei Claire. 'Zeg maar tegen je moeder dat mevrouw Venables alweer thuis is en weer kan praten. Waarschijnlijk kan ze uiteindelijk weer zelfstandig wonen.'

'Wat fijn!' zei lady Ann. 'Ze houdt de winkel dus open?'

'Ik weet het nog niet.' Claire vertelde dat mevrouw Venables nog zwak was, dat Nigel zich ongerust maakte en dat het pand te koop stond.

'Zou jij dan in een andere wolwinkel willen werken?' vroeg lady Ann. 'Mijn moeder is niet alleen verknocht geraakt aan de lessen, maar ook aan het gezelschap van de andere vrouwen. Voordat je ermee begon, kwam ze bijna niet buiten, maar nu verheugt ze zich op de lessen.'

'Het spijt me, ik ga binnenkort terug naar Amerika, maar voor het zover is, wil ik best nog een keer naar je moeder gaan. Er zijn vrij veel vrouwen die meer hulp nodig hebben. Zij woont vlakbij, dus misschien kunnen we een feestje organiseren. Laten we nog een keer allemaal bij elkaar komen. Als je het tenminste niet te druk vindt voor je moeder.'

'Ik vind het een geniaal idee! Mammie zou het fantastisch vinden. Ze heeft al heel lang geen bezoek meer ontvangen. Ik zal haar bellen en alles regelen. Kom jij ook? En breng je een paar van de jongere vrouwen mee? Dat vindt mammie gezellig.'

Claire stemde toe en gaf Ann het telefoonnummer van Imogen. 'Maar ik ga binnenkort weg,' waarschuwde ze.

'Weet je, het is belachelijk dat we hier niet mee door kunnen gaan. Er zijn zoveel vrouwen die willen breien. En van alle leeftijden en uit alle lagen van de bevolking. Ik heb tientallen sites op internet gevonden. In Amerika is het ook een grote rage. Wist je dat er een café in Los Angeles is waar de filmsterren elkaars breiwerk vergelijken? De meeste trends trekken van jullie westkust naar de oostkust en waaien dan naar ons over, wist je dat?'

Claire wist het niet en ze vond het geen prettig idee. Tweedehandse Amerikaanse trends leken niet bij Londen te horen, maar ze moest beamen dat breien heel populair was. Ann nam haar onderzoekend op, en ze besloot maar niets te zeggen.

Na haar bezoek aan Ann ging Claire naar Toby. Ze moest hem vertellen dat ze van plan was terug naar New York te gaan, al wilde ze het niet. 'Verschrikkelijk!' zei hij toen hij het had gehoord. 'Afschuwelijk! Je kunt niet weggaan, alleen maar omdat die oude vrouw een beroerte heeft gehad. En Imogen zou het zichzelf nooit vergeven als ze erachter kwam dat jij terug naar Toeterville moest omdat zij je op straat had gezet.'

'Tottenville,' verbeterde Claire hem.

'O, ja.' Toby zweeg even. 'Weet je, Claire, ik heb een boek over de geschiedenis van New York gelezen, en jouw naam kwam er veel in voor.'

'Hoezo?'

'Nou, de Bilsops schijnen een oud geslacht te zijn. Ze hoorden tot de eerste Britse kolonisten, en je voorouders kregen een groot deel van het eiland.'

Claire wist niet wat ze hoorde, maar wat deed het ertoe? Haar vader was een mislukkeling geweest, en ook al hadden zijn verhalen over de naam Bilsop een kern van waarheid bevat, er was niets over van hun geld of 'afkomst'. O, die Engelsen altijd met hun afkomst. 'Mijn vader vertelde vaak over de familie,' zei ze, 'maar ik luisterde nooit echt. Ik dacht dat hij zijn heden wilde compenseren met zijn verleden.'

'Wie weet,' zei Toby, 'maar ik denk dat zijn verhalen klopten.' Hij pakte een boek uit een ladekast. 'Ik geef het je. Ik heb de stukken over je familie aangekruist. Lees het zelf maar.'

'Dank je wel,' zei ze. Ze dacht aan haar kleine, maar dierbare verzameling boeken. Misschien kon ze die in New York uitbreiden, maar het zou nooit meer hetzelfde worden. 'Je bent heel goed voor me geweest,' zei ze.

Hij glimlachte naar haar. 'Jij ook voor mij,' zei hij. 'Heb je nog tijd voor een kop thee?'

Claire kwam in de verleiding, maar ze bedankte. 'Nee, ik had beloofd nog even bij mevrouw Venables te gaan kijken.'

'Aha. Doe de groeten aan die zoon van haar, dat stuk.'

'Een stuk? Vind je dat echt?' Ze vertelde Toby over de rit vanuit het ziekenhuis, zijn hand op de hare en de vergeten uitnodiging voor een etentje.

'Ha, zie je wel? Hij valt op je.'

'Nigel? Je bent niet goed wijs.' En toen schoot haar plotseling te binnen dat mevrouw Venables ook iets dergelijks had gezegd. Onzin. Grote onzin. 'Hij zal me anders met plezier op het vliegtuig zetten en uitzwaaien.'

'Ik denk het niet.' Claire hoorde het niet. Het woord 'vliegtuig' maakte dat het idee van haar vertrek haar weer als een vuistslag raakte. 'Ik moet eens gaan,' zei ze snel.

'Vergeet je boek niet,' zei Toby. Hij bracht haar naar de deur en zoende haar op beide wangen. Ze liep weg, vechtend tegen de tranen. Toby, die haar door het raam nakeek, prevelde: 'Als hij niet op je valt, is hij geschift.'

Claire stapte in South Kensington uit de ondergrondse. Ze zou het liefst naar huis gaan, in bed kruipen en de dekens over haar hoofd trekken, zo moe was ze. Nu ze haar nieuws aan Toby had verteld, leek het een stuk echter.

Slapen ging niet, maar misschien kon ze iets gaan drinken. Ze besloot naar het grand café te gaan voordat ze naar mevrouw Venables ging, gewoon een opkikkertje nemen. Wat maakte de prijs van een glas wijn nog uit als ze toch terugging? Ze verdiende wel een uitspattinkje, vond ze, en ze liep het café in en ging bij het raam zitten.

Het was een vergissing. Vanaf haar plek kon ze de winkel zien, die straks leeg kwam te staan, en achter haar stond de lege tafel waaraan ze met Michael had gezeten. Ze werd weer overspoeld door gedachten aan hem. Dat had ze nu juist willen voorkomen door druk bezig te blijven. Als ze niet al had besteld, was ze opgesprongen en weggelopen, maar haar wijn werd gebracht en ze dronk hem op, denkend aan haar etentje met Michael, zijn liefdesverklaring, wat hij allemaal tegen haar had gezegd en uiteraard hun nacht in het hotel. Hij was een droom, een echte Kanjer. Maar hield hij echt van haar? Kon ze hem vertrouwen? En hield ze van hem zoals hij was?

Claire dacht er diep over na. Net toen ze haar glas leeg had, zag ze

Nigel de winkel van zijn moeder in gaan. Ze zuchtte. Ze had zichzelf te veel laten gaan en haar straf was dat ze Nigel nu onder ogen moest komen, nadat ze hem had laten stikken. Ze hoopte maar dat Toby ongelijk had. Vreemd: eerst had ze hem ontlopen omdat hij een hekel aan haar had, en nu wilde ze hem ontlopen omdat ze het tegendeel vreesde.

Claire betaalde, legde een dikke fooi neer en trotseerde het verkeer om bij de wolwinkel te komen. Tot haar verbazing was de deur niet op slot. Heel roekeloos, want Nigel en mevrouw Venables waren nergens te bekennen. Net toen ze onder aan de trap stond om naar boven te roepen, hoorde ze stemmen.

'Moeder, je hebt gewoon geen keus. Je kunt de winkel echt niet openhouden.'

'Maar met Claires hulp...'

'Maar Claire gaat weg, moeder.'

'Misschien kan ik haar op andere gedachten brengen. Er zijn genoeg mensen die willen leren breien. Klanten die nog geholpen moeten worden. Bestellingen die binnen zijn gekomen...'

'Ze zoeken het maar uit. Moeder, ze frunniken maar wat met wol. We hebben het niet over de binnenlandse veiligheid. Als ze al hebben betaald, krijgen ze gewoon hun geld terug.'

Claire kromp in elkaar. Ze mocht geen luistervinkje spelen, maar ze wist niet wat ze moest doen. Misschien kon ze terug naar de deur lopen en de bel weer laten klingelen, dan hoorden ze haar wel, maar voordat ze een stap kon verzetten, hoorde ze mevrouw Venables weer, en ze herkende haar stem bijna niet. Ze klonk onverzettelijker en vorstelijker dan alle vorstelijke vrouwen uit hun lessen bij elkaar.

'Hoe durf je zo'n toon tegen me aan te slaan? We hebben het niet over "frunniken met wol". We hebben het over een eeuwenoud ambacht waarmee je die wol van jou in iets nuttigs kunt veranderen, en soms zelfs in een kunstwerk. Ik vraag me af hoeveel eeuwen vrouwen al truien voor hun varende mannen breien, of sokken voor hun boerenfamilie, en dan zeg jij dat ze maar met wol frunniken?'

'Moeder, ik bedoelde niet...'

'Het kan me niet schelen wat je bedoelde, al denk ik dat ik dat maar al te goed weet. Ik zal je zeggen wat ik bedoel. Vrouwen komen hier een uitlaatklep voor hun creativiteit zoeken. Breien is ontspannend en het geeft ze het gevoel dat ze een doel hebben. En het is een uitdaging. Ze maken iets uit niets. Veel klanten hadden er dringend behoefte aan om iets uit niets te maken.' Ze zweeg even en vervolgde toen zo zacht dat Claire het bijna niet kon verstaan: 'Misschien hebben we daar allemaal wel behoefte aan.'

'Moeder, ik wilde niet neerbuigend...'

'Je wilde het niet, maar je deed het wel.'

'Het spijt me. Je mag je niet zo opwinden. Ontspan je. Ik ga nu weg en... Nou ja, ik kom later wel terug.'

Claire hoorde Nigels voetstappen, rende naar de deur van de winkel, deed hem open en dicht en liep toen zo lawaaiig mogelijk naar de trap. 'Ben jij dat, Claire?' riep mevrouw Venables. 'Kom maar boven.'

Claire liep de trap op en kwam Nigel op de overloop tegen. 'Hallo,' zei ze.

'Hallo,' mompelde hij. Hij liep gewoon door.

'Heb je mijn berichten gekregen?' vroeg ze. Hij schudde zijn hoofd. 'Ik heb je op kantoor en thuis gebeld. Ik kon je niet op je mobieltje bereiken.' Ze vertelde haar zwakke smoes over de gemiste afspraak weer en zijn gezicht leek milder te worden.

'O. Ik heb het zo druk gehad dat ik helemaal niet aan het afluisteren van mijn berichten ben toegekomen.'

'Nou, ik heb jou te eten gevraagd. Zou je daar tijd voor kunnen maken? Ik wil met je uit eten om mijn onbeleefdheid goed te maken.' Ze besloot niets te zeggen over wat ze had gehoord. 'Alsjeblieft?' vroeg ze. Hij knikte. 'Kun je vanavond?'

'Prima,' zei Nigel, die zichtbaar opfleurde. 'Zal ik je om acht uur komen halen?'

Ze stemde in. 'En nu ga ik even naar je moeder,' zei ze.

'Tot vanavond dan,' zei Nigel, en weg was hij.

'Dag kind,' zei mevrouw Venables toen Claire boven was. Ze had een gezonde kleur, al was de linkerkant van haar gezicht nog een beetje slap, en ze stond op om Claire te begroeten. 'Fijn je te zien,' zei ze. 'Ik ben bang dat Nigel en ik mot hebben gehad, dus mag ik je namens hem mijn verontschuldigingen aanbieden?'

'Het is al goed,' zei Claire. Dat mevrouw Venables zich nog zo kwaad kon maken, overtuigde Claire ervan dat ze weer helemaal de oude zou worden. Ze glimlachte naar haar vriendin. 'Zal ik thee zetten?' bood ze aan. 'Ik moet een paar dingen met u bespreken. Ten eerste dat ik terug moet naar Amerika.'

68

Die middag belde Michael Claire om te vragen of ze met hem uit eten wilde. 'Het spijt me,' zei ze, 'maar ik zit vanavond vol.'

'Maar ik moet je zien,' zei Michael. 'Vanavond. Ik blijf niet lang meer.'

Claire wilde en kon Nigel niet nog een keer teleurstellen. 'Ik heb een eetafspraak, maar daarna...'

'Hoe lang duurt die afspraak?'

'Het wordt niet later dan tien uur,' zei Claire. Ze vroeg zich af waar Nigel en zij het in vredesnaam die twee uur over zouden moeten hebben.

'Nou, zullen we dan daarna iets gaan drinken?'

Claire was blij dat Michael haar niet kon zien blozen. Hoopte hij dat ze weer een nachtje kwam logeren? Ze verlangde wel naar hem, maar weigerde zich te laten gebruiken of te gemakkelijk toe te geven.

'Alsjeblieft, dwing me niet op mijn knieën,' zei Michael. 'Dit is voor ons allebei belangrijk.'

Natuurlijk zei Claire ja, maar zich kleden voor zowel een etentje met Nigel als een drankje met Michael bleek een groot probleem te zijn. Ze kon de knalrode jurk niet nog eens dragen, dus koos ze voor haar donkerblauwe bruidsmeisjesjurk. Die had ze niet meer gedragen sinds Michaels vertrek, en hij was haar veel te groot geworden. Ze deed de ceintuur van de knalrode jurk erom en liet de blauwe jurk eroverheen bloezen, zodat hij een stuk korter leek. Ze vond het er niet slecht uitzien in combinatie met haar nieuwe schoenen, en ze zou zich ermee moeten behelpen.

Toen ze op het punt stond weg te gaan, kwam Imogen binnen. 'Ga je uit?' vroeg ze.

Claire vertelde dat ze een afspraak met Nigel had, en daarna met Michael.

'In die kleren?' zei Imogen. 'Ben je gek? Je moet er vanavond chic uitzien.'

'Maar ik heb niets anders,' zei Claire.

'Nou, maar ik wel. Kom mee.' Imogen liep naar haar slaapkamer en trok de kastdeuren open. 'Het lijkt hier wel een vlooienmarkt. Even zien. Je bent kleiner dan ik, dus we moeten iets korts hebben.' Claire stond er hulpeloos bij, dankbaar, maar ook gegeneerd. Ze zag in Imogens passpiegel dat zelfs de 'verbeterde' jurk er niet mee door kon.

'O, ik heb het,' zei Imogen, en ze dook met een zwarte rok uit haar kast op. 'Heb je een sexy topje?' vroeg ze. 'Iets met een bescheiden decolleté?'

'Ik heb zelf ook maar een bescheiden decolleté,' zei Claire.

'Wacht,' zei Imogen. 'Ik weet het al.' Ze pakte een blauw truitje met een diepe v-hals. 'Het staat me absoluut niet, en het was peperduur. Als het jou wel goed staat, mag je het houden.'

Claire kleedde zich om en liet Imogen het resultaat zien. 'Ja, perfect. En ik heb nog een paar oorbellen die ik in een krankzinnige bui heb gekocht.' Im pakte een paar trossen aan elkaar gelijmde blauwe en roze imitatieparels met twinkelende strassteentjes ertussen.

'O, nee,' stribbelde Claire tegen.

'Probeer het nou even.'

Claire deed met tegenzin de oorbellen in, en tot haar verbazing stonden ze haar goed.

'Prachtig, toch?' zei Imogen. 'Heb je roze lippenstift?' Claire schudde haar hoofd. Sinds wanneer was Imogen zo'n weldoenster?

De mogelijke reden werd duidelijk toen Im in haar tas rommelend zei: 'Ik heb Toby vandaag gesproken. Hij zei dat je misschien teruggaat naar New York. En hij had het over het land van je voorouders. Stel je voor, een eiland krijgen van de koning. Dat wil ik ook wel. Mustique, misschien.' Ze diepte een lippenstift uit haar tas op. 'Probeer maar eens.' Claire glimlachte om Ims doorzichtige gulheid, maar deed de lippenstift op en moest toegeven dat die het geheel compleet maakte. 'Iedere man die je nu ziet, zal er spijt van hebben dat hij je ooit schofterig heeft behandeld. Hoe gaat het?'

'Ik weet het niet,' bekende Claire.

'Doe je wel afstandelijk?'

'Ja, ik zou het gereserveerd willen noemen.' Toen dacht ze aan de nacht in het hotel en vroeg zich af of het geen leugentje was.

'Prima!' zei Imogen. 'Er gaat niets boven wat kilheid om het vuur op te stoken.'

Claire schoot bijna in de lach, want ze zat niet op meer vurigheid te wachten. Michael was nu aan zet, en ze hoefde alleen maar af te wachten wat hij haar te bieden had.

'Succes,' zei Imogen, en ze gaf Claire een knuffel.

Nigel kwam vijf minuten te vroeg, maar Claire was zover. Hij nam haar mee naar een klein restaurant. Het was weelderig en chic, maar Claire werd zo in beslag genomen door haar gepieker over Michael dat ze het moeilijk kon waarderen. Ze kon zich nauwelijks concentreren op Nigel, die een beetje stijfjes tegenover haar zat. Ze bestelden en Claire wachtte, maar Nigel leek niets te zeggen te hebben. Claire vertelde hem dus maar over haar bezoek aan zijn moeder. 'Ze gaat ongelooflijk snel vooruit, hè?'

'Het is een ouwe taaie,' zei Nigel, en hij glimlachte. Hij zag er goed uit in het zachte licht, en als hij niet zo houterig was geweest, had Claire hem aantrekkelijk kunnen vinden. Ze vroeg zich voor het eerst af of er een vrouw in zijn leven was.

'Wat doe je in je vrije tijd?' vroeg Claire om te zien wat voor wending het gesprek zou nemen.

'Ik lees veel. Ik wandel graag in parken en ik vind het leuk om voor mijn plezier uit te gaan in plaats van voor zaken.'

Claire begon te vertellen over de boeken die ze had gelezen, en wanneer ze een titel noemde die Nigel ook goed vond, praatte hij enthousiast mee. Over de boeken die hij niet goed vond, discussieerden ze geanimeerd.

Voordat Claire het wist, werd het eten gebracht. Ze hield het gesprek gaande tot ze bijna aan het dessert toe waren. Toen Nigel haar vroeg wat ze van Londen vond, kwam ze helemaal los.

Ze vertelde hem dat ze alle facetten van Londen even fascinerend, vertederend, vreemd of knus vond. Ze praatte over de antiekmarkten, de houten liften op de stations van de ondergrondse, de tientallen soorten snoep en chocola, de afdeling etenswaren van Marks & Spencer en de gedenkplaten voor componisten en schrijvers die ze overal zag. 'Ik geloof niet in reïncarnatie,' zei ze, 'maar anders zou ik zeggen dat ik hier eerder had gewoond, of dat dit mijn bestemming was.'

Nigel glimlachte. 'Het is niet overal in Londen zo knus en vriendelijk, hoor,' zei hij.

Claire glimlachte terug. 'Je zult wel gelijk hebben,' zei ze, 'maar ik ben verliefd op de stad en wil geen kwaad woord over mijn geliefde horen.'

'De man die jouw geliefde is, mag zich gelukkig prijzen,' zei Nigel tot Claires verwondering. Hij had die ene keer haar hand gepakt in de auto, maar sindsdien had hij geen blijk meer gegeven van warme gevoelens voor haar, zelfs niet toen hij haar te eten vroeg. Misschien zei hij het uit beleefdheid? Toen herinnerde ze zich weer wat Toby had gezegd. Zou Nigel verliefd op haar kunnen zijn?

Het duizelde haar even, maar ze vermande zich en stelde hem een paar vragen over zijn jeugd. Nigel leefde ervan op en zijn verhalen over zijn school, de boerderij in Wales waar het gezin de zomervakanties had doorgebracht, zijn kwajongensstreken en de dood van zijn vader hadden heel boeiend kunnen zijn als Claire niet zo was afgeleid door de afspraak met Michael, die steeds dichterbij kwam.

'Wilt u nog een dessert?' vroeg de ober toen hun borden waren afgeruimd.

Claire wierp een steelse blik op haar horloge en schudde haar hoofd. Het liep tegen halftien. Nigel was haar met zijn auto komen halen, en ze vroeg zich af of hij haar naar huis zou willen brengen. Ze zou hem kunnen vragen haar bij het Berkeley af te zetten, dat niet ver was, maar wat voor reden kon ze daarvoor opgeven?

'Waarom ga je terug naar Amerika?' vroeg Nigel plompverloren. 'Is het tijdelijk? Zijn er problemen thuis?'

Claire schudde haar hoofd. 'Nee, het enige probleem is dat ik hier niet kan blijven.' Ze wilde niet over de wolwinkel en haar baan beginnen om hem geen schuldgevoel te bezorgen. 'Ik heb mijn draai hier nog niet gevonden,' zei ze dus, 'en in Londen heb ik geen echte baan. Na ons etentje heb ik een afspraak met een vroegere collega. Hij zit in Londen en misschien ga ik weer bij zijn firma werken.'

Het was een tikje bezijden de waarheid, maar meer kon Claire Nigel niet vertellen, en ze was hem niets verschuldigd. Ondanks de prijzige maaltijd en hun gesprekken over boeken, Londen en zijn jeugd was het enige dat ze gemeen hadden hun bezorgdheid om zijn moeder. Meer hadden ze niet samen.

'Aha,' zei Nigel. 'Misschien kunnen we dan maar beter gaan.' Hij wenkte de ober. 'Het was me een groot genoegen.'

Claire knikte opgelucht en werd toen voor het eerst van haar leven door de ene man naar haar afspraak met de volgende gebracht.

'Ik heb nagedacht over alles wat je hebt gezegd,' zei Michael toen ze achter in de bar van het Berkeley zaten. Claire, die het een tikje ironisch vond, kon over Michaels schouder de barkrukken zien waarop Katherine Rensselaer en hij hadden zitten flikflooien toen zij die avond van haar wandeling was teruggekomen. 'Weet je, Claire, je bent echt uniek,' vervolgde Michael. 'Je bent altijd even onvoorspelbaar.' Hij glimlachte. 'Dat is gunstig. Ik haat verveling.'

Claire wist dat het niet waar was. 'Alleen omdat de omstandigheden nu bijzonder zijn,' zei ze. 'Wanneer ik al mijn zaken op orde heb, ben ik een gewoontedier.'

'Net wat ik nodig heb. Stabiliteit. Maar je kunt soms grillig zijn. Een goede combinatie.'

Zou hij zich niet binnen de kortste keren te pletter vervelen als hij haar echt kende? Het was nog niet druk in de bar, maar toch was het rumoerig en zag het er blauw van de rook. In Engeland scheen nog niemand te hebben gehoord dat roken ongezond was. Claire voelde zich niet op haar gemak, wat niet alleen door de situatie, maar ook door de ambiance kwam. 'Michael, kunnen we een stukje gaan lopen?'

'Ja, natuurlijk,' zei hij.

Ze wandelden. Michael hield haar elleboog vast. Op Eaton Square gingen ze op een bank zitten. Het was een zachte avond en de zomer kondigde zich nu echt aan. Michael pakte haar hand. 'Je weet toch dat ik van je hou?'

Claire schudde haar hoofd. Ze wist niet wat ze wist. Ze dacht aan mevrouw Patel met haar strikte advies blijken van betrouwbaarheid in gedrag en goederen te vragen. Ze herinnerde zich wat haar vader tegen haar had gezegd: 'Geen woorden, maar daden.' Toch wilde ze in Michaels armen smelten zodra hij haar zijn liefde verklaarde. Gelukkig kreeg ze de kans niet, want hij zat rechtop. Toen pakte hij een doosje uit de zak van zijn colbert.

'Voor jou,' zei hij. Claire nam het fluwelen doosje aan. Had mevrouw Patel dit soort 'goederen' bedoeld? 'Je hebt geen enkele reden om me te vertrouwen,' erkende Michael. 'Het was pure hoogmoed dat ik je vroeg met me mee te gaan naar New York, dat zie ik nu wel in. En na onze laatste nacht... Claire, ik ben je al een keer kwijtgeraakt doordat ik een idioot was, en ik wil je niet nog eens verliezen. Wil je met me trouwen?'

Claire stond perplex. Dit had ze niet verwacht. 'Maak je het nog open?' vroeg hij. Ze deed het, en de ring met saffieren en diamanten flonkerde diepblauw en wit in de straatverlichting, als vuurwerk in een doosje.

'Michael, wat prachtig.' Ze keek van de ring naar zijn al net zo blauwe ogen.

'Mag ik hem om je vinger schuiven?' vroeg hij.

'Ik... ik weet het niet,' zei ze. Het leek een droom, iets waar ze zó vaak over had gefantaseerd dat het nu waarheid werd.

Maar ze had er nooit over gefantaseerd. Daar had ze het zelfvertrouwen of het lef niet voor gehad. 'Wil je echt met me trouwen?' vroeg ze. 'We kennen elkaar amper.'

Hij sloeg zijn arm om haar heen. 'Dat ben ik niet met je eens,' zei hij. 'Ik ken je goed genoeg om te weten hoe graag ik je wil hebben.' Hij kuste haar, en ze moest zijn kus wel beantwoorden. Ze wilde hem, of ze wilde dat hij haar wilde. Ze wilde van alles, maar haar gedachten buitelden over elkaar heen. Ze kon niet stilzitten. Ze vroeg of ze nog een stukje konden lopen. 'Natuurlijk,' zei Michael. 'We doen alles wat je wilt.' Hij pakte haar hand en ze liepen van Sloane Square naar King's Road. Claire zei niet veel. De ring en het huwelijksaanzoek moesten wel aan mevrouw Patels eisen voldoen, maar vond zij het zelf genoeg? Waarom was ze niet in de zevende hemel? Was ze te overdonderd?

Michael beschreef bedaard zijn appartement en zei dat ze waarschijnlijk iets anders zouden willen zoeken. 'Wil je een grote bruiloft?' vroeg hij. 'Mijn moeder wel, denk ik. De oudste zoon en zo.'

Claire dacht niet dat haar moeder meer dan een taart zou willen betalen. 'Ik weet het niet,' zei ze. 'Ik heb er nooit over nagedacht.'

Michael glimlachte. 'Zie je nou dat je anders bent? Tina en haar vriendinnen zijn al vanaf hun zestiende met de voorbereidingen voor hun huwelijk bezig.'

Claire schudde haar hoofd. 'Daar is Tina al op haar elfde mee begonnen. Lang voordat ze Anthony leerde kennen.'

Michael lachte. 'Heb je je uitnodiging al binnen?' vroeg hij. 'Ik heb de mijne net gekregen.'

Het stak Claire, tot haar eigen verbazing. Na al die jaren stapte Tina echt in het huwelijksbootje, en ze had niets tegen Claire gezegd. Tja, mensen veranderden. 'Je zou met mij kunnen gaan,' zei ze. 'Dan hebben de Maries pas iets om over te roddelen!'

Ze liepen terug. Michael bleef staan, nam Claire in zijn armen en kuste haar weer. 'Ga je mee naar het hotel?' vroeg hij. 'Wil je met me trouwen?'

'Ik denk dat ik beter naar huis kan gaan,' zei Claire, en niet omdat ze Imogens spelletje speelde. 'Ik ben doodmoe en, nu ja, ik moet nadenken.'

'Ik begrijp het,' zei Michael. Hij kuste haar nog een keer, hield een taxi aan en stond erop haar naar huis te brengen. Hij wist haar adres nog en hield de hele rit haar hand vast. Toen ze er waren, vroeg hij de chauffeur te wachten en bracht haar naar de voordeur. 'Kijk maar eens hoe die ring je staat,' zei hij. 'Slaap er vannacht mee.'

Het klonk op de een of andere manier heel sexy uit zijn mond, maar Claire wist niet hoe ze moest reageren. Ze vroeg zich af of hij die ring ook al aan Katherine Rensselaer had gegeven. 'Dank je, Michael,' zei ze. 'Ik zal erover nadenken. Ik bel je morgenochtend.'

69

Het was nog donker toen de telefoon ging. Claire keek op de wekker, die 5:32 aangaf. Belde Michael nu al? Ze kwam uit bed en probeerde de telefoon in de keuken te halen voordat Imogen wakker werd, maar ze was te laat. 'Voor jou,' riep Imogen vanuit haar slaapkamer.

Claire nam op en hoorde Safta's stem. 'Claire, ik geloof dat we naar het ziekenhuis moeten,' zei ze. 'Mammie heeft weeën en haar vliezen zijn gebroken. Het is tijd, hè?'

Claire probeerde wakker te worden. 'Ja. Heb je het nummer van een taxi? Heb je geld?'

Safta, die altijd op alles was voorbereid, zei ja. 'Bel de taxi dan nu. Ik zie jullie in het Royal Free Hospital,' zei Claire, die wist dat dat het dichtst bij de Patels was.

Toen Claire in het ziekenhuis aankwam, was mevrouw Patel al aan het bevallen. De kinderen zaten dicht tegen elkaar aan in de wachtkamer. 'Ik wilde ze laten slapen, maar Maudie heeft geen telefoon en ik kon haar niet halen, want ik wilde mam niet alleen laten,' verklaarde Safta.

'Heel verstandig,' zei Claire. Ze gaf Safta een klopje op haar arm en Devi een aai over zijn wang.

'Ze hebben mammie met een kar opgehaald,' zei Devi.

'Het was geen kar, maar een bed op wieltjes,' verbeterde Fala hem. Ze waren alle drie toch al gezegend met grote, sprekende ogen, maar nu waren ze zo groot als schoteltjes. Claire hurkte bij de twee kleintjes.

'Wees maar niet bang,' zei ze. 'Het komt allemaal goed met mammie. Een baby krijgen is niet gemakkelijk, maar ze heeft het al drie keer eerder gedaan.' Ze keek Devi aan. 'Jij was de laatste.' Devi schudde zijn hoofd zo heftig dat zijn zijdeachtige haar opzwiepte.

'Ik was de eerste,' zei hij.

Claire glimlachte en diepte vijf pond uit haar zak op. 'Hier,' zei ze, en ze gaf het geld aan Safta. 'Ga met ze ontbijten in de kantine en kom dan terug. Lukt dat, denk je?' Safta knikte. 'Ik ga kijken hoe het met jullie moeder is.'

Claire was er niet zo zeker van dat ze haar binnen zouden laten, maar een verpleegster van de kraamafdeling bracht haar naar de verloskamer. Daar lag mevrouw Patel bezweet en met los haar op het bed. Een verpleegster was achter in de kamer aan het redderen, maar mevrouw Patel lag er heel alleen bij.

Net toen Claire naar het bed liep, kreeg mevrouw Patel weer een wee. Ze balde haar vuisten, sperde haar ogen open en kreunde. Het maakte Claire bang, want dit was tenslotte mevrouw Patel, die altijd sterk was en zichzelf in de hand hield. Mevrouw Patels ogen waren naar het plafond gedraaid, en Claire wist niet of ze haar zag. Ze legde heel voorzichtig een hand op de schouder van haar vriendin. Die verstrakte, en pas toen de wee voorbij was, keek mevrouw Patel opzij.

Haar gezicht glansde van het zweet, en tussen haar borsten had het een plasje gevormd. 'Claire?' zei ze. Ze ontspande haar handen en stak haar arm naar Claire uit. 'Wat doe jij hier?'

'Safta had me gebeld en ik ben zo snel mogelijk gekomen. Is de baby op tijd? Ik bedoel, is het kindje voldragen?'

'Het is maar een paar weken te vroeg,' zei mevrouw Patel. 'Volgens de verloskundige is er geen probleem.' Toen kreeg ze weer een wee. Ze kneep zo hard in Claires hand dat het pijn deed en hijgde en kreunde weer. Vooral dat kreunen beangstigde Claire. De verpleegster keek eindelijk om.

'Stil maar, moedertje. Het valt wel mee.'

'Nietes!' hijgde mevrouw Patel. 'En ik ben je moeder niet.'

De verpleegster liep naar het bed, voelde aan mevrouw Patels buik en onderzocht haar inwendig. 'Ongeveer twee centimeter,' zei ze. 'U bent er nog lang niet.'

Claire kon haar wel slaan, maar richtte haar aandacht op mevrouw Patel.

'Ik vergeet telkens weer hoe zwaar het is, maar ik heb het altijd alleen moeten doen,' zei mevrouw Patel. 'Fijn dat je er bent.'

'Maar ging uw man dan niet mee? Was hij niet...'

'Hij was waardeloos. Hij wilde het niet zien. En nu is hij weg, en hij zal het gezicht van dit kind nooit te zien krijgen.' Ze kneep weer in Claires hand, maar nu niet van de pijn. 'Waar zijn de kinderen?' vroeg ze. 'Zijn ze erg bang? Ik had geen tijd meer om Maudie te halen. Zitten ze in de wachtkamer?'

'Ze zijn iets aan het eten, ze gedragen zich goed en ze zijn benieuwd naar hun nieuwe broertje of zusje,' zei Claire geruststellend.

'Dank je wel, Claire,' zei mevrouw Patel. 'Dit is heel zwaar zonder familie, zonder hulp.' Er welden tranen in haar ogen op. Ze likte langs haar lippen en vervolgde: 'Geloof me, je moet echt zeker van die man zijn voordat je met hem verdergaat. Je wilt alleen zo in een kamertje liggen als ik nu als je hem echt vertrouwt en heel veel van hem houdt.' Claire gaf een kneepje in mevrouw Patels schouder. Met haar andere hand voelde ze het doosje met de grote ring in haar zak. Ze overwoog hem aan mevrouw Patel te laten zien, maar bedacht zich. 'Beloof je dat?' vroeg mevrouw Patel.

'Ik beloof het,' zei Claire.

'Goed zo. Ga terug naar de kinderen. Zeg dat ik heel boos word als ze te veel snoepen. En zeg tegen Devi dat hij lief moet zijn. En vraag of ze een naam voor hun broertje of zusje kunnen bedenken.'

Claire knikte. 'Fala vond "Beckham" wel mooi.'

'Ik niet,' zei mevrouw Patel, en ze lachte, maar toen kwam er weer een wee. Claire trok haar hand terug.

'Ik ga even naar de kinderen en dan kom ik terug,' beloofde ze.

Mevrouw Patel, die kromp van de pijn, knikte alleen maar. Claire wilde haar niet alleen laten, maar ze wilde de bevalling eigenlijk niet zien. Er kwam nog een verpleegster binnen en Claire liep de kamer uit.

De drie uur daarna zat Claire afwisselend bij mevrouw Patel en de kinderen. Devi viel op haar schoot in slaap en Fala had een kleurboek en kleurpotloden van een verpleeghulp gekregen waarmee ze speelde. Alleen Safta hield al haar aandacht op haar moeder en het kind gericht. 'Komt het wel goed?' vroeg ze een paar keer aan Claire, en Claire stelde haar gerust.

Uiteindelijk was het dan zover.

Claire mocht de verloskamer in, maar ze hield afstand en was aanvankelijk doodsbang. Ze had weleens een bevalling op tv gezien, maar de geboorte van mevrouw Patels derde dochter was zo wonderbaarlijk dat Claire in huilen uitbarstte.

Toen mevrouw Patel de schone, warm ingepakte baby in haar armen kreeg, verdwenen de pijn en vermoeidheid op slag van haar gezicht. Het kindje was klein, maar mooi, en het had al wimpers die haar wangen raakten. 'Een mooi meisje,' zei de verloskundige met een glimlach. 'Weet u al hoe u haar gaat noemen?'

Mevrouw Patel knikte. 'Claire,' zei ze. 'Ze heet Claire.'

Nadat de kinderen bij hun moeder waren geweest en hun nieuwe zusje hadden gezien, bracht Claire hen naar huis, waar ze werden opgevangen door Maudie, die door Safta vanuit het ziekenhuis was opgebeld.

In de taxi naar Camden had Claire naar de kleuren van de zonsopkomst gekeken. Ze probeerde zich voor te stellen hoe het zou zijn om een kind van Michael te krijgen, maar het idee stond haar tegen. Hij was in wezen een egoïst, ook nu nog. Hij wilde haar, maar alleen omdat hij zijn zinnen op haar had gezet. Zou zij belangrijker voor hem zijn dan de sportwagen die hij om de paar jaar inruilde? En zelfs al was ze dat, hoe kon ze dan zijn leven leiden?

Wat ze had gezien, de realiteit van een vrouw die een kind baart van een man die er niet is, wees haar op de kern van een probleem tussen mannen en vrouwen. Ooit had ze een man als Michael Wainwright willen hebben, maar nu niet meer. Met dat besef kwam ook de zekerheid dat ze niet naar New York terug kon. Op de een of andere manier had ze het geluk gehad hier haar plekje te vinden, en daar kon ze geen afstand meer van doen. In Londen leefde ze echt en voelde ze zich werkelijk thuis. Ze leek ervoor in de wieg gelegd te zijn om hier te leven, omringd door de laagbouw, de schone ondergrondse, haar boeken en de mensen die ze had leren kennen. Misschien was haar wens bij de vallende ster toch vervuld!

Claire zag pas in de namiddag kans om Michael te bellen. Ze wist dat hij die avond vertrok en hoewel ze geen pap meer kon zeggen, stemde ze in toen hij een afspraak wilde maken. Ze nam een taxi naar Harvey Nichols en probeerde tijdens de rit haar haar te borstelen en zich een beetje op te maken, zodat het tenminste leek alsof ze haar best had gedaan. Ze nam de lift naar het dak en liep door de gangpaden met delicatessen en dure kookboeken naar het restaurant. Het was groot en vol, maar Michael had uiteraard een tafeltje aan het raam bemachtigd met uitzicht op een terras, daken en schoorstenen. Claire liep naar hem toe en ging tegenover hem zitten.

Hij stond op, gaf haar een kus en pakte haar hand. 'Wil je thee?' vroeg hij. 'Of een vroege maaltijd?' Hij ging naast haar zitten, met zijn rug naar het raam.

'Ik heb geen trek. Een kop koffie misschien.' Ze voelde zich duizelig. De overstap van de spanning in de verloskamer naar het rumoer in het restaurant was te groot. Ze had al weken geen koffie meer gehad, maar nu leek het niet alleen goed, maar zelfs onontbeerlijk.

Ze bestelden en hij pakte haar andere hand. 'Mag ik een ring om die vinger schuiven?' vroeg hij.

Claire sloeg haar ogen neer, beet op haar lip en keek naar Michael op. Hij had het licht achter zich en ze kon zijn gezicht niet goed zien. Gelukkig maar, dacht ze. Ze pakte het doosje uit haar zak en zette het op de tafel tussen hen in. Hij reikte ernaar. 'Ik zal hem aan je vinger schuiven,' zei hij zelfverzekerd. Kennelijk dacht hij te weten wat ze zou zeggen. Waarschijnlijk had hij het al die tijd al geweten.

Maar ze schudde haar hoofd. 'Ik kan geen ja zeggen, Michael,' zei ze.

Ze hoorde hem naar adem snakken alsof hij een stomp in zijn maag had gekregen. 'Waarom niet?'

'We passen niet bij elkaar,' zei ze, al was het een hopeloos cliché.

'Natuurlijk wel,' zei hij. Hij gaf een klopje op de hand die mevrouw Patel nog maar een paar uur eerder beurs had geknepen.

'Claire, ik hou van je,' zei hij. 'En ik denk dat jij ook van mij houdt. Als je wilt verhuizen, doen we dat. Als je stiekem wilt trouwen, zonder bruiloft, doen we dat, maar ik kan ook een grote bruiloft betalen. We krijgen een heerlijk leven. Ik heb veel over mezelf geleerd. Dat succes tegen elke prijs te duur is, dat je iemand moet hebben die echt achter je staat. Claire, wil je mevrouw Wainwright worden? Ik weet zeker dat mijn ouders dol op je zouden zijn.'

Claire betwijfelde het, maar zag geen reden om hem tegen te spreken. Ze wist dat ze met geen mogelijkheid met hem kon trouwen.

'Michael, het kan gewoon niet,' zei ze. 'Jij... jij leeft op grote voet. Je doet grote zaken. Je houdt van dure restaurants en hotels. Je wilt de duurste auto en de mooiste kleren hebben.'

'Maar dat kun jij ook allemaal krijgen,' onderbrak hij haar. 'Je krijgt alles van me.'

Claire schudde haar hoofd. 'Michael, ik heb er geen behoefte aan.'

'Wat?' zei hij, en voor het eerst zag Claire echte verwarring op zijn gezicht. 'Wat bedoel je?'

'Michael, ik hou van kleine dingen. Kleine winkeltjes en kruidenierszaakjes. Ik ga liever naar het buurtcafé dan naar een patserige hotelbar. Ik hou niet van uitgaan. Ik hou meer van lezen. En breien. Michael, ik hou van breien.'

Hij knipperde verbaasd met zijn ogen. 'Nou, daar is toch niks mis mee?'

'Maar ik vind het leuk om mijn eigen kleren te breien. En ik wil er niet te veel hebben. En ik voel me niet op mijn gemak als ik helemaal opgedoft ben. Die knalrode jurk die jij zo mooi vond, heb ik alleen voor jou gekocht, want hij hoort niet bij me. En de kleren die ik gisteren aanhad, had ik geleend. Het waren niet eens mijn eigen kleren, Michael.'

'Dat geeft niet, Claire. Het kan me niet schelen wat voor kleren je draagt. We kunnen een winkeltje voor je kopen. Als je van me houdt, komt alles op zijn pootjes terecht.'

Claire schudde haar hoofd weer. Dit was geen zoete wraak, ze genoot er niet van hem te kwetsen. 'Ik geloof niet dat ik van je hou,' zei ze met de nodige moeite. Afgewezen worden was pijnlijk, maar iemand afwijzen was net zo moeilijk. 'Het spijt me echt, Michael,' besloot ze.

Hij pakte het doosje en stopte het in zijn zak. 'Het hoeft je niet te spijten. Ik heb spijt.' Hij bewoog en het licht viel op zijn profiel. Ze zag zijn gezicht, en hij keek verdrietig. Ze wendde haar blik af. Dit had ze niet gewild, maar ze had geen keus.

'We hebben elkaar niets meer te zeggen, denk ik.' Hij legde een paar bankbiljetten op de tafel. 'Het ga je goed, Claire.'

Voordat ze ook maar een woord kon zeggen, liep hij weg.

70

Claire stopte haar laatste bezittingen in een doos terwijl Imogen van de woonkamer naar de slaapkamer naar Claires kamer fladderde en zich erover beklaagde hoe moeilijk verhuizen was. 'Het is gewoon te veel,' zei ze. 'Wees maar blij dat jij niet zoveel spullen hebt, Claire.' Claire knikte en probeerde te glimlachen. Ze dacht dat Imogen niet blij zou zijn als ze zo weinig spullen had als zij, maar vond het niet nodig haar daarop te wijzen. Ze ging voorlopig naar mevrouw Patel. Ze zou haar in de winkel helpen en, in mindere mate, met de baby. Het was voor hen beiden een goede tijdelijke regeling, maar Claire wist dat ze er niet kon blijven. Ze moest haar eigen plekje hebben, en hoewel de rillingen haar over de rug liepen bij het idee dat ze weer bij mevrouw Watson zou moeten aankloppen, had ze het er desnoods voor over.

Toen Claire zich bukte om een doos te pakken, zag ze een envelop op een andere doos liggen. Het was een brief van haar moeder. Claire liet zich op het bed zakken, maakte de envelop open en begon te lezen.

Lieve Claire,
Ik mis je heel erg. Het is eenzaam in het lege huis. Ik ben naar boven gegaan, maar je kamer is heel anders zonder jou. Weet je nog hoeveel lol we altijd hadden? Ik hoop dat je terug wilt komen. Maar goed, ik heb deze brief voor je gekregen. Denk alsjeblieft niet dat ik hem open heb gemaakt. De envelop was al gescheurd toen hij werd bezorgd. Ik hoop dat het goed nieuws is, en dat je het me wilt vertellen.
Je liefhebbende moeder

PS: Ik betaal de rekening van Saks zelf af. Zie het maar als een verjaardagscadeautje. Je had me geen geld hoeven sturen, hoor. Ik ben altijd gul geweest. Van jouw geld heb ik je kamer opgeknapt, zodat je er zo weer in kunt.

Er zat een envelop bij de brief, en het was duidelijk dat haar moeder hem had opengemaakt. Dat had ze ook gedaan wanneer er eens een zeldzame brief van Fred voor Claire kwam en haar moeder geen geduld had.

Dit was echter geen brief van Fred, maar van Alcott & Stevens, een notariskantoor uit New York. Claire maakte de envelop open.

Geachte mevrouw Bilsop,
Tot onze spijt moeten wij u meedelen dat uw tante, Gertrude Polanski-Bilsop, is overleden. Zoals u wellicht weet, was ze de enige zuster van uw vader, en toen uw grootvader van vaderskant kwam te overlijden, was zij de enige erfgename.

Mevrouw Polanski had geen kinderen, en ze laat u al haar bezittingen na. Ik sluit een kopie van haar testament bij. Het komt erop neer dat u ongeveer $ 428.000 in contanten en effecten erft, alsmede het huis aan Hyland Avenue 713 te Tottenville. Uw tante had het de afgelopen twintig jaar verhuurd, maar op jaarbasis, en de huurders kunnen aan het eind van dit kalenderjaar uitgezet worden.

Verder erft u nog enige mogelijk waardevolle schilderijen, meubelen en sieraden. We kunnen alles desgewenst voor u laten taxeren.

Uw tante is heel lang cliënt bij ons kantoor geweest. Wij hebben haar na de dood van haar echtgenoot bijgestaan en ik hoop dat u ook wilt overwegen van onze diensten gebruik te maken. Als executeur van het testament wacht ik uw reactie af. Het testament zou over een paar maanden afgewikkeld moeten kunnen zijn.
Met de meeste hoogachting,
John Alcott

Claire legde de brief weg. Ze voelde zich verdoofd. Toen bedacht ze gek genoeg dat ze het niet aan Imogen kon vertellen, die toch al dacht dat ze uit een 'oude familie' kwam, en dat ze Nigel Venables ook niet wilde bewijzen dat ze echt 'van goede komaf' was. Ze las de brief nog eens, nu aandachtiger. Alles wat haar vader haar had verteld, alles wat haar moeder onzin had genoemd, moest dus toch waar zijn. Hij had weleens over zijn zuster verteld en ze wist dat hun vader lang geleden met hem had gebroken omdat hij zijn studie niet had afgemaakt. Ze had haar grootvader en tante Gertrude zelfs nooit ontmoet. Toen dacht ze aan de huizen in Tottenville, niet die moderne misbaksels, maar de mooie, oude huizen die de yuppies hadden opgeknapt. Stond er zo'n huis op haar te wachten op Staten Island? En het geld! Het was meer dan ze zich kon voorstellen. Het was de loterij niet, maar voor haar was het een groot bedrag.

Ze keek naar de brief. Wat een mogelijkheden. Misschien kon ze een appartement kopen, of er toch tenminste een huren. Ze kon bij Imogen blijven, maar dan alleen. Ze kon een werkvergunning aanvragen. Het was verbijsterend hoe een stukje papier je leven kon veranderen. Maar wilde ze haar leven wel veranderen? Ze wilde beslist geen huis in Tottenville, ook al stond het aan het water. Deed het er iets toe dat een verre oudoom herenboer was geweest en deel uit had gemaakt van de heersende koloniale klasse? Ze vond van niet.

'Ik ben bijna klaar,' zei Claire tegen Imogen. 'Ik ga nog even afscheid nemen van mevrouw Venables, maar ik wilde je nu je huwelijksgeschenk geven.' Ze gaf Imogen het cadeautje dat ze met veel zorg had ingepakt. 'Ik weet niet of het wel beleefd is, of ik niet hoor te wachten tot je echt getrouwd bent, maar...' Ze zweeg even. 'Nou ja, ik wil het je nu graag geven.'

'O, Claire wat lief van je. Zal ik het nu meteen openmaken? Eigenlijk hoor ik op Malcolm te wachten, maar je weet hoe mannen zijn.' Claire was er niet zeker van of ze dat wist, maar ze stemde in en ging met Imogen op de bank zitten. Imogen scheurde de verpakking open. 'Claire!' zei ze toen ze het Battersea-blikje zag. 'Ik... Nee, dit kan ik echt niet aannemen. Het is zo mooi. En kostbaar. Wil je het echt niet meer hebben?'

'Ik wil het aan jou geven,' zei Claire. 'Als je er blij mee bent. Mijn tijd hier met jou is heel bijzonder voor me geweest, en ik wil dat je altijd aan me blijft denken.'

Imogen sloeg spontaan haar armen om Claire heen en zoende haar. 'Wat een mooi cadeau. Ik heb ook iets voor jou. Kun je nog even binnenwippen nadat je bij mevrouw Venables bent geweest?'

Claire knikte. 'Ik zal wel moeten,' zei ze. 'Om mijn spullen te halen.'

'Tot straks dan,' zei Imogen, en ze begon weer doelloos door de halflege kamers te drentelen.

Claire liep door de straat die straks de hare niet meer zou zijn. Ze vond het jammer dat ze de buurt moest verlaten. Er was niets mis met Camden, maar Kensington was zo mooi. De afgelopen twee eeuwen, en soms nog veel langer, hadden mensen manieren gezocht en gevonden om deze huizen nog beter en mooier te maken. De bloembakken stonden in volle meibloei. De voortuinen waren allemaal perfect onderhouden. Op de balkons stonden bakken met struiken. Alle deuren leken pas in de verf gezet te zijn en al het messing blonk in de lentezon. Zelfs de gordijnen en kroonluchters die vanaf de straat zichtbaar waren, leken precies bij de huizen en de buurt te passen. Claire dacht aan de hordeuren en betonnen muren in Tottenville en trok een grimas. Maar ze hoefde niet terug. Als het oude huis verkocht was, kon ze hier misschien iets vinden.

Wat een opluchting dat ze niet terug hoefde naar Staten Island of Manhattan. Haar beslissing niet met Michael te trouwen was niet gemakkelijk geweest, maar ze had er nog geen moment spijt van gehad. Ze had die nacht goed geslapen. Het speet haar dat ze hem had gekwetst, maar zijn onbeschofte afscheid deed haar vermoeden dat hij er snel genoeg overheen zou komen. Misschien zou een Katherine Rensselaer haar ooit nog eens mogen bedanken voor het huis en het gezin dat Michael haar had geschonken.

Claire sloeg de hoek om en zag de wolwinkel, waar vreemd genoeg mensen binnen waren. Ze herkende mevrouw Willis, mevrouw Lyons-Hatchington en Charlotte. Ze versnelde haar pas en toen ze bij de deur kwam, zag ze tot haar schrik en blijdschap mevrouw Venables achter de toonbank staan.

'Dag Claire,' zei mevrouw Venables, die opkeek van het breiwerk van de gravin, die naast haar stond. 'Het lukt me niet om een andere kleur wol op dit visje te zetten,' zei ze. 'Wil je even helpen?'

'Natuurlijk,' zei Claire. Ze wilde eigenlijk vragen of mevrouw Venables hier wel mocht zijn, of het wel goed voor haar was, maar niet waar anderen bij waren. Ze glimlachte naar de gravin. 'Zo,' zei ze, en ze wikkelde behendig de wol om het breivisje.

'Ha, Claire. Mijn dochter zei dat je een dezer dagen nog zou bellen over een breifeest, maar als de winkel toch openblijft, kunnen we ons de drukte misschien besparen.'

'O, maar de winkel...'

Mevrouw Venables nam het soepel van haar over: '...blijft wel degelijk open. Al wil Claire met alle plezier een feestje geven, als het bij u thuis mag.'

Mevrouw Cruikshank liep naar hen toe. 'Mijn schoondochter is met haken begonnen.'

Claire probeerde uit alle macht interesse te tonen. Zoals veel breisters had ze een diepe minachting voor haken. Het bood geen uitdaging en er waren maar drie basissteken. 'Ik haak zelf niet,' zei ze.

'Ik ook niet,' zei mevrouw Cruikshank. 'Ik heb er ook nooit iets aan gevonden.'

'Ho ho,' mengde mevrouw Venables zich in het gesprek, 'ze doet het vast heel goed. We mogen ons niet door onze passies laten beheersen.' Ze glimlachte naar Claire. 'Niet altijd tenminste,' voegde ze er schalks aan toe.

Claire, die niet goed wist waar mevrouw Venables op doelde, ging er niet op in. Ze had ook te veel vragen. Bleef de winkel open? Kon mevrouw Venables weer werken?

'Ja, als je wat ouder wordt, moet je je strijd met zorg kiezen,' zei mevrouw Cruikshank. 'Je kunt het niet van iedereen winnen.'

Mevrouw Venables knikte instemmend. 'Wat u zegt. Kijk maar naar de winkel. Die moet openblijven, maar ik heb er verwoed om gestreden met mijn zoon.'

'Zonen,' verzuchtte mevrouw Cruikshank. 'Ze trouwen altijd met de verkeerde.'

'Nou, dat weet ik niet, hoor,' zei de gravin. 'Dochters trouwen soms helemaal niet.'

Mevrouw Venables knikte weer. 'Zonen soms ook niet,' zei ze. 'Nigel wordt zesendertig, maar hij is nog steeds niet getrouwd. Misschien gunt hij me geen kleinkinderen.'

'O, maar al heb je ze, dan krijg je ze nog niet altijd te zien,' zei mevrouw Cruikshank. 'Mijn schoondochter, die haakster, vindt één bezoekje per maand meer dan genoeg.' Toen vroeg ze aan Claire of die een kleur voor haar wilde afhechten. Claire, die popelde om te horen wat er tussen mevrouw Venables en Nigel was voorgevallen, slaagde erin het vest heel te houden, maar zodra ze klaar was en mevrouw Cruikshank bij de gravin was gaan zitten, barstte ze los.

'Hoe hebt u Nigel zo gek gekregen dat de winkel open mocht blijven?' vroeg ze.

Mevrouw Venables haalde haar schouders op en glimlachte luchtig. 'Ik heb mijn poot stijf gehouden. De zaken gaan gewoon door, heb ik gezegd.'

'Dus u houdt de winkel open?' vroeg Claire. De vrouwen rond de tafel knikten glimlachend. 'Maar... hoe?'

'Ik heb eerst met mijn huisarts overlegd, en die vond het goed. Maar je weet hoe Nigel is. Het was niet gemakkelijk.'

'Ze zijn nooit gemakkelijk,' zei mevrouw Cruikshank wrokkig. 'Maar hij bekommert zich tenminste om u.'

'Dus hij vond het goed?' vroeg Claire, die haar hart op hol voelde slaan.

'Nou, niet zonder slag of stoot. Ik mag dan oud zijn, heb ik tegen hem gezegd, maar ik heb ze nog op een rijtje. Ik heb voet bij stuk gehouden.' De vrouwen knikten instemmend.

'Hoe hebt u hem overtuigd?' vroeg Claire.

'Ik vroeg waarom hij erop tegen was. Vroeg hij zich af of ik wel sterk genoeg was om de winkel draaiend te houden?' Ze keek naar het groepje aan de tafel. Toen keek ze Claire weer recht aan. 'Ik heb gezegd dat ik het niet wist, maar dat ik zeker wist dat Claire maar wat graag mijn compagnon zou willen worden.' Ze glimlachte breed naar Claire en gaf een klopje op haar hand. De andere vrouwen humden goedkeurend. 'Hij zei dat werken niet goed voor me was, waarop ik antwoordde dat boven zitten kijken hoe het stof neerdaalt en het zilver zwart uitslaat ook niet zo heilzaam was.'

'Goed zo,' zei de gravin.

'Begon hij toen niet te zeuren? Dat zou mijn zoon wel gedaan hebben,' zei mevrouw Cruikshank.

'Ja, natuurlijk.' Mevrouw Venables stak haar kin naar voren en zette haar handen in haar zij. '"Maar moeder..."' zei ze. Het was een vrij goede parodie op Nigel en de andere vrouwen lachten, maar Claire was te opgewonden om mee te doen. 'Ik was bang dat hij het pand zou moeten verkopen om zijn financiën op orde te krijgen.' Ze vervolgde fluisterend tegen Claire: 'Ik wilde hem er niet aan herinneren dat het toevallig ook *míjn* pand is.'

Mevrouw Cruikshank knikte. 'Als ik een paar breipennen koop, doen ze al alsof ik hun hele erfenis verbras.'

'Nou, gelukkig zei Nigel dat hij het financieel wel redde. Het was eerlijk gezegd een hele opluchting voor me.'

'En dus blijft de winkel open,' zei de gravin met een glimlach.

'Dat hangt van Claire af. Als ze mijn compagnon wil worden en de winkel wil leiden. Ik heb Nigel beloofd dat ik maar drie middagen per week zou gaan werken.'

'Dat lijkt me redelijk,' zei mevrouw Cruikshank. 'En Claire is een beste meid.' Ze gaf een klopje op Claires arm. 'Was mijn zoon maar met zo iemand als jij getrouwd,' zei ze.

Claire kon het bijna niet geloven. Ze had vandaag al geld en een huis geërfd, en nu kreeg ze ook nog eens een compagnonschap aangeboden? De winkel bleef open, ze kreeg een baan die ze heerlijk vond en de mensen waren haar nog dankbaar ook. Het was te veel. 'Er zijn natuurlijk nog een paar problemen,' riep mevrouw Venables haar tot de harde werkelijkheid terug. Ze had het kunnen weten. 'Om te beginnen,' vervolgde mevrouw Venables, 'zal Claire veel meer geld moeten aannemen. En ten tweede zal ze waarschijnlijk een appartement boven de winkel moeten accepteren bij wijze van vergoeding.' Ze keek Claire verontschuldigend aan. 'Tot er meer geld binnenkomt. En Nigel zei dat hij veel geruster zou zijn als hij wist dat ik je maar hoefde te roepen.' Ze keek weer naar de vrouwen. 'Maar misschien wil Claire niet met mij opgescheept zitten.'

Een appartement! In deze buurt, boven deze winkel! Mevrouw Venables' appartement op de eerste verdieping was schitterend. Claire wist niet hoe de andere appartementen eruitzagen, maar... En de mogelijkheid om geld in de winkel te investeren, of een grotere winkelruimte te huren en ook 's avonds cursussen te geven, of aan grotere groepen. En ze moest haar nieuwe onderkomen inrichten. Kleuren voor de muren kiezen, nieuwe tapijten voor op de mooie houten vloeren, nieuwe gordijnen... De lijst was eindeloos.

'Wil je erover nadenken, Claire?'

Toen dacht Claire opeens aan mevrouw Patel en de baby. Ze had beloofd voor de winkel te zorgen en met de kinderen te helpen. Maar kon het niet allebei? Zeker als Maudie meer wilde werken? 'Misschien duurt het even voordat ik het heb geregeld,' zei Claire, 'maar ik zou heel blij zijn, heel dankbaar...'

'Zullen we dat later allemaal afhandelen?' zei mevrouw Venables.

Op hetzelfde moment ging de deur open en kwam lady Ann binnen.

71

Lady Ann gaf haar moeder een zoen, begroette de andere vrouwen en wendde zich tot Claire. 'Imogen zei dat je hier nog was,' zei ze. 'Ga je mee naar jouw huis?'

Het was een dag vol verrassingen, en Claire liet zich nieuwsgierig door lady Ann meetronen naar het appartement, waar Imogen met drie glazen wijn en een grote salade zat te wachten. 'Wil je een hapje eten?' vroeg ze opgewekt aan Claire, alsof ze altijd maaltijden bereidde.

Claire wist dat er iets heel vreemds gaande was. Imogen wilde natuurlijk graag indruk maken op lady Ann, maar wanneer hadden ze deze afspraak gemaakt? En waarom was zij ook uitgenodigd? Claire ging op de bank zitten en lady Ann op een stoel. 'Weet je, Claire,' begon Imogen, 'lady Ann en ik hebben het over een breiboek gehad. We zijn er alle uitgeverijen mee afgegaan, en we denken dat jij de ideale persoon bent om het te schrijven.'

'Een boek schrijven?' zei Claire. 'Ik kan niet schrijven!'

'Nou, daar hebben Naomi Campbell en Ivana Trump zich toch ook niet door laten weerhouden?' zei Ann lachend.

'Ik ben een oen dat ik er niet zelf op gekomen ben,' zei Im. 'Ann heeft het me allemaal uitgelegd. Het is geniaal.'

'Claire, je bent jong en aantrekkelijk en je kunt breien, en ik zou veel publiciteit voor je kunnen krijgen,' zei Ann. 'Wij smullen altijd van verhalen over Amerikanen die het hier beter vinden dan in Amerika. Zo overwinnen we ons minderwaardigheidscomplex.'

'Maar...' stribbelde Claire tegen.

'Luister,' zei Imogen. 'Het gaat zo: ik zorg dat je een redactrice krijgt die met je samenwerkt, en jullie maken een boek met eenvoudige patronen. We citeren een paar beroemdheden en vertellen hoe ontspannend en meditatief breien werkt. Je weet wel, breien als een soort zenmeditatie. En dan doe je de tv-programma's en de tournee.'

'Een tournee? Waarnaartoe?' vroeg Claire.

'O, Manchester, Bristol, Edinburgh...' Ann en zij lachten. 'Ik denk dat ik een goed voorschot voor je kan bedingen,' vervolgde Im. 'Niet duizelingwekkend, maar wel met vier nullen. En als het wat wordt, kunnen we er een hele serie van maken.'

'O, dat wordt wel wat,' zei Ann. 'Ik hoor de hele dag mensen kletsen. Heb je enig idee hoeveel redactrices van vrouwenbladen nog bij me in het krijt staan? Trouwens, ik heb al een smeuïg persbericht uitgegeven en de bladen lijken wild enthousiast te zijn.'

Ann en Imogen lachten weer, maar Claire was nog te verbijsterd. 'Dus ik schrijf een boek en daar krijg ik geld voor?'

'Juist. En dan trekken we het hele land door, of liever gezegd jíj, om overal boeken te signeren en mensen te leren breien. Nou, wat zeg je ervan?'

Claire zei ja.

De volgende dag liet Nigel haar het appartement zien. 'Ik zou je heel dankbaar zijn als je hier je intrek wilde nemen,' zei Nigel. 'Moeder ook.'

Claire keek om zich heen. Het appartement was iets kleiner dan dat van mevrouw Venables, maar het had een grote woonkamer met een schouw aan de ene kant en deuren naar een klein balkon aan de andere. Er was een bescheiden keuken, een slaapkamer, en tot Claires verbazing en verrukking ook een bergkamer. 'Ik vrees dat er minder kastruimte is dan je waarschijnlijk gewend bent,' zei Nigel op de toon van een makelaar die een minpuntje moet aangeven, 'maar ik kan er een in die muur laten bouwen. En je krijgt nieuwe gordijnen, natuurlijk. Je mag de stof zelf uitkiezen.'

Claire keek hem stralend aan, maar bedacht toen hoe vernederend dit voor Nigel moest zijn. 'Nigel, het spijt me heel erg als je...'

'Nee, ík moet mijn excuses aanbieden. Ik ben heel dom geweest. En vooringenomen. Ik hoop dat je het van je af kunt zetten. Ik zou niet weten wat mijn moeder en ik zonder jou hadden moeten beginnen.'

Claire bloosde. 'O, dan was het...'

'Dan was het een ramp geworden.' Hij keek om zich heen. 'Zal ik de boel dan maar laten schilderen? Heel lichtroze?' Voordat ze iets kon zeggen, keek hij haar weer aan. 'Je hebt een mooi uitzicht op de achtertuin. Kom maar kijken.'

Ze liepen naar de lege slaapkamer en keken naar buiten. 'Hij is erg verwaarloosd,' zei Nigel. 'Moeder werkte er altijd graag, maar de tuinman laat de boel versloffen.'

'Mag ik in de tuin werken?'

'Ja, natuurlijk. Als je dat leuk vindt.'

Claire keek hem aan. 'O, dolgraag!'

Misschien kwam het door haar enthousiasme, of door de lichtval op haar gezicht. Misschien kwam het doordat hij het al een tijdje wilde doen. Wat de reden ook was, Nigel nam Claire in zijn armen en kuste haar, tot haar verrassing. Tot haar nog grotere verrassing kuste hij haar lang en lekker.

72

Je zou kunnen denken dat Claire nog lang en gelukkig leefde. Zo gaat het natuurlijk nooit, maar als jij wilt denken dat Claire een uitzondering was, mag dat. Het appartement werd prachtig ingericht met de familiestukken van Claires tante Gertrude en het antiek dat ze zelf kocht.

Je mag je voorstellen hoe Claire in de bergkamer, waar ze haar kantoor van maakte, aan haar boek zat te zwoegen. Je zou ook kunnen geloven dat het een bestseller werd, en dat ze niet alleen overal in het land boeken signeerde in boek- en handwerkwinkels, maar dat het ook een succes werd in Canada en Amerika. En dat Leonora Atkins Claire en Nigel overhaalde een keten wolwinkels te openen en dat die floreerde.

Je wilt misschien geloven dat mevrouw Venables nog heel lang bleef leven en uiteindelijk in haar eigen bed stierf, met Claire aan de ene kant en Nigel aan de andere. Je kunt ook geloven dat Nigel en Claire een goed huwelijk kregen dat gebouwd was op wederzijds respect, gedeelde interesses en niet te weinig lust. Door hun huwelijk en de dochter die eruit voortkwam waren mevrouw Venables' laatste jaren heel gelukkig geweest, en ze breide een babyuitzet voor haar kleinkind.

Of Claire ooit terugging naar New York, bruidsmeisje was bij Tina's huwelijk en zich met haar moeder verzoende, zijn dingen die je ook zelf mag kiezen. En ook of Safta haar studie aan Cambridge deed, mevrouw Patel een nieuwe man vond en Claire uiteindelijk toch nog naar Nice ging. Misschien wil je dat alles sprookjesachtig afloopt door die ene wens bij een vallende ster.

Het mag allemaal, maar in zekere zin zijn romans net sprookjes. Ze worden uit de lucht geplukt en wekken de magische illusie dat de personages echte, levende mensen zijn, en dat hun belevenissen echt zijn gebeurd. De schrijver fantaseert en speculeert, maar weet aan het eind van het verhaal net zomin hoe het verder gaat als de lezer. Fictie is vaak beter dan het echte leven, want alleen aan het eind van een roman kun je die magische toverspreuk schrijven: 'En ze leefden nog lang en gelukkig.'

Nawoord

Helaas is Olivia Goldsmith na de voltooiing van *Als liefde blind is* overleden. Haar goede vriendin en rechterhand Nan Robinson haalt herinneringen aan haar op:

Toen we elkaar leerden kennen, woonde Olivia in een historisch herenhuis in Vermont, dat ze had gerenoveerd. Ze kwam weleens in een eetcafé in de stad. Daar vroeg ze een serveerster, Etta Kennett, of die iemand wist die haar zou kunnen helpen typen. Etta zei: 'Ik ken een meisje dat altijd een laptop bij zich heeft en aan manuscripten werkt als ze de schoolbus niet bestuurt.' Olivia noteerde haar naam en telefoonnummer op een servet en gaf het aan Etta.

Toen Etta mij het servet gaf, leek het me zo opwindend dat ik mijn mening zou mogen geven over het werk van een schrijfster, dat ik een afspraak met Olivia maakte zodra ze terug was van de tournee voor *The First Wives Club*, haar megabestseller. Ze vertelde me over haar werk en wat ze van mij verwachtte, en vervolgens stuurde ze me naar haar kantoor om 'met de Mac te stoeien'. Toen ik weer beneden kwam en haar vertelde dat ik klaar was, gaf ze me een exemplaar van haar boek en het manuscript van het volgende. 'Leer mijn stijl maar kennen door me te lezen, en dan mag je zoveel commentaar op *Illusies* leveren als je wilt.'

In de winter van 1993 bood HarperCollins U.S. Olivia een contract aan voor drie wereldwijd uit te geven boeken. Tijdens onze gebruikelijke ochtendwandeling langs het strand van Hollywood in Florida zei Olivia dat ze het contract niet aannam als ik niet meedeed. 'Nou, het lijkt me leuk,' was mijn reactie. Ze lachte. Het is wel duidelijk dat ik niet kan tellen, hè? *Als liefde blind is* is haar elfde boek.

Olivia geloofde heilig in: 'Heb pen, kan reizen.' Dat deden we dus. Twee keer naar Parijs, drie keer naar Italië, minstens zes keer naar Engeland, naar India, Wyoming en met de auto langs de Californische kust, en dan heb ik het nog niet eens over alle plaatsen die ze aandeed voor haar boekentournees, lezingen en andere optredens in het openbaar. Wanneer we niet reisden, gedijden we het best op het beloningssysteem: warme karamelsundaes of winkelen bij outlets van designmerken. Wat onze avonturen in Hollywood betreft: dat is weer een heel ander sprookje. Ik kan wel stellen dat Olivia trots was toen haar 'woord vlees werd' in de film *The First Wives Club.* Dat die als een fenomeen werd binnengehaald, was beslist een leuk extraatje.

Alsof het schrijven van boeken nog niet constructief genoeg was, was Olivia ook gek op renoveren. Ze werkte aan haar herenhuis, een klassiek complex met zes appartementen, een herenhuis van twee verdiepingen, twee lofts en een boerderijtje, maar haar uitdagendste onderneming was *Beaver Hall*, een classicistisch landhuis aan de Hudson in het noorden van de staat New York.

Op het serieuzere vlak moet ik haar bedanken omdat ze er voor me was toen ik vier jaar geleden ernstig ziek werd, waarna werd vastgesteld dat ik aan multiple sclerosis leed.

Ik heb Olivia op geen stukken na kunnen bedanken voor alles wat ze voor mijn leven heeft betekend en nog steeds betekent. Als het leven een sprookje kon zijn, zou ik wensen dat mijn beste vriendin terugkwam, zodat ik 'nog lang en gelukkig' kon leven.

Ik hoop dat u van *Als liefde blind is* hebt genoten. Olivia had een liefdesverhouding met Londen, waar dit boek een gepast eerbetoon aan is.

Nan Robinson